国家出版基金项目
NATIONAL PUBLICATION FOUNDATION

李 文 信 考 古 与 文 博 辑 稿

考古报告卷

李文信　著　李仲元　辽宁省博物馆　整理

北方联合出版传媒(集团)股份有限公司
万卷出版公司

ⓒ 李文信 李仲元 辽宁省博物馆 2019

图书在版编目（CIP）数据

李文信考古与文博辑稿.考古报告卷 / 李文信著；
李仲元，辽宁省博物馆整理. — 沈阳：万卷出版公司，
2019.10

ISBN 978-7-5470-5214-3

Ⅰ．①李… Ⅱ．①李…②李…③辽… Ⅲ．①考古发
掘—发掘报告—汇编—中国 Ⅳ.①K870.4-53

中国版本图书馆CIP数据核字（2019）第228388号

出 品 人：刘一秀
出版发行：北方联合出版传媒（集团）股份有限公司
　　　　　万卷出版公司
　　　　　（地址：沈阳市和平区十一纬路25号　邮编：110003）
印 刷 者：辽宁奥美雅印刷有限公司
经 销 者：全国新华书店
幅面尺寸：170mm×240mm
字　　数：420千字
印　　张：29.25
出版时间：2019年10月第1版
印刷时间：2019年10月第1次印刷
图书统筹：李仲元　冯顺利
责任编辑：赵新楠
责任校对：张希茹
装帧设计：冯顺利　张　莹
ISBN 978-7-5470-5214-3
定　　价：170.00元
联系电话：024-23284090
传　　真：024-23284448

专家及编辑委员会

发掘报告

考古调查

苏密城址踏查记

1937年7月初旬，借桦甸县小学校教师暑期讲习会之便，曾作本城址实地之探查；虽属走马看花，印象未能详到真确，然为未至该地视查同志道之，或亦不无小助也。

（一）位置

桦甸县治位于松花江上源支流辉发河之右，长白山脉之阴，盖一丘陵溪谷绵联高地也。辉发河由县治西南来，沿南岭北麓东流，复北转掠县治东端作一回旋，后又向北，东而注入松花江。由县治东侧渡河，东北行约6公里，达大古城子村。田家五六，有小学校一。烟柳菱塘，柴篱蔬圃，村童驱牛，少女浣衣；见行人服色奇异，咸惊顾不已，寂寞农庄，使人精神为之一清。复前行则见一片平畴，极望无际。路左残础破臼，星罗棋布，而土质亦具有古代遗迹之特有色彩与成分，则梦想多年之苏密城者，已陈于目前矣。

（二）现状

城址位于辉发河东南岸，东障起伏绵亘之山岭，实造于冲积层之一小平原上也。略成方形，分内外二部，有东、西、南三门，北为河水所浸颓，有无城门，现难臆测，而每门有瓮墙围之。外城外有内高外低之土壕二道，水沟二道亦如之。外城东南角稍北之壕堑外，有圆形池址一。内城亦方形而南北稍长，城壁低薄外无壕沟。测计外城：南壁东西长570米，北壁东西长620米，西壁南北长770米，东壁南北长710米。内城：南北壁东西同长300米，东西壁南北同长350米。外城壁用晒坯堆成，高三四米，基宽六七米。壁下有敷石，壁上端内部有阶段，或为当时步道，现已圮毁难测其原状矣。

（三）遗物

城内外悉成农田，田舍数家；以故建筑物遗迹无从考查，唯瓦石之属，遍地皆是，种系尤多。据采集品及目见者有：

石臼　四个，多用火山岩及花岗岩造成。城内三个，城外古城村一个，破损者尚多。

础石　数十列，多在外城内西南隅及东北隅，内城北部三处。每三五成列，纵横数排。或为当时建筑物之遗迹也。

仰瓦　四种：一种灰褐色，长宽不明，厚4厘米。一种灰赤色，土软体薄，前端外缘有手指斜押缺刻文。又一种灰色，土粗质坚，以瓦体弧度推之幅甚宽大。一种灰土色，前端有带状押印花纹，与东京城出土者全同。

俯瓦　二种：一种灰色，尾有接榫，榫上有刻。一种大小厚薄相同，唯瓦面似用圆物擦拭者，故光亮而色黑。

瓦器　残片甚多，亦间有押印花纹者。

砺石　一个，灰黄色，四面磨砺，一面稍小。绝与现代农家所用者，不特石质不类，即用法形状亦迥不相侔。采得时，村人见之皆笑不可抑。

又据桦甸县小学校教师某言，某年有耕者得环镫一枚，重三四公斤，以废铁无所用，已弃之矣。又古城村某家藏有古城内出土供器烛台香炉等一套，不轻示人，有见之者，云非铜非铁，制作颇佳云云。

（四）小古城子

调查大古城之次日，因讲习会午后无课，一人复作小古城之调查。亦由县治东辉发河渡口过河，沿河左岸南进。时为宿雨初晴，河水稍涨，涛上凉风，徐徐吹来，田中高粱亦唰唰作声，暑中挨溽气，消失净尽矣。踽踽独行，冥想千百年前，此处城郭邑落，以及河上独木舟、桦皮舴，环甲执戈之武士，奇异之衣服，特殊之言语，色色都如梦见。至苏密沟河，水小而流急湍，声如震雷。逾河稍西向，不一公里，所谓小古城子者已至矣。盖去县治3公里，距大古城仅4公里耳。城址背辉发河，而面南岭，东依苏密河，正握水陆之要。址甚小，东西二门，亦有瓮城。城壁东西南北仅50步。垣二层，中有深沟，村人云无他遗物，仅石臼三二，散乱荒田中。现城内有关帝庙一所，前清光绪某年建。道士二名，云建庙时掘土得古铜镜一枚，有双鱼纹样，周缘汉文字十数个，去年为文教部取去。未见实物，既不知是何时物，更不知文字作何语意，颇为遗憾也。

据现地形势、城址状态而论，此城址与大古城为同时物，并有连络关系，毫无疑义。吾以为大古城子为小古城子之本据，小古城子即大古城子之一附庸堡塞或兵营似亦不为无理也。

（五）考证

本城址位于长白山脉西北，辉发河左岸。依古史文记录考之，其为渤海国初期筑造者无疑也。盖此地当周秦时代，为原人所谓肃慎——挹娄族之旧墟，后夫余强盛，归其役属。俟夫余族又一支建国于鸭绿江一带山地时，北夫余浸弱，而据有此长白山之天险，交通方便之松花江——古粟末水——之靺鞨族，乃脱臼其羁绊，雄张于今日吉林市及桦甸县沿江一带，所谓靺鞨五部，粟末最强者是也。当高句丽国势强大，靺鞨族曾受支配，并以强弓壮马，所向无敌之健儿，助句丽拒隋唐之师，而显名于世者也，后句丽为唐兵所灭，虽有安东都护府之设，东北夷实陷入混乱状态矣。时有粟末靺鞨族人大祚荣者，团结族属，复招句丽逃众，越白山之阴，筑都建国，自为震国王，雄视一方。唐武后发兵征之，无功而返，开元初乃封为渤海郡王，以羁縻之。后30年许，宝应元年（762）始晋封为国，去旧号专称渤海当由斯时始也。

以上为大氏建国及东北夷变迁情形。顾其最初所建之都城，究何在乎？按史文核之，大氏似由辽沈之间，溯浑水或大梁水东北进？复由柳河海龙之间，转入辉发河上源，路由水道过龙冈山脉，达于今日之桦甸附近建都而王焉。此种推测：

一、有两《唐书》记述大氏北退建国之史文。

二、当时东北荒外，交通自以水路为便。

三、唐通四夷道有由鸭绿江溯混江，转入辉发水而直达渤海中京显德府之文，绝非向壁臆说也。

再就今日苏密城址形式及出土遗物考查之，当更知前说非无证矣。何以定该城址为渤海大氏所建？

一、为建于平原，正方四门，分内外二部，全仿唐式做法，与渤海上京址比较，只大小不同耳。

二、为不在山上，壁无箭堞，缺守御设施，与高句丽辽金式城郭不同。

三、出土遗物多与渤海上京东京城址遗物技法型式相同，尤以指印瓦（详遗物条）为显著。虽有少数遗物与金上京相同，盖因金时曾利用此城故也。

何以必其为渤海中京显德府故址？其理由有三：

一、据唐通四夷道之记载。

二、依渤海四京与上京之方位、里程、产物等之推考。

三、鉴及该城址附近，并无堪当显德府之城址。

虽有多少学者以敖多里城址为显德府故址，但无科学的依据，至多能承认其为一段而已。再扈伦四部之辉发国曾建都于辉发河上源，然其城构造奇异，遗址在吉林省磐石县东南黑石镇附近，是上二城址皆不得为显德府址，明且著矣。

是以总上论述，无论在史籍上、遗物上处处证明其为渤海时代物，即非中京显德府址，其必为渤海之名城遗墟，固毫无疑义者也。

（原载《满洲史学》第3卷第1号，1939年）

奉天昭陵附近出土之石棺

一、出土地址　昭陵庙南南东约150米，深约1.4米之地点。

二、出土年月　因新马路工事，于（伪）康德五年十一月二十三日出土，二十六日移棺保存。

三、石棺形状　棺盖呈九面晶形，棺身方形，四面之一面，刻有一门二窗，无铭记。

四、各部尺度　棺身每面平均阔55厘米、高35厘米，内阔37厘米、深20厘米。盖与棺身同阔，四边平均高22厘米，盖顶高约20厘米。

五、附出物品　古碑数枚，有无其他遗物不明。

六、时代推考　虽无铭志，但根于石棺形式、出土地址、古砖形制、技工、尺度等而考证之，似辽金时代物，极下限当亦不在金代以后也。

（原载《满洲史学》第2卷第4号，1939年）

东蒙古辽代之史迹

辽代的国祚

在我国古史上，显现着广大的土地、雄伟的民族、高深的文化之国虽是很多，由今日看来，要以契丹国为最可观。契丹国也称辽国。它的民族初兴于六朝末期，盛于隋唐。它的老家是在辽河上源的西拉木伦河和老哈河之间的。当时部族颇多，强大的分为六部。后有名阿保机的，统一了各部。当五代时，建国于西拉木伦河流域，号曰大契丹国，是为辽之太祖。当时东平渤海，征服朝鲜；西通回鹘，联络西夏；北讨失章及鞑靼；南立石晋。后与赵宋抗礼，国势真有席卷全亚洲的模样。后传九主，国祚延长二百余年，为女真人所灭。

史上文化与研究保护

用文化史的目光来考察辽代，它的文化也很高，它有自作的文字。这在吾国古史上，是新的创举。以前的高句丽、渤海是没有的。国势很强盛，佛教很发达，因之雕刻、绘画、建筑等美术也大可赞扬，值得吾们研究的。后在各遗迹项里，再详细说明。

辽代建国于西拉木伦河流域。国土虽广，主要的史迹，仍多留在今日之东蒙古，而以巴林左右旗为主要。吾国其他各省，及黄河以北也有若干辽代主要遗迹，兹皆略不谈。所谓史迹的，凡城郭、宫室、寺塔、陵墓以及残砖断瓦碑碣等等都是。兹希望大家对于辽代文化加意研究，辽代史迹加意保护。

上京临潢府

波罗城址

辽太祖初建国的都城名皇都，本是契丹初兴时一大部落，至太宗朝定为"上京"。

因南面西拉木伦故府名"临潢"，今日林东市南，蒙人呼为"波罗城"的就是。此处东邻二吉木伦，四周环山，颇有王气。城郭很大分为二部，在北的略成方形，东西长二千五百米；南北约一千五百米。（以下缺文）

祖　州

满其克山城址

在上项叙述的上京西面，有很秀丽峻雅的高山。有一个山，藏名叫作"满其克"。这山东面一个山岗上的城，较比上京小得多。但是据史书的记载说，这是辽太祖的老家，所谓辽有"西楼"就是此地。太祖生前常常在此游猎，死后也就在这城的西北方修了太祖的"祖陵"，所以名曰"祖州"。城的长约七百八十米，宽约四百米左右，分四个门，里面也有子城宫殿等。

祀天的石室

在西北城角的里面，有一个很大的"石室"，蒙人呼之"琪伦机木"，意思是"石头庙"。这石室用整个巨大石板筑成的，顶上的大石，长六米多。四壁多大，依此可知了。但石室虽经过了约有千年，可是一直没有倾斜，真是辽人终古不坏的伟大史迹。此室究作何用，现在还无定说。但是一般学者说，怕是祭祀大地的所在或是其他的一种神灵崇拜的地方。

雕刻的可爱

城外的西北山上有龟形石碑口、石狮子。其他石雕物，都精工可爱。黄绿黑各色琉璃瓦，也颇工致，并有和渤海的"瓦当"相同的花纹。这可知道辽在渤海后，在文化上，所受的影响如何。太祖本人和皇子的陵墓至今仍没发见（辽代的皇陵不和别代的皇陵一样。上面是不显露的。所以很难找得）。但是国人留心研究调查，必能有发现的一天。所以这个城在研究契丹文化上，是很重要的。

怀　州

汗山与怀陵

小巴林旗贝子府北去，山川也步步雄伟清秀。顶大山名"汗山"，一般人也呼作寒山（寒冷的寒），辽叫"炭山"。真是山深林密，鸟兽成群。辽代各帝常常在此山附近打猎。太宗更是喜爱这地方，所以死后就在山南修了他的"怀陵"。在陵旁筑了一个怀州城，就是今日叫作小城子的古城址。这城修在背山面水、风景极好的地方，长约四百五十米，宽约七百米。四门仍然清楚，里面也有宫殿遗址。出土的瓦和辽阳往往出土的俗称铜瓦的大体相同，形大而质坚。石刻物瓦当等的花样也都有特殊优点。太宗的皇陵也是"只在此山中，年深不知处"而没有发见，仅存山上找拜殿的遗址。那恐怕距此不远。慢慢地大家努力就不难有水落石出之日了。

庆　州

别宫的禁地

上述汗山的西面有一条河，蒙古名"查干木伦"（白河的意思）。西岸有一个很大的整齐的古城。因这城里有座白色的古塔，所以这地方就叫"白塔子"。这白塔子城本是契丹各皇帝避暑的别宫所在地。行猎的禁山，当然是山川秀丽风景绝佳的好地方。后来圣宗爱这地方。所以遗言说"百年后埋在这城北二十多里的山里"。后来陵名叫作"永庆"。所以他儿子（就是兴宗皇帝）常常来祭陵，就立了这庆州，以便奉事陵寝。这和上面说的祖、怀二州一样，都是所谓"奉陵邑"。

白塔子城郭

这城因修筑在辽代末期，所以各遗迹都很清楚。城的南北长一千一百米，东西长九百四十米，方正美观，不说是辽代古城郭的最好的。里边有宫殿寺院官署的基址，以八面十三层的碑塔最为有名。由塔上落下铜镜上的字知道是修造"乾统五年"，就是辽代末帝天祚的时候。所以完整无损，据此不但可以明白契丹人对佛教信仰的程度，并可明白辽代的工艺美术建筑的文化程度，真是考研辽文化的无上宝物。

磨石的建筑

各宫殿址除上述各处所共有的文化遗物以外，又发见了契丹人建筑已用了磨光好看的石头作装饰，和今日用大理石也差不多了。又有汉白玉的八棱石经幢两座，一座刻着记载圣宗死及埋葬的文章，一座刻着佛经。不但文字内容记了好些贵重的历史资料，就那文章书法、雕刻，已经就很贵重了。可惜蒙人不知保护，多被土人损坏，字已不完全了。此外为宫殿池塘、亭台，以至于有牌楼、山门、正殿、后殿、东西配殿，和今日相仿的寺院，都可一目了然，使吾们彻底明白了辽代的种种典章制度。

辽 陵

瓦里曼哈王坟

上面证过圣宗的陵离庆州西北二十多里的山上，这地方蒙人叫作"瓦里王曼哈"（就是有瓦的沙漠的意思）。不但圣宗陵在这，后来与兴宗道宗的陵也在这里，所以分东中西三个陵。前些年被一位无知的军人盗掘，取去了所有的实物，虽是可恶，但是同时也就发见了轰动世界的两种我们所贵重的宝物。

因为每陵都接连有个很大的墓室，并且壁上都画着设色山水、人物、图案等契丹的大量人物；不但是写实的，而且全有契丹文的题名。在这上我们可以知道辽代的绘画技术如何，并且还可明了契丹人的风俗、习惯以及衣服装束，而且这都是史书不载或记也不多，世人都有极少知道的。可惜是以后因气温和潮湿的关系，今多脱落。我们现在要不马上设法保存研究，将来就很难说了。

契丹文表册

另一样宝物，是陵的"表册"。不但有汉文记述，极详细的各帝后的生平史料，其中又有见于古书的记载而未曾眼见的"契丹文字"。契丹文字前此不独无人研究（实亦无物可供以研究），它究是如何一种文字，也无人知晓。现在我们可以知道它的形制、书法、组织等等。虽然不能全明白它的读音表意，但是世人的努力也有可望的光明，将来由死文字变活文字也是说不定的。

膳堂与釉瓦

在陵上也有雕刻着佛像和刻着梵文的石经幢。膳堂祭殿制度、建筑等也都明白地暗示给我们了。美中不足的是盗掘取册时，没有记明为某陵某帝，使我们抱了极大的遗憾。虽在其他遗物上如西陵发见了题有"乾三年"的釉瓦，也可作推考的根据，但要确确实实的明白，那仍须国人大家来研究。

结　语

上说的几处不过选择较比重要的，除此外当然还多呢。诸位听了上面的叙述，有几点很足以使我们注意的。

一、契丹文化绝不像辽史所记那样简单，更不像契丹国志记载那样卑陋。

二、东蒙古所存的辽代史迹很多，而且保存得也好，是我们研究辽史取之不尽的宝库。

三、这种比史书确实的史迹遗物，我们应当加意保护它，免得渐渐地消失了。

以上就是"东蒙古"部分辽代史迹的情形。因本人不是专家，疏漏错误恐怕很多，请各位原谅吧。

（原载《盛京时报》1941年4月24—27日）

叶柏寿行纪

（伪）康德七年（1940）六月十四日，博物馆奉天分馆馆长三宅先生承民生部嘱托，有叶柏寿驿附近古坟调查之行。同行者为三宅分馆长率余及园田义范君。

爰去年热河省喀喇沁右旗辖境，叶柏寿驿沟内，因水道工程曾有辽代砖室古坟之发见，遗物虽由铁路局好意地赠予本馆，为明了该古坟时代、民族、风俗和埋葬与构筑实态，再调查诚为不可稍缓，民生部故有是命，吾等乃有此行也。

凡于该古坟之一切科学的调查结果，将有简洁明快之报告昭告世人，笔者仅将发掘工作之过程，每日以日记体裁，叙述之于后，欲求精密的研究参考，待诸异日可也。

六月十四日　金曜日　时晴时雨

早八时由奉天驿向锦州市进发，天气虽有阴云，然晓风拂拂，颇感快愉，车行辽河平野中，村落棋布，杨柳成行，麦田风拂成波，一望无际。耕夫忙碌于垅亩间，妇孺助之，田边杂花如锦，池沼中花多黄白，咸欣欣迎人欲笑。好一幅田园派之写生画也。我爱远山，也爱诚实勤苦之村民。农村乃真乐土，亦吾人温柔之故乡也。

经大虎山，山不甚大，一奇岩远望颇美，此处乃山岳与平野接触之交会地。以势论，为原始人类爱息栖之处，吾等今日所有经验，往往如指示吾人，故三宅博士意欲公毕归来时，下车视察一次，是否有遗迹遗物之存在。

午前十一时余达锦县，即入旅馆，饭后相偕往铁路局、省公署联络，此行途中竟有石器时代赤色绳纹瓦器片之发见，地点在锦州驿前稍东之丘陵上，闻曾发见磨制石斧等，今次未见石器，除多数瓦器片外，鬲足，纺口各一枚，为差慰人心者。至省署调查由彰武所发见之木乃伊，似是女性，年代恐不甚古，同处所藏原始兽骨，可为吾国西部古生物学上珍贵之资料，移于国立博物馆自然科学部最为适宜也。

五时半同进锦州旧城作市内之游。至广济寺，寺在东门内街附近，前有大塔，即未下火车时所望见者。塔颇高大，作八面式。下部每面龛雕佛一尊，左右有持佛，上有飞天乐女之属。雕处多脱落，檐角拱斗，飞甍鸱尾，十残八九。夕照中益显其龙钟老态矣。寺为明代重修者，庭柱门楣，以石为之，雄伟坚牢，从所未见。古碑一在庭中，二石接作，纹皆残蚀不可读。正殿内悬明万历朝铁钟一颗，体虽差小，花纹极奇古，声亦清远可听，焚香敬礼，随缘布施香资一圆而退，复至西门大街、北门大街稍事游览，乘车返寓时，正值斜风细雨移刻。

六月十五日　土曜日　晴

早饭后乘车趋市立民众教育馆，位于城内北街文庙中。虽因陋就简，其善于因势利用，亦颇使人称许，内分讲演、阅报、藏书、古物陈列等室。庙中侧古木遮荫，情调清幽，真市民公余之福地也，惜地址稍僻耳。

古物陈列室独居东侧院中，正面瓦屋三楹，院中横列葛王碑额及其他古石刻，花纹品七八种。入门为相连两间，计陈八面刻佛经幢一，制作辽永陵所有者为稍粗俗，辽代物无疑也。大金明昌三年之陀罗尼梵文八面经幢一，馆人云（伪）康德三年由县境出土者，故吾国金石书尚无著录。次为明代墓志铭十余石，制作虽不甚精美，石亦差劣，然字多完好，亦研究明代地方史之好资料也。壁上挂前代乡绅名士及明伦堂木刻对联数副。右首一间列瓦器、瓷器、甲胄、弓矢及明代"镇夷堡""松山堡""杏山堡"石额三，此额在明清兴亡史上之地位，人所知也。再次为清代官服、敕书及乡贤遗著数种，其他史迹名胜照片数十种，多张于壁间，塔橡城斗亦间陈于室间。

综观所收各物，虽不尽精，亦未为多，然范围则甚广，他日进展则视主事者努力如何耳。馆长谓县境出土物今后不能再归本馆，盖县署已有古物搜集陈列之计划矣。果然实锦省文化建设之第一步也。但如此分豆割瓜，遗物有几，莫妙于省署管辖下，将全省所能搜集者，集中一处，派专人掌其事，以备都人士及他邦涉是地者之考订，则所乡土文物之发扬，爱乡心之作兴，当有更足期待者矣。

午间登车赴叶柏寿，中经义县、朝阳，车窗中可见义县辽塔，万佛堂北魏造像，虽隔大凌河，利用望远镜，亦了如掌上。朝阳城中二塔固可视察三面，即南山上之塔，虽较远亦可明白。龙城故都，白狼旧水，亦辽金之废城，征人怀古之情，有难出之笔墨者。

六时抵叶柏寿驿，驿距叶柏寿旧镇五六里，驿在女儿河之南岸，饮食店、旅馆三五家已，满人商店则河北为多。

六月十六日　日曜日　阴雨

早饭后驿长来访，同至满铁病院东侧古坟现场观察，此坟去年因下水道工程发见后，业经三宅博士调查一次，以鸡冠壶初次出土例见重于世，今欲加较详之发掘调查，因雨势不止，乃将工人遣回，冒雨返寓，已淋漓不堪矣。

午饭后雨稍小，余欲至去年经三宅博士所发见之石器文化遗址地一行，博士诚意向导，园田先生亦乐从，乃相偕整装出发。渡女儿河过市街，行田畴间，土人多侧顾笑之。叶柏寿驿北北东约五六里之溪谷间有聚落名乌苏汰沟，军部地图为五台沟，溪水由北方高山中沿谷南下，过此村数里注入女儿河中。村中农十余家在沟东岸，相对之西岸有山，西北方来注之小溪。在此小溪之南、大溪西岸田中，即为石器散布地。北自小溪南延约千米，东由大溪西延300余米之中，石瓦器散布地表，石器以磨制之小件为多，瓦器则鬲足鬲腹把手等，似属红山后系者，间有折口缘及肩，腹有折印带形花纹、绳纹者，则非红山后所有者矣。

于大沟岸断崖深约一米余土中，露出瓦器甚多，后掘之得鬲腹一部，其大异常，口部有一流者。

忽来大雨，溪水骤增，乃避雨于农家门屋中。村人讲村东一田中瓦片砖头极多，有大石上凿一孔，不知其用云。后雨中请村童导往，其处当前村东约300米田地中，一现代墓道附近，有孔大石乃一米余之方形柱础，上刻覆盆，中凿一孔以便置柱防脱者，础之大殊堪惊叹，盖较临潢府址（巴林左旗波罗城）大内础石大且过之，而刻饰稍质朴耳。侧背有深沟七八道，为辽砖之一特征，亦有无沟纹者。平瓦当与庆州址（白塔子）及辽永庆陵出土者同，即全满西北部所常见之斜押波状纹者，则此遗迹属于辽代似无疑义，唯础石何只一枚，或多埋没土中，或为人移作他用，此种实例在吾国各代遗迹中，不鲜见也。此遗迹在女儿河北，有础石当为辽代显者之府第，则吾等发掘之古坟，与此遗迹或有相当关系。在地势上，住宅与坟墓上，皆有可能存在，非吾人妄说臆测也。采集袋不能再容，三宅博士、园田先生补充以毛巾。不觉雨冷，不感倦劳，谈笑而归，三宅博士兴趣尤高，虽路泞雨打，仍高歌不止，此吾等学人之风趣逸情，不足为外人道也。至寓兴犹未了，三人将采集品洗涤洁净，荐以废纸，相顾而笑，似谓"不虚此一日雨天也"。

午后六时，雨渐霁，天际可见苍蓝一线，明日当可正式工作矣。出发以来，偶染感冒，涕泪咳嗽，使人不快。然写此手记时，则不知其气闷不舒也。

六月十七日　月曜日　晴

早饭后七时四十分赴古坟现场，坟当满铁锦州病院分院厨室东墙下，坟深入土中约三米许。乃指挥工人按照三宅馆长指示之范围内运土开掘。此种小规模发掘，固不如大遗迹发掘之必计划有定，始克就功，然事半功倍之谋，亦不可忽也。例如运土方法，阰岸蹬路之预留，弃土场所与发掘范围之广窄，水流风向诸天象之变化，无一端可忽略者。且吾国工人无知者多，性质顽劣，行动蠢笨，恒不能按所指示者顺利进行，此乃无法补救者。以皆发掘工作者所宜留意者。

午前按照拟定方针进行，至午仍未见墓室顶部，盖此墓筑于北向斜面之山阿，年久积土渐深，非短时即可除尽者。

午后继续工作，坟南急告涌水，势如突泉，掩土不能遏止。盖墓室南数步有病院膳食秽水井一，水面颇高，积土一除，秽水侧溢，不得已沿南部掘一深沟决水东流，奈深度甚大，耗半日力尚未实现，欲求时间节省，乃在井南又凿一沟，明日工人将水井汲涸，较用沟为便，而先掘之探沟可为将来掘道工作之一部，亦不虚费。此种实现事实，固非原意所能及，随时应变，力求合理，则为吾人野地作业所宜注意者。六时半停工。

天微雨，晚膳后驿长偕同僚来访，并观吾等昨日所采之石器陶片等，听取三宅博士诚恳之说明，似极感趣味，亦可见友邦人士对学术之热心及态度矣。

六月十八日　火曜日　快晴

午前七时半开始掘除积土，渐露墓顶塌陷部分，但秽水井必须二人汲涸，又加正午天气过热，故工作迟迟，况墓室陷阱甚小，仅容二三人在内工作，炎热无风，工作殊难。唯古坟所在恰符原指地点，而羡道亦如原定，则可大省做工时间矣。

午前三宅博士无事在南方一丘陵上采得石器残片及红质赭色彩陶三片，

为此处新发见也，以陶质按之，似与红山后彩陶为一系属者。

午后掘坟中积土深米余，明日虽不定见底，则羡门当可见矣。唯下部水分渐多，而掘出搬远亦愈不易。

六月十九日　水曜日　晴

午前午后均除坟中积土，坟中筑造情状，可明大半。坟为圆形砖室一，穹隆天井，门向东南，羡道长短，尚不可知，室壁直上，欲起穹隆时，有二层横砖，内出寸余，作一周突起，突起缘下八等分处，各置磨砖斗拱一，其作颇与辽塔斗拱同。

晚膳后病院来告，坟中由秽水井漏水注入秽水甚多。三宅博士急率余及园田君往视。盖因今日工作完毕，忘汲秽井所致。不得已余及园田君汲秽水，三宅博士补筑防水堤，约一时许，三人气喘力竭始止。园田君戏呼"一元五角不易"，盖工人每日工资数也。稍一疏忽，演此突变，工作不可不慎也可知矣。

古坟砖有二种，一为正矩形，二长边约34厘米，二短边约为17厘米，厚约5厘米强。一为两等边矩形，二长边34厘米强，一端16厘米强，又一端13厘米强，厚亦5厘米强，后一种盖为古坟天井所专用者。

六月二十日　木曜日　晴

因昨晚秽井漏水，注入坟室，致掘土困难，且坟室渐深，外运亦颇非易，午前仅明室中一斗拱加以详测，绘成草图。

午后渐见明室地表敷砖之一部，羡门内积土地仍未掘除，发见棺钉及铁片二枚。

余因水土饮食等关系而患赤痢，现虽轻微，将来难免恶化，从三宅博士之忠告，就医于此地满铁病房，自愧体弱，染疾□向人言，甘忍苦痛，强示无恙而已。盖余去年调查辽永庆陵，曾因胃疾先归，恒引为憾事，诚恐遗笑他人也。

晚得前监察院长罗（振玉）叔言先生讣，不胜哀悼，先生丰功伟业，海内皆知，汲引后学更多，使人不能忘者，先生可谓永生矣。

六月二十一日　金曜日　炎热

卧病一日，殊无聊赖，三宅博士谆谆晓示病中宜留意调养各事项，园田君照拂饮食调理各事。此种热诚协力精神，感人极深，事强微细，亦可见同心同德之高情，为吾人终生不敢忘也。

午前读三宅博士临往工作场时借余之《满蒙之文化》，为原田淑人教授著，内容丰富而明确，使人不忍释卷。

午后泻差减，强赴现场一观。坟中积土将尽，仅余羡道部分，明日掘土工作可完矣。

本日出土中发见小铜铃二，一尚完好，一存半面，盖为去年所遗者。

午前三宅博士在距此不远之西南之岗棱上，采得新石器、细石器、画纹"红山后"乙种系土器片、彩纹土器片等甚多。叶柏寿驿附近之新石器文化遗迹幅员颇广，均为博士所发见，学界可嘉事也。

六月二十二日　土曜日　晴

古坟室及羡门积土已除净。地表满铺矩形砖，于中央复造一层砖之棺台一，台为矩形，一长边正对羡门。在室中作斗拱写生图一张，用远近法更明了也。

午后同三宅博士率本驿各科系热心人士及小学校师生全部，到五台沟石器文化遗迹及辽代迹地采集，某君得双孔石庖刀一枚，磨制滑润，完美可爱。

余人亦各有收获。小学生精神更见旺盛。文化国民之动作及精神，使人自愧，吾同胞见贤思齐，勿自弃矣。

辽代遗迹地有一巨础，已如前述，今得时间加以详测，础为立方形，每边1米左右，高50厘米。是刻凸出9厘米之鼓形，中央凹入一孔，深约17厘米，置柱防脱，正如临潢庆州二城址所遗者。长砖长不可知，宽16厘米，厚5厘米强，有押印长条纹七八，为辽砖之特征也。其他瓦陶片为一般辽坟所常见者，不详记。

六月二十三日　日曜日　阴

古坟中积土已除尽，乃与三宅馆长、园田先生分头工作，三宅馆长测绘坟内地砖及棺台。园田君摄制坟内照片，余测绘坟壁全图。唯坟中颇隘，三人同时工作时感不便。

午后，建国大学教授山本守先生由新京来会，盖受民生部嘱托，往建平喀喇沁旗公署，调查前记五十家子古出土物品者，拟明日与三宅博士及余同往，在此视察吾等所掘之古坟，诚一箭双雕之举也。

六月二十四日　月曜日　晴

午前继续昨日未完之测绘工作，三宅、园田二先生工作亦尚未完。

午后作古坟纵横断面图各一纸，此墓构造较奇，实测颇不易，幸得山本教授之助，始克如期完成。

夜中失眠，辗转颇苦。

六月二十五日　火曜日　时阴时晴

午前作古坟天井部实测图，复督工掘除羡道门内积土，否则羡门前面之状态不明。而写真、实测、绘图等全不可能故也。园田君得山本教授之助，亦将古坟附近平面图测绘完毕。

午后山本教授由园田君引导往五台沟新石器文化遗迹地视察，采得石器瓦器残片颇多，一石剑横断为"△"形，乃向未见者。彩陶数片亦奇特。三宅博士午后亦往驿西丘陵地带采得大型磨制石斧等数种，皆为向所不知者。三宅博士之功绩，诚不可没也。

今日驿长命工人开始作古坟保存工作，将来叶柏寿驿中添一史迹，乃极有意义之事。此一端已可见友邦人士对文化事业关心之程度若何矣。吾人对之能不感愧。

六月二十六日　水曜日　时雨

午前同三宅博士作羡门前面实测图，及墓门天井砖列图。午后民生部保存股广松健二郎先生来叶，盖为设计保存古坟及往建平喀喇沁署调查该管五十家子村古墓出土物也。

吾等同广松先生视察现场一周，并研究保存方法及费用等。旋由三宅博士及余导广松先生复往乌苏汰沟采集新细石器，此次虽为四回之采集，得物仍不少。细石镞细石器为往所未多见者，颇饶趣味也。

晚饭后，广松先生告余，锦州市练兵场南方高地上，曾有细石器之发见云，睡前略整行装，拟明日同山本、广松先生往建平旗署调查五十家子古墓，事毕即与山本先生向朝阳，转回奉天。朝阳一宵可视察该城史迹，亦极有意义之事也。

六月二十七日　木曜日　晴

午前八时向建平，正午方达喀喇沁旗公署，适有该旗管境和乐村张家营子墓发见遗物亦选送到。

午后因旗公署载重自动车需要修理，不能即往五十家子村，故三宅博士仍旋叶柏寿。余及山本、广松在署作古物实测图。其时和乐村南"要道图"警察署有电话来，谓墓志铭业已送出，计程明日午前可达云。乃与旗署主事者联络，将古物先行装包，明日同墓志铭一车送到叶柏寿，旗署免事后报送之劳，古物由吾等亲手装运，亦可免搬运损伤之险，明日与三宅、园田二先生一同返奉，计亦良便。

建平为民国时代一僻县，位于老哈河东，土地瘠瘦，无大山川，寒期较长，农业因之不甚适宜。街市寂寞，不及南满一村镇。夜宿于日系官吏寄宿舍，生活尚安适。

六月二十八日　金曜日　晴

午前八时至旗公署，拟往五十家子调查古墓，唯载重车仍需修理，至正午始可行驰，不得已取消五十家子之行，遂将送到之墓志铭拓影数纸，即行包装。

定午后回叶柏寿，五十家子古墓之调查，待诸来日可也。

午后携所有古物乘车返叶，未至十里许，地名黑山头者，车轮走气，更换之际，余在官路东小丘陵上采得石斧二枚，一磨制，一打制，六朝式有纹古瓦片数枚，颇值注意也。回至前往旅馆，三宅、园田二先生正准备返奉，乃一同登车，时在午后四时许也。

车至东大道、大平房二驿之间，经一古城址，铁路通过城址，其四围城壁及城中土坛、东门址等，历然在目。城西北山巅，一塔耸立，西南十余里山上亦有一佛塔，但在大凌河北柳河南不得知矣。城南为东流之大凌河，城东为大凌河一支水，由北而南注入大凌河中。观此城地形冲要，山川如画，当为辽代一址无疑。后得机会，当详细调查之。

至朝阳市山本教授下车，视察此地史迹，余因携带古物，不便暂留，静望夕阳中寂寞之古塔，及塔顶下旋回不息之鸦阵而已。朝阳驿东，铁路南方，高土坛三五点于田畴中，或为古代坟墓，或为古代建筑物遗址，皆吾人所应注意者。

三宅馆长至锦县，因必向铁路局报告古墓发掘及保存工程状况，乃下车作一宿之留，明日始回奉。余与广松、园田二先生闲谈时余，亦各入睡乡，待一梦醒来已至奉不远之马三家。及至奉，广松先生便搭车回京，余与园田君携物返馆。此行亦告结束矣。

（原载《国立中央博物馆时报》第9号，1941年）

汐子行记

　　（伪）康德七年秋，热河省喀喇沁右旗管境，和乐村张家营子东北山谷中，曾有大安六年郑恪古坟遗物之发现，计墓志铭一石，三彩瓷器11件，素瓷6件，瓦器5件，铜香盘、铜镜各一，铜泉17枚，铁锁残片，木片等。此等出土物虽已全数归属国立中央博物馆奉天分馆，然此种绝对年代明白之古坟，于辽代文化史上，实为可贵之发见，尤对三彩等瓷器上，年代确定之珍例也。故其墓制形状、埋葬情况、遗物配置、地形地理学上等实见调查，乃万不可忽视者，故民生部遣建国大学教授山本守先生，博物馆长则派笔者与园田义范君偕往。

　　余以日记详记每日功作情况，第非报告性质，故无考订成分，仅表时间延长之动态而已。其他各端当由后日专报中求之。

七月十一日　木曜日　晴

　　午前九时许，山本守建大教授由京来馆，说明部令余及园田君同彼往喀喇沁右旗和乐村调查辽代古坟事，乃即时分别整理器械行李等。晚十一时四十分搭奉山车向锦州发。

车中遇十五年前学生，卒业于日本士官校归国后任职于治安部，今往义县朝阳之金荣潭君，略谈往事而就寝。待一梦醒来，已到晓烟低迷之锦州驿矣。

七月十二日　金曜日　午后急雨

锦州驿曙色苍苍，灯光暗淡，送往迎来，声形扰杂。月台上作建国体操及散步约十五分，换乘之锦承列车，已鸣笛前进矣。

食堂车中，复与金君相值。间谈锦义朝阳三地古史、遗迹，上自汉魏，下迄明清，盖彼为趣味多方，爱古好学之士，借作参考，以为此行功余游览凭吊之资也。车至朝阳始珍重握别。

行经大平房驿，前次曾有古城址之发现，故注全力由车窗观察之，城迹显然明白。中皆辟为田畴，有高土坛一，盖古建筑物址也。东西城壁较高，东门址及瓮门尤显然。铁路经过城址中，故南北城壁，颇难明其实状，唯以车行时间度之，似觉城址颇大。

城建于大凌河北岸台地上，东西各有小川南注大凌河中。城址西南十余里之小山上，有高塔一，东北数里小山上亦有一塔，二塔皆为辽金式。山河壮丽，与古兴中府、今日朝阳县地形上，颇为仿佛，或辽代一州址欤。城址及其附近目见图（图一）。

当夜宿于叶柏寿旅馆中，同时购买生活必需品及器具，盖和乐村为蒙地之僻地，必须携带食品，否则生活必感困难也。

灯下吾等研究达和乐村后，实际工作之次第，往返古坟搬运器械之车马人夫等。后以三种地图，测汐子驿和乐村间之距离，结果与喀喇沁右旗公署所告之六七满里者不等。依图而测算之实远及二十余里也。

叶柏寿赤峰二地间，古坟古城、古塔、甚多，辽代中京大定府址，今呼"大名城"者最为有名。他处以城名地者有，大城子、小城子、土城子、木头城子之类，大平房附近之城址，尚未以城名，则此地诚为考古者之好园地也。

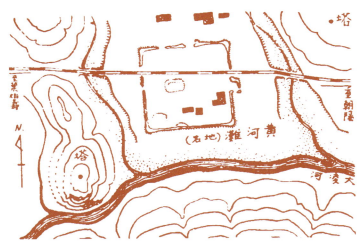

图一　大平房驿附近古城址目见略图

七月十三日　土曜日　晴

午前整理行装及携带之食用品器械等。午后一时余乘车同向叶赤线上之汐子行。由叶柏寿西行折向西北入一谷，奇峰怪石，形势奇秀地亦冲要。再进为沙海、二龙两驿，川原渐广。天义驿即昔为有名一集镇杜家窝棚之新名也。村落渐密，田禾油油，疑非蒙地气象，盖已入老哈河流域之平原宜农地带矣。

天义驿停车，询知辽中京城址今之大名城，距此西西南三十余里，道路平垣，车马均可一日往返，为往该城址最便捷之途径。不知何日天遂人愿，得凭？此千载废墟也。

车过老哈河西，第一驿即汐子，无大商市，一山村耳。乃雇用马车一辆，搬运器械，车趋老河（土人如此称呼）。西岸甚高，东则沙地杨林。后连田野，河床颇宽，水流百余米，深不及马腹。过河北转行沙地中，杨林夹路，柯高枝茂，凉风时至，繁叶萧萧。民家多土屋土垣院落。院中杏实垂垂，倩车夫购得数十，肉薄味绝酸，亦蒙地农村之唯一珍味也。过老河计行十五六里，复渡山建平方面西流注入老河之一水，水北即昔日之和乐营子，此营子（营子为蒙地汉人居住村落之通称，如南满之屯、堡焉）南北五六里，民户错落，村公所则在小河北三里许，营子之中部也。

车至村公所，由村长张锦堂氏迎入，即暂住于村所中。当说明来意，村长前日已得旗公署礼教股长李氏之通知，故对调查工作诸般协力处，已有计划之准备矣。遂倩其雇用工作人夫，诵经僧人，搬运器械马车等。吾等始就晚餐。

今日在汐子驿东，老哈河西岸丘陵上，采得辽代陶片，元代瓷片数十枚，此等遗物为东南蒙古极多者，在此中京大定府址附近，更现到处可见状态矣。

028

七月十四日　日曜日　晴

七时余率喇嘛僧二，搬运器械马车一，村长导往张家营子。既至，由该村孙排长雇入工人十余名，分携器具趋赴古坟现场。山路颇险隘，车马不能登。时有"要道图"警察署警官一人，与村长同往现地，盖一尽地方官之责，一表调查保护援助之谊也。

"张家营子"在治安部地图上，音误为"姜金子"，盖讹姜为张，复并"家营"为金，此处村名据土人云从无改变，又别无姜金子之村落，故知确为错误也。其村位于今日和乐村东南四五里，小河北岸沙地上。古坟则在村东北小册岳背后，土名"死人洼"之山谷中。盖此谷昔为蒙人弃尸之所，今亦人踪罕到处也。

坟在山谷水沟之西岸，南距山足极近，为一稍缓度之斜坡，北向为山谷出口，东西南三面皆山，形势与乌丹县南蓟国公张氏墓地大体相似，唯此为山北稍异耳。

喇嘛僧设坛墓侧，奉奠诵经，吾等亦向古墓中主人致敬。乃详细观察现场，以便开始工作。此坟因雨水崩坏，土人拾取遗物，后经旗公署教育科李钧昌股长再度调查，已将墓室埋平，地面拙破处颇广，李氏云据墓志"附于先茔"恐外有他坟，曾加试掘者，诚如所说也。山本助教授以丰富之经验，测定墓室所在，即指挥工人按照示知计划开掘。幸坟位于沟岸近旁，弃土较易，工人皆为农夫，亦多尽心竭力工作，故进行非常顺利而敏速。午后四时后，墓室大体可明。盖坟为圆形，上为砖筑穹隆，壁为自然石砌成。较叶柏寿古坟稍小，砖亦有两种，一为正长方形，一为一端稍减之长方形，后一种盖为专筑穹隆天盖者。天井及羡门上部已颓毁，原形不甚明白，以陷入砖列测之，犹可得其仿佛。羡门内外均有黑、赤、青三色绘于白灰素壁面上，亦有雕磨殊形砖上绘有赤、黑二色者，颇与辽永庆陵建筑装饰相似，颇饶趣味也。

欲明白古坟内之情状，及古物安置，乃遣人往蒙古招屯唤取最初发现古

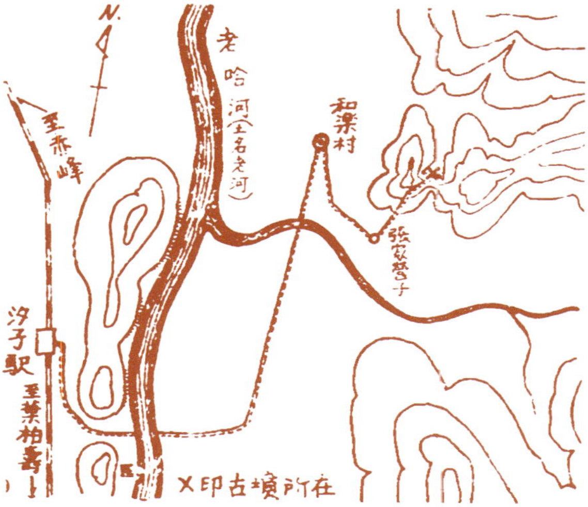

图二　辽时代古坟所在图

坟、拾古物者之一，翟姓少年来，讯问当时所见如下：

　　　　本年旧历三月二十九日，同家长及邻右四五人，在此北山中采
　　　掘甘草，日暮归途经过此处，见沟岸露出砖头数十枚，趋视一穴，中
　　　甚宽阔，知是古坟。中有瓷器石碑等，半被土埋。墙壁砌石，形状非
　　　圆非方，地上铺砖，坟门向东北方。周围墙根上，乱木条甚多。铜盘
　　　在近门处之正中，左为瓷盂，右为石碑，半立于墙根。再进为碟碗等
　　　物，配置形状，因日落坟中黑暗，故不大明白。瓦器瓷罎等物，一无
　　　所知。除石碑未动外，将瓷器、铜器等全数带回。此后出土何物，概
　　　不知晓。

　　询之工人，亦谓石碑乃经张家营子孙姓老翁牧马过此，见其方正滑润，
可作砧石，故运回家，后转送要道吐警署者。瓷罎则为村中牧童拾取送去
者。各种瓦器片铁器片等，乃李股长调查时拾得者为多。此为古坟发现前后
之详情，其中是否仍有转折，已不可知，据翟姓童目见情状，绘略图于后，
作为参考之一助。

　　日暮收工后，乃将本日出土装饰壁画灰片、建筑雕磨彩绘残砖等，令工
人携归。铁锁残片、陶瓷片等吾辈自携之。仍步五里余之崎岖山路而回张家
营子。告知明日应注意各事于工人后，旋返村公所。因往返不便工作，拟明
日迁住于张家营子。

七月十五日　月曜日　晴

　　今日工作颇速，午前露出陷入坟中之天井砖壁，行列、尺度、形式整然
如故，盖为发现后因雨水而塌陷者，于古坟建筑原形上，颇有参考价值，故
加以实测绘图、写真等。

　　午后运出坟中砖土，并将羡门掘出。古坟全貌约略可见。古坟为不等
六角形，一面留有羡门。全坟室直径不足三米，羡道不足一米。立壁用大小

不等之自然石累积，技术极拙。天井为砖砌就，砖间有黄土层，兼有用白灰处。下铺矩形方砖，表面似涂一层石灰，今仍有未尽脱落者。壁足有装置木板之腐朽部分，惜不知其高度，而其横组方法尚可明白，亦饶趣味也。

依此坟室形态观之，有应注意数事：（一）文室颇小，除置多数明器墓铭外，不能容纳木棺。壁下3厘米余之木板今尚显然明白，若有厚大木棺，必有若干朽余存在。（二）坟壁石块累积，内入外出，颇不整美。天井部之砖，大小残整，极不整齐，并有若干可认为利用他种建筑物剩余或废弃者。（三）无骨殖腐屑及服饰遗物，殆行火葬者。

晚归途中拾得磨制石斧刃部一片，石质坚滑，研磨锐利，原物颇大，非蒙古地带一般粗制品可比也。附近必有优秀遗迹，惜无暇以调查矣。

七月十六日　火曜日　阴、风

昨日墓室积土除净。今乃剔刷扫除，使全体清洁，砖行石块，历然可数。千里跋涉，数十人劳力，将此千年密迹，一旦明其真相，调查者快愉可知，即工人亦皆欣欣然似忘其疲劳者。

墓室为不等之六面形，壁以石，天井以砖。地铺长砖，大半残毁不存。地砖上涂约1厘米之石灰，大都脱落，存者甚少。六面石壁下内距10余厘米，周围镶有厚约3.5厘米之横木板，高度不明。以石壁异常不平不美之点观之，木板有高同石壁之可能性。墓门限所残存之木板迹，厚约7厘米较他板厚加倍，两端内相平行，植有横断成长方立柱，且此厚板下之地砖下沉，似为重力所压之结果。复发现铁锁残部二枚，依此二端观之，当有木板扉无疑，从而全木板高同石壁，更为合理之推测矣。

开始工作时，恐天气有变，园田君即时摄影，余及山本先生助之。且此处限于地形上之不便，摄影工作非常困难，非一人所能胜任也。

和乐村长来现场视察，并询问古坟发掘经过情况。盖备将详情报告于旗公署者。

山本先生作坟室地砖实测图，及平面图。余作壁面实测图。唯风速极

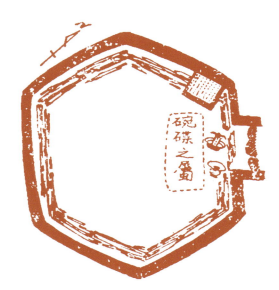

图三　发现者口述古坟内遗物配置图

高，飞沙迷目，工作颇迟。七时许停工回寓。

七月十七日　水曜日　快晴

午前余将古坟各部实测图作完。山本先生亦将所见实况，记录完毕。

午后三人协作古坟所在地平面图。晚携墓砖等回寓。

古坟发掘调查主要工作已完，所余残事及复土等普通工作，拟留园田君一人在此，再作三四日约略可毕，山本先生及余先返住地，免费时日。三人议妥，山本先生与余偕往和乐村公所辞行，并告知调查所得之概貌。此时园田君在寓所整理遗物、器械等，以便归途携带。

灯下作辞行要道吐警察署长书信一封，旗公署信一封，说明调查情况及感谢协助之意。同时雇定搬运器械遗物等马车一辆，使其准备明日早七时赴汐子驿。诸事就绪，始相偕就寝。

七月十八日　木曜日　晴

早膳后将出土品及器械装入马车，匆匆离去张家营子。朝凉初退，炎热袭来。车行沙路上，声音涩滞，进速颇迟。

此地三周无雨，田禾瘦萎，赤地旋风，极望无际。愚农祈雨鼓声，数村相闻。不尽力天时之补救，徒作此呼天不灵之举，其愚可笑亦可怜也。

车过老哈河，水面宽30米许，深才及膝耳。

午后乘车回奉。车中热甚，汗流如注，呼吸困难。即无睡铺，乘客复多，苦坐一夜，精神殊倦殆。

七月十九日　金曜日　晴

于朝露初干时，车至小别一周余之奉天。携器械遗品回馆。山本先生亦拟乘北行列车回京，此行亦告结束。

（原载《国立中央博物馆报》第12号，1941年）

吉林龙潭山汉代文化

绪　言

　　发源于长白山天池之松加里毕喇史称"粟末水"，今呼"松花江"者，实满洲古文化之发祥地，亦通古斯人与汉族文化交流之通路。满洲人称为"天河"，可与尼罗河、恒河并称为世界古文明之源泉而无愧色也。

　　吉林市满名"吉林乌剌"，意为沿此大江之聚落也。明初在此造船运粮，抚绥黑龙江及库页岛一带土民，故有"船厂"之汉名。市街负山带水，自然城池，风致清幽。盖松花江千回百转，激荡于长白山北脉溪谷中，至此而及平原，河阔岸平，水势浩瀚。在此山地平野之交，独得渔猎农耕之便。由交通上观之，水路溯江南通辉发、佟家、浑河三水，顺流下达黑龙、乌苏各江而至于海。陆路西沿南北满分水岭之坦途，可通东蒙古及辽河平原；东越山林地带，可达沿海；南窥朝鲜；北抚乌苏山地。此种水陆交通，今日固失其利。古代及近世，吉市既得此天然形势，水陆通衢，其聚落都邑之形成

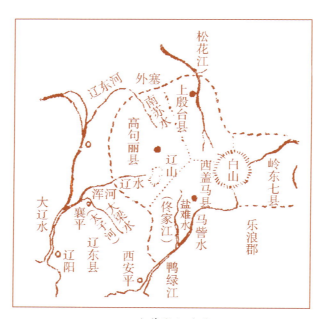

松花江
辽东河
外塞
南苏水
上殷台县
高句丽县
辽山
西盖马县
白山
岭东七县
辽水
浑河
大梁水
(太子河)
(佟家江)
盐难水
马訾水
乐浪郡
大辽水
襄平
辽东县
西安平
鸭绿江
辽阳

玄菟郡山川图

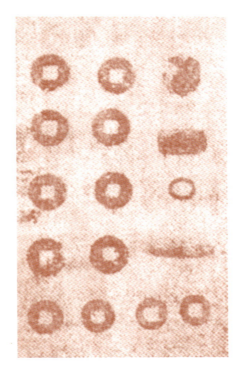

在吉林龙潭山发现之汉代铜钱及铜镞

必尔，文化必高可知矣。故广观古史，若通古斯人之南遥，汉族文化之北移，两文化交流之据点，端在吉市。故欲究明满洲古代文化动态者，不能置吉市而他求也。

吉市地位，天予之厚，形便之利，有如上述矣。若究其历史上之位置，及遗迹文物之残遗，则愚民每以"高丽"为辞，学者必以"辽金"当之。甚者谓"开原"以北无文化。将明初"船厂"之旧名，退于康熙征罗刹造船之役，置遗迹古物于不顾，师友相承，称为俗说。若有正色告以史事者，又惊顾却走，私置而不之信。甚矣，为学之难也。今吾人放胆为"吉市早有汉文化"之课题，以唯物的观点而论述之，"是"则为吾人一参考，"否"则望方闻之士教示之。

吉市地形之变迁

高山大川时流天地间，似终古而不改者。若以地质的年代论之，则又无时无刻不在改变中。小则山巅卵石之坠落谷底，河岸粒砂流入水中；大则河道之迁移，山谷之裂陷，时日无尽改易不止。而人类文化区域，亦遂之与时推移。吉市附近以历史的年代观之，亦不能出公例，为吾人所应注意者。

吉市有史时代遗迹古物不在今日吉林市街发现，而多在龙潭山车站附近出土者，盖当时松花江河道，与今不同。市中或为河流，或成流河沼滩等湿地不适民居所致。反之，潭山西平地，较今日尚阔，为一河岸段丘上之平原，近山临水，生活便利。此种事实由地质上蛇行河曲之时率及原则固显然可明，即吉市东大滩街北去之河流故道，俗名"二道江"者，亦吾人此说之明证也。再以历代遗迹古物之分布参考之，似初以龙潭山之冲积平原为中心，河床随时代而东侵，都邑亦渐渐还移于西岸。复经辽金元明清代之经营发展，以至形成今日之水都大吉林。

汉族文化遗物

吉市史迹古物数量丰富，时代明显者，首推高句丽为第一。高句丽本扶余族之一支南下建国者。其南下经路，亦以松花江为通路，自不待言。及其中期国势口口兵力日强，乃北并其祖族扶余括有此地。时当中国晋末（西纪

420年）而句丽适为好太、长寿二王之间也。是其建国前，或并有此地，前早有扶余族生息于沿江平野中若干年明矣。溯扶余族之建国，□秦汉交，分政设官，军事、刑狱、城郭、宫室之制大备，歌舞、祭祀、占卜之术盛行，农牧经济文明已达高度，良马赤玉好貂，久胜誉于邻国。为汉附庸，使□相望每与边吏结为姻戚。及武帝并朝鲜，设四郡，直隶玄菟为属国，每托上国以自矜或助猎骑鞭胡貂。朝廷亦怀远为心，朝赐鼓吹死赐玉柙，边境无事，胡汉一家。汉民族殖北边，固意中事耳。故汉代文物发见于吉市在古史上观之，乃极自然之结果，不足奇异也。

此种文物概由龙潭山车站至东团山子一带出土，种类极多。每□□□的□□互广范围多方之搜辑考定，其时代明确出土层清楚，非单物孤证。疑似模糊可比者列后。

1.五铢钱。好郭正圆，文字清朗以古史学种种观点考之确为前汉物。每同陶明器片出土，盖古填中副葬者，总计出土三十余枚。

2.白铜镜。已残缺，存纽部一片。此镜铜质及花纹，为汉铸。与后代辽金铜镜不独铜质之成分不同，即花纹之意匠亦不同。虽残损不全，一望而知为汉物，所谓滴水足知沧海味也。

3.铜矢镞。断面呈不等边三角形，绿锈颇厚，确为□镞之一种。盖吾国古以"石镞"振名于世，高丽以下各代均以铁为兵，无用铜镞者。

4.玉垂饰。色白，纹理较深，形如兽牙而微直，上端有穿孔一，盖佛玉□兽牙之类也。

5.琉璃瑙。色青绿，外部被土日久，已成变质。此类琉璃出土南满汉墓中者甚多。朝鲜乐浪时代汉墓亦曾发现一二。

6.文字瓦当。已残缺。质细正灰色。火力颇高。表面文字已不甚清朗，似为"长"字之一部。此种文字瓦当为汉代特有物。若高句丽、渤海以下，多以兽面、几何纹，龙、凤、花、草等为花纹，即色彩，技术亦不相同也。

7.五铢花纹陶器。壶腹部残片。横纹上横以前汉五铢钱押印，以连续花纹为装饰。

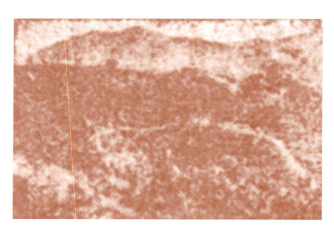

由东团山子城址望龙潭山

8.货泉纹陶器。灰陶器盖部画有不定形线，复以王莽货泉钱押印为花纹。此种钱货为花纹，恐系汉族所为，非满洲土民所宜有。且此种陶器出土于中国者，甚多其例也。

9.陶耳杯。椭圆形小杯，两长侧口唇边各有长耳。此器古多铜铸，古坟明器乃多以陶。故南满汉墓、洛阳古墓、朝鲜乐浪坟均曾有多数出土。此为汉族文物之最显明确实者。

10.陶灶。陶灶亦汉坟明器之普遍者。长方形，前有火口，上有链孔，侧面有方点花纹。此亦满洲土民所无，汉族遗物之显明者也。

11.陶甑。甑为蒸粟专器，他族无用之者，此处出土甚多。

12.刀钱。明字刀形钱，为周末赵国所铸者。朝鲜、南满、热河各地多有之。本年抚顺市亦有大量之发现。此处民国初年村民筑屋，曾得二枚于地中，村民呼为"高丽符"。后质于吉市某古物商。待余往问，云早卖出矣。此物盖亦汉人携来者也。

上列遗物十二种，皆确属汉遗品。性质独特，他族绝无者。他若纯白色及各种印花划花陶器，及专属汉陶形式者尤多。不过此种遗物时代之说明及理解，需要专门知识，非一般人所能理会，故不详赘。

综观出土品致用之范围甚广，有建筑兵事、女性装饰品、丧葬用物、一般日用器等。窥其生活，盖有官署之建筑、军事之设备，以保护汉人为安居。人民生活亦颇优裕不异于中原。妇女用外来品为首饰。日食小米饭几同吾等。死营填墓，埋入种种明器，备死者在阴世度其不异生前之生活。陶工为器时，以当时通行之钱币花纹。凡此种种，无论技术上为他族所不及。即在生活、礼俗一点上观之，亦为确然不拔之铁证。反究满洲土民各代生活形式，礼法习俗与此毫不相涉。即在葬法上，亦大异其趣。吾人以考古作业之经验，敢为大胆之保证也。

至此吾人必有"此地即有汉人遗物。当时究属汉代某地"之问题发生，据遗物之考证，吾人仅敢断定"此处确有汉族生活遗迹及文化遗物"耳。究为某郡某县，以今日所得材料，尚不足以说明之。唯有建筑材料之"文字瓦当"一点观之，必有官府之建造，非民居所宜有者。人民营造埋有"明器"之填墓，必为富有之家，移住此地甚久所为者。故此地为一殖民重地可知，吾人可于古史中窥其痕迹，以为将来研究资鉴。

玄菟郡上殷台县之所在

《汉书·地理志》下载"玄菟郡武帝元封四年（西纪前107年）开属幽州，县三"。

1.高句丽——"原注"。辽山辽水所出。西南至辽阳入大辽水，又有南苏水西北经塞外。

2.上殷台——"无注"。

3.西盖马——"原注"。马訾水西北入盐难水，西南至西安平入海，过郡而行二千一百里。

上列玄菟属县，实为迁郡后之县数。考元封开郡时，长白山东尚有"岭东七县"，专设"东部都尉"治理。后以路远不便，并入乐浪。以土人为"县侯"主之。后成弃地。对此三县地位置，除上殷台一县无山水（原注），殊难考证外，余二县水道里至方位均可考明今地。而上殷台县以旁证求之，则在长白山北，吉林附近。此说发于清陈沣，而吉林通志著者采其说。为节省时间及不掠人美，录后以参证，东塾集一。

（原载《盛京时报》1942年1月1—11日）

辽阳汉代文化调查通信

汉墓羡道之新知识

满洲汉墓调查已有三十余年之历史。南自辽东半岛南端，北迄辽沈，其间有砖椁，有石板椁，有累石椁，以及瓦棺贝壳墓等，无论建造及内容情状亦早为世界学人所久知。唯羡道情形尚未有人注意及之。此盖受地质财力等限制，虽有此心亦每难实现故也。是以今年对此壁画墓加以科学的考察，幸得地域及劳力之便，结果颇佳，为汉代墓前羡道之新知，良可喜也。

汉史的玄室

所谓羡道者，墓门前原造斜路，以便入棺者，且在葬仪上亦极重要。羡道左右及出入羡道，有相当礼仪，不得任意胡为。盖羡道为墓制之一部，其要不下于玄室。读汉史礼志者，可以详知之矣。在发掘工作上较为困难。既无硬质物之界线，又无古物为知识，仅凭工作者之经验，无非以土色、层位、杂物、土质软硬、土中所含有无机物之分量等为对象，加以不能说出之技巧。若原无破坏搅乱等再次变动者，大致均明确无误。

瓷壶

今次发掘时先由墓门正中直前延伸一深约于墓底相等之深沟，次将□□土壁切光，视其上下□□之土质色彩等。上述各项为发掘之基础，尤须注意土中夹杂之陶片砖瓦、灰炭及有机物人工物等。不幸中遇一时代较晚之木棺墓土群变乱，使一部羡道之掘出，极感困难。设此木棺墓恰葬于羡道正中，则此次发掘工作必陷于毫无成果也必矣。后将木棺墓中瓷壶残缺等取出，作为副产物，而工作始顺利进行，原状亦尚明白。

深褐色陶砖

羡道斜度颇小，其阔等于三扇墓门，入地至门处其阔度亦相等。近墓门处道面不明，又有大量石灰及石灰石块堆积之，长约于墓屏石相等而弱，阔等羡道。羡道之末端去今日地表约尺余，盖旧日地面低于今日亦正尺余也。道南因堆积有机物及石灰粒及木炭屑陶砖片等，呈深褐之夹层。其下则土质生硬，为原土形态，即俗称之蒜瓣土也。

后代的重封

道上土中有汉代砖瓦残片甚多，则此羡道之封土时期亦可明白。近墓处有十层二道，似为后代重封之迹。即此墓封土原状，亦因之明了无遗，而墓门曾有数次之启闭亦可知也。然此仅一墓羡道之构造，不能以孤证概论其余。求得较确之通说，尚须多次之正确发掘研究而后定也。因首次发掘，故详记之。

此墓发掘之副产物

辽阳有二千数百年之古老历史，故负郭土中古坟重叠甚多。应深者较

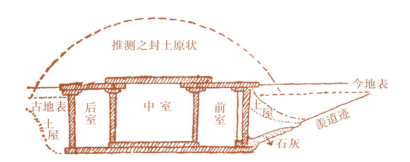

推测之封土原状

今地表

古地表

土屋

后室

中室

前室

土屋

羡道迹

石灰

木棺墓中的瓷罐

古，位上者较新虽有若干例外，此实属于考古学上之不动定律。此墓掘除后方积土时，于深约三尺处发现陶壶三个。三壶横列，在中者覆瓷盆一，左右者各盖一瓷碗。壶及盆碗之土质釉色均粗劣，式样较今日村民所用者微有不同。内均为火过之残，有别于他物。其时代去不过二三百年耳。故未忍移动。取一□，急令工人掩之以土。掘羡道时过一木棺坟，已如述矣。木棺朽腐无少遗，仅败粉朽可窥迹象。棺长方形，并无前大后小如今日木棺状。骨遗迹象亦不清楚，更无金属等不朽性遗物。于棺外左中部发现四耳白绿色釉瓷碗一个，无□中满入泥土。罐赤色土胎，内亦淋同色釉。棺钉方柱状，头有向一边横抗之钉与今日同。以瓷罐观之，当系金元时物。惜无多量及有特殊时代性遗物为吾人研究之明证耳。因近此蔡华故难，竟□池鱼城门之殃，人生之一鉴戒也夫（五月十五日夜中于辽阳旅次）。

第九号坟之续掘

九号坟位于辽阳城东南约三里余，地名玉皇庙。村落稍东，去年曾略施发掘。后因坟石过大，难于搬运，又加余日无多，恐不能如期终了，故留待今年。该坟正北向，二墓门，室长宽五米余。后壁石为一枚大石，其石材之巨大光润可想而知。除羡道及西壁稍坏外，余极完好壮观。内高二米许，满者所遗。内室构造又与前所调查各墓不同，前后各横室每西端较短，中一大纵分为三区。东一区隔以石壁，别有前后短壁。西二区中立方柱三，似一室亦似二室。下有棺台，台下空余高度。室无一物，盖防水设备也。

朱色瘤状锦

此墓虽无壁画，而于内部（缺文）之。其云形为有瘤状不断式，与后世之所谓如意云式者不同，在汉铜边线往往见之。

女性遗骸

木棺朽败无余，残遗漆下极多，骨殖亦多不可认。盖地势为低下，常有大量水汽所致者。依残存各骨观之，充分可认出有一女性。他一则无法判明其性别与年（缺文）人长眠者。然此乃考证之一参考，绝非学术之结论也明矣。

五铢钱

又见出土之铜锈土颇多。群以为当有铜质遗物发现，结果仅有后汉五铢钱，并无他器。陶质明器为极多，除鼎俎，□盗觚卮勺罍瓶案井（以下缺文）

舍屋

出土二所，一红色屋盖，一灰色屋盖。屋盖斜度较小，颇如辽东半岛各地之所谓土平房者。际有瓦当，脊两端当鸱尾处亦有向外之瓦当为饰。四壁甚高，右三壁有用刀透刻之不定形孔。前有门，上下各有外出横板，板有容板□□釉之凹孔。二扇向外开启自由。扉面有饕餮兽面各一，□已脱失。此种花纹在三代为铜玉器装饰，有一种神秘伟力。及至汉时，乃渐坠落化而为一怪兽面孔，多饰于木漆铜陶器上。今日竟由神怪之表现，化而为实物再现之狮虎等面矣。此为考古上所谓形式之演变之样式者也。

博山炉

下为一圆柱，中有立柱，柱上端有将开未开之莲花。花中的莲子上有一大孔，盖此花朵为一焚香之烛。孔为出香烟者，盘中储凉水，可免火物。实多铜，每于元朝造像中见之。旅顺老铁头汉坟地博物馆中，此物当为汉辽东人所喜者，故有发现。

辽东半岛南端汉坟曾出一鸭状博山炉，现陈于该坁博物馆中。此物当为汉辽东人所喜者，故屡有发现。

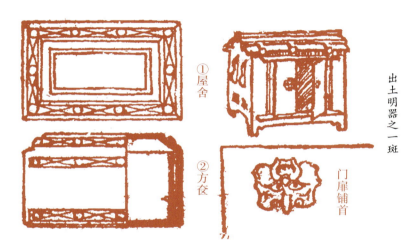

①屋舍

②方奁

出土明器之一斑

门扉铺首

陶豕

辽东半岛南端汉坟出陶俑及动物为多。而辽东郡城附近之坟墓，出动物则极少。陶俑尚未发见。此因文化较高，葬礼当体常规，不比边僻。田野者稍可任意也。读汉史礼志皇陵所下各明器一节者，当知传说之有据也矣。在技术上中空面有口纹极生动，已有六朝以来空心明器之先河，饶有趣味。

此外如方夋、方灶均高大异于常品，夋上委角，盖及四过均有刻纹及钉形饰物。实物多为漆器，钉饰足等均以铜为之。又于装饰雕刻及钉形外，用红白二色画种种彩花纹。灶上中一大釜孔，外周四釜孔，火口及他三面均刀划花纹。技巧纯熟雅丽，皆为不多见之逸品也。（五月十七日于辽阳）

辽东郡址之再调查

砖瓦陶器

辽阳汉文化之调查，以古坟为对象，以辽东郡址之究明为主务，且为从未解决，而亦殊不易解决之史学问题。总计调查古坟十座，汉代遗物包含地及散布地四五处，古坟遗物出土情状，略如前述。而正含散布古物，多为砖瓦陶器片之类。砖有三种，一为无纹砖灰色质细，火度较低；一为花纹砖，有灰褐二色，多几何花纹，量较南满南端为少；一为一面方点纹；体薄质鬆，出土较多，砖坟亦多用此。瓦有两种花纹，彩分两式。一为筒瓦，即俯瓦有瓦尾接筒；一为节瓦，即平瓦，或板瓦，幅面厥宽，花纹共有横弦纹、口纹、方口纹、方点纹四种，陶器种类极多。色有灰色、赤色、纯白色三种。白色绝少，且多大器，硬度极强；灰色最多，赤色亦较少。

千秋万岁瓦

古物包含及散布地。有城东鹅房至玉皇庙一带，量较多。"千秋万岁瓦当"亦出此区中，且本年又发现二三个。制作花纹又与去年者不同，地点亦异。城西北角至北方辽金旧壁一带，出土物同上，而量较少，地层亦极深。上层多有辽金元后代遗物，城内则为金银库。附近散布地表者亦不少，金银库乃城中一高地。或在汉代即为辽东郡城中之一建筑基地也。此三地露出物即属日常所用，或居住遗迹，则辽东郡址当在三地间求之，再征之于汉坟之分布。考之于古史之记载，汉郡不出今城，似无可疑。惜吾城内居住同胞，不知留意及此。否则必有出土更较明确之古物，足为吾人参考者矣。

铜器

调查各坟出土金属物者极少。汉代金属颇贵重，固为理由之一种。然露出古坟多有被盗掘之迹，而古玩商人又往往有汉代古坟出土金属器。亦为昭然不可讳之事实。此种消息，吾可无望矣。汉代以上遗物出土于吾国者，首推辽阳，次者热河省内各地。而属于古坟者，又以辽阳为最。上及口彝，下及口、簠，口口口之类，镜鉴更为常见者。此次公余调查所得，现存于古物商及一般工人之手，绝吾人目见者：铜钫一，铜簠一，铜杯一，铜卮二，铜镜一，此皆近日出土，尚未货出者。唯此等铜器之制作，多为口劣之品。较之三代，实为一种坠落形态。然非本地土民高丽等族所用则为极显明之事实。铜钫仅两环有兽面装饰，鼎等多为铜板所制，铸造者较少。铜镜较小，为锯齿纹有铭镜之一种。铭为环带状"尚方造镜云云"，镜漆黑而光滑，字纹清晰，有青蓝绿赤黄锈斑，毫无铜臭，古香可爱。讯之人云，多出钱道西高丽墓子中。所谓高丽墓子者，汉代砖石椁古坟之俗称也。

唐镜

他若唐辽金元明各代物亦多有之。今年曾出唐代白铜双口镜一枚。辽金者更不足称奇。而形态亦有极可爱者，博物馆上原之节属托曾以数元购得一镜，高缘素背以壁虎形为纽，姿态生动。再益以古香锈色，直成文土案头供养。下至陶瓷零星物品，半被毁弃，半入古玩商人之手。余则明代墓志、辽金石棺，多罹柱础阶段之厄，或沦为饮马之器。好古抱残者见之，能不浩叹。所幸日籍好古居欺者，尚知聚集搜罗。虽将有乘槎远引之处，较之泯不彰者，可安心也。

东大团员归国

今年工作至本月二十三日结束，东京帝大团员于二十三日已就归国之途。所有古物暂运东京帝大整理研究，待报告书作出后。□数运回，或入中央博物馆保存，或留辽阳古物保存所陈列。盖遗物不能离遗迹地而仍保有其全部价值也。

不学忝应公令，得与斯学抽暇草此，敢告同道，唯旅中限于时间及参考。简陋乖误，势不可免，深望方闻鉴及初衷。（五月二十四日回奉后）

编者附记：本文在"汉墓羡道之新知识"一节之前，尚有"壁画古坟之常眠者"一节文字，署"五月十三日夜"。因报纸缩微胶片字迹不清而缺略。

（原载《盛京时报》1942年5月27日—6月2日）

辽阳北园画壁古墓记略

前　言

　　辽阳为周秦汉三代之故郡，公孙氏乘魏蜀吴逐鹿之会，以数世土官，统御强宗豪族，欲脱暴魏，自谋振拔，据辽建国，奠都襄平。卒以兵力不足，人才不济，蓄积不丰，天时不造，辽东新国，仅如昙花一现，转枯萎摇落于司马氏之手。当是时也，辽人脂血锋镝，肝脑涂地者大半，因而社会贫困，民气消沉，襄平荣华转落，造成辽东郡文化盛期之尾音，良可叹惜。而司马氏子孙反不能永宝，徒使辽人沦为披发左衽之裔，风行辽海，垂数百年。其时辽人引领中原，呼吁弗告，携家航海，移入边土，甘于黄禹子孙之虚名，背乡井，弃庐墓，受尽流离颠顿之苦，度情揆理，其痛心疾首，概可知矣。至于贫弱子民，无力迁逃，不得不弃数千年文化宗俗，而受异族之歧视与征求，其困苦更深于前者。抚今追昔，能不掩卷流涕者乎。及至有隋，得志中原，敢行秦汉大一统之业，续武前代，志存光复，楼船渡海，六师涉辽，困于天时地利及内政之变，两出无功。唐承隋统，扩抚四裔，驼马北来，象犀南至，葡萄玉璞，亦越葱岭，绝龙沙以入庙庭。而辽东为黄禹旧镇，能任其涂毒而不拯。爰整王师，亲抚辽左，水陆东驰，得恢宏前代之遗业，使辽人重睹汉官旧仪，更着华夏衣冠，涤除多年之习，可谓一时之快。都护数镇，郡县百荒。辽人方庆长夜已去，可观日出，乃天不厌乱，牝鸡司晨，远略不修，遗业渐蹩，西起幽燕，东及三韩，黑水渤海之间，大现修罗之场。嗣及十国，辽金勃起，所谓汉儿者，载南载北，退进维艰，辽海可谓阴云四合，风雨之夜。蒙元统一华夏，抚有此土，短祚不文，无可称述。朱明光复中原，颇勤远略，置辽东为九边，设卫所于荒外，然辽东要不过为烽候亭障之中枢，语乎文化则枯柯一叶，沙原茎草而已。大清有国，发祥兹土，初都沈阳，继入中原，辽阳亦退居州县之列，古代东北中心之辽阳，有如致仕之显宦，回忆其当年辉赫之势，必多今昔之感。

循序时期，比列史事，辽阳之分并建革虽多，终未失其重要地位。言乎文化，则当以汉魏为最盛，比之中原大邑，固不稍愧，即较当时其他郡治，亦大不同者何耶，一则，历经数代，设治颇久，地广物博，民庶殷富。二则，东控朝鲜，北抚大漠，握水陆交通之会，为经营东北之基地故也。语乎遗物，则上起周秦，下迄近世，地不爱宝时有所出。考古礼仪莫若鼎彝（太子河畔曾出周鼎），补史阙遗，碑志是资（辽阳出土碑石雕刻尤多），遗迹丰富，结构雄伟。而包容古物多端，文化重要者当以汉墓为第一。盖近数十年来，东洋史学舍旧范而趋新径，以地下之新证，补史上之旧文，流风所播，中外同轨，若朝鲜乐浪郡汉族墓群之发现，外蒙悃因乌拉山匈奴古墓之开掘，越南汉晋砖墓之出土，虽皆僻在遐荒，或系远夷所遗，顾其文化之价值，不稍逊于敦煌卷轴、流沙木简、殷墟甲骨、北京猿人诸大发现也。于是辽阳汉墓又引起考古学者之注意。此种汉墓之分布不限于辽阳，发现亦不始于辽阳。辽南发现者以营城子画壁砖室墓实为代表，辽阳则以画壁石室墓为白眉，若南林子画壁墓及往岁由太子河畔移归旅顺博物馆庭之画壁墓，皆为学术界所熟知者。然较今次发现者不特构造伟大有所不及，即绘画之富丽，保存之完好，亦不得等量齐观也。故不揣谫陋，略记所见，以献同好。唯走马看花，为时至促，烛光如萤，寸寸移览，直观所得，固难求于详确，欲窥全豹，当俟异日。

一、发现之始末

古墓位于辽阳旧城之西北北园瓦窑子村落之东南，今已划归市内。地当太子河南岸之平原，田畴肥沃，西望大野，烟村无际，东南隔铁道与辽阳相对。原有三大土阜，东南西北等距直列如三星状，俗呼"三台子"，不知为古墓也。此为最南者，上有凹穴之迹，深不及土阜之什一，盖盗发之旧迹也。

民国三十二年（1943）春，其左近有土木工程，苦无用土来源（附近皆田地），不知大土阜系古墓封土，敷设轻便铁轨，取运南阜泥土。突于3月12日发现巨大石室一座，工人以为库藏也，由后左角一破孔入探，积土虽深，尚可伛偻往来，既无珍宝，亦不见他物。唯石壁间彩绘藻饰，极为灿烂，车骑人物，各现生态。村民入观者颇众，无知童蒙有利用湿壁以绵纸反拓壁画者。又加墓中无光，摩索往来，指触掌捫，画壁多有遭厄于伧夫之手者。事为辽阳当局所知，以古代文物古迹，不容忽视，当电告上司，并植札墓前，禁再取土，严加保护，犹恐村民视隙滥入，当将破孔封闭。余以职于同月18日得辽阳友人陈德门君信告，遂于19日往视，故有此记。陈君辽阳籍，少年英迈，往岁余辽阳调查，见其留心乡土古迹文物，此墓得其保护之力尤多。今兹调查，又蒙不避泥泞，自任向导，理宜附记，以表谢意。

二、外形与构造

欲知此墓详细情况当先将汉墓之一般构造形式材料等加以说明。以今日吾人所知者言之，汉墓之普通者可分木椁、砖椁、石椁、贝墓、瓮棺五类。四川崖窟墓葬为地方型或别有来源，兹不详记。

（一）木椁以圆木纵横互积为壁，上下亦并敷以圆木数层，棺置于明中，明器随葬之物亦入焉。汉史中所谓"黄肠题凑"是也。朝鲜乐浪郡时期五官椽王盱墓，外蒙古悩因乌拉山匈奴贵人墓皆代表遗例也。

（二）砖椁有二种：一用长米余之划花、印花空心砖植壁敷盖而成状如两溜式长屋，于一端山墙开口为羨门。中州发现为多，所谓琴砖者（琴台）即此式墓砖也。盖砖体长大，纹饰美观，中空两端有巨穿或二孔，古人借作琴台，易发声也；二用普通烧造之长方砖砌壁旋盖而成。单室概为长方形，复室者则多方室相接，室盖为挫角方旋式，主室便房，门廊相望，有白垩素壁而加藻绘者，金县营城子汉墓其代表也。更有砖印花纹涂以彩色（盖平以南）或吉语年款者（中原及朝鲜）皆砖椁墓之珍物也。若沈阳（笔者曾在南湖公园北部发掘汉墓十八基为今日已知汉墓分布之北限），若抚顺（上柏官屯汉城址东方）则多素砖单室，砖有两端类似合同之接榫者。

（三）石椁有三种：长方巨石（1米余）凿砻光洁每刻"黄肠"铭款，并记号数，以筑墓室（两广亦有用木代石者），依体裁观之其制当如琴砖墓式，多发现于中原者，一也；乱石积砌，无甚制度文彩，颇现村俗，辽东半岛南端较多，二也；以巨大板岩（三四米余者往往而有）支筑椁室，结构精巧，气势伟壮，为辽阳所独有，似源出于巨石遗迹之桌形石墓（土人呼为石棚者），三也。

（四）贝墓以海产贝壳敷布棺侧，或加木炭砾石，虽多现于辽东沿海，盖亦三古副葬以屦之遗意也。辽东半岛西海岸发现较多（金、复、盖三县境）。此种葬法源流甚古，史前海滨人类每以贝壳弃置场为墓地，相习成俗，及演进至专有墓地时期仍用贝壳者，盖一为永不腐朽，再为不可改之礼俗使然也。

（五）瓮棺状极简素，或以二瓮相合（笔者于辽阳发现数处），或则三器连接（金县发现，现存旅顺博物馆中），量其大小，容尸而已。"葬用陶棺，不封不树"，汉帝示薄葬，矫世俗，曾有遗诏，然当时厚葬之风，终不能改。是此种瓮棺，盖皆贫乏无力人之幽冥常住，不足代表当时墓制也。

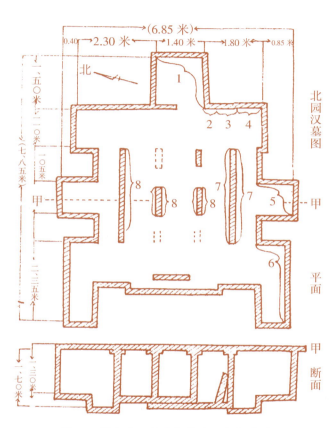

图一　墓室平、断面与壁画颁布位置图

汉墓基本类型，大要如是，本题之画墓，则属于上述之第三类三种者，详记其构造于左（图一）。

古墓地处平原，略无冈陵。墓上封土虽经二千年风雨之飘荡，今由二里外仍能望见作不正圆形（土语谓三棱八瓠者），略测存高约在十米上下，当时更高可知。封土色黄，不杂沙砾。椁上二尺处有石灰一层，弧如封上厚约三四寸。此种封土之保存，对本墓主生前地位之推测上，殊为有益，盖两汉陵墓封土之高低，法有定规，不容僭乱也（辽阳汉墓封土多不存，若鹅房、玉皇庙、南林子、孙家窑各群，久已夷为田畴）。

石室上盖约低地平线五六十厘米，椁室长方形，长约7.85米，广6.85米，高约1.70米。羡门三扉西南向。后、左、右三外壁之中央，各突出小方室一，前两角即当羡门之左右，亦突出纵长小室各一。上纵盖长大石灰板岩多方。玄室（明中）内左右纵列巨石立壁二，中央之左右较小立壁六（每三小壁连成一线，方壁长度与大壁相等），换言之，石墓室中央由四条壁石区分为三个长形而地面较高之内室（盖主人外一妻一妾也）。若统全椁言之，明中三室，便房五室（各突出小室）周通廊路，已足八处之区分。其布置经营之巧，概可想见。若梁、栋、桁、柱、拱、栌、楣、扉、墙壁、敷盖、排水、固灰等，皆准绳尺度合材适所，构架之精，有使建筑专家惊叹处（图一）。

墓室前数米外，又有小石墓室一，宽不及大墓之半，长可倍宽，仅露顶石，不知其结构及内部情状，陪墓欤？后世别墓欤？不加学术调查，一时殊难说明。

封土四周出土辽金式石棺、莲纹础石、骨坛与元代常有之狮形方石座数事，盖为后世误认封土为自然土丘而埋入及垦田时移置此处者，皆与古墓无干。

三、壁画与题字

中国壁画一技，三古即颇发达，周室明堂墉壁，绘尧舜桀纣及周公抱成王朝诸侯图，以为废兴之戒。楚庙则画天地、山川、神祇、圣贤、鬼魅、怪物之形，故屈原有天问之作，可知当时画壁流行之广及取材之富矣。秦汉统一中夏，民富物丰，宫室苑囿，不遵先王之制，离殿别馆，动连阡陌，粉饰藻绘皆出黄门画史，未央甘泉辄写圣贤及天地太一神鬼，麟阁云台特绘勋将功臣，两京画壁之盛，概可想见。上行下效，草偃风飞，广川殿门，鲁灵光殿，成都学宫，鸿都门下，莫不有琦玮高大之壁画，以为劝奖鉴戒之资。是皆标炳前史，可得而言者。下吏齐民，必多仿效，酌情揆理，势所必然，隋唐鼎盛，更毋论已。

陵墓制度，代有定规。周辙既东，群雄僭傎，封植明羡，礼制陵迟，河南金村之卫墓，安徽寿春之楚陵，结构之奢，明藏之富，涂车服玩之镂错，彩版漆片之文饰，皆为见诸实物者。秦皇统一，虐暴黎首，阿房之宫，铜人之镶，驰道四通，长城万里，皆为后世诟病之大端。其骊山陵寝之修，开后世帝王造寿陵，置东园，奢痤厚葬之端，遗小民无穷之苦。墓中画壁，亦以彼为最奢，而开两汉陵墓享堂墓阙等纹彩雕绘之习。若山东之画像石，中州之空心砖，或则花纹绚丽，或则形式琦玮，以重千古，良有由也。至若当时墓中画壁，史有明文（赵岐自画像于寿藏，以季札、子产、晏婴、叔向为宾，见《后汉书·本传》），中原虽亦时有实物之发现（美国波士顿美术馆藏人物画砖即其一例），要以东北为较多，盖养生送死之情，中外不殊，因地取材之便，彼此难同，辽阳石室画墓发达，别有基因（辽阳特产大片绿色石灰岩），其彩饰画艺，则确保当代之传艺者也。

此墓壁画，绘诸石壁，不事涂垩，保存独佳。不特为东北前所未有，求之中土，恐亦不多。况兼诸绘画较古而仍传人间者，六朝上固不易睹，即隋唐名作，亦等麟凤。如此巨壁大作，蕴藏二千年不先不后，发于今日，可谓吾人眼福。且内容丰富，取材多端，考文论史，识小名物，补益良多，谓卤簿记犹在人间，三礼图可以废读，不大过也。而东鳞西爪之汉官旧仪，彼是我否之两汉经说，可能因之有所补正也。

此种古墓画壁，与普通绘画异，盖全部画面虽有若干似连非连之段落，而皆以墓中主人为中心，分之可成独立一画题，连之则如佛画释尊一生传者（女史箴图卷仍有古意），本墓壁画此种特点尤为显著，且每有题字，更足为明确画题之助。统观全墓画壁，似由后方小室为开卷而多方展者，破孔适当此室上盖之一部。

画题以人事言有：宴飨、伎乐、斗鸡、仓廪、车舆、仪仗、神话各事，以事物言有：楼殿、车骑、犬马、麾节、旗幡、乐器、食器、冠服、刀剑、树木等物。举凡一事一物，咸关制度。有被积土所拥，未得通观处，后日发之必多奇获。兹就其内容较要而多趣者略记如下。

（一）壁画

1. 宴饮图（在后面突出小室之后左二壁，为墓室最后部分，平面图之一）

层脊堂中，帷幕高卷。尊者一人就西隅面东坐席上，前列案食器数事，食气高腾上达檐际。东面二人鱼贯相对坐，神态肃然。二小史捧瓶恭侍。堂左绿树一株（连小室左壁），二小史捧瓶欲趋堂上。堂右及右壁则朱墨狼藉，不明原状。观其全图，似表墓主人生前燕居生活之一节者。

2. 属吏图（在后小室东面后大壁西端层楼之右下。题有"小府史"一行三字，平面图之二）

在前图之左，似与上图连接者，保存较好，像高二尺以来，二人右向端拱雁行立，冠服袍带均墨廓传色。虽皆同类侧面剪影，然老少肥瘦之态，宽燥刚懦之情，颇尽传神之妙（图二）。依服色观之当是属吏橼史书佐之属，班列侍事者。应与上图合观之。

3. 楼阁图（在上图左题有"教以勤化以诚"一行六字，平面图之三）

正面高楼三层，黛瓦朱栏，赤户青锁，下敷石陛，顶立大铜凤，左右

图二　小府史

图三　楼上装饰

并值赤色有游长旗，上结朱绶，当风尤长（图三）。此等屋顶装饰物，当时似甚流行，汉赋中往往言及之。中层坐一妇人。上层左垂脊上立一鸟，长尾巨目，作回首惊顾欲飞状，远方立一人，裸而着蔽膝，满弓植矢向鸟作欲射势，盖"有穷氏射日"传说之象征描写也。其左下为杂伎乐舞图。

4.乐舞图（在楼阁图下方，系杂伎之一部，平面图之四）

大鼓置木架上，下有车层架座。鼓上植若翟者四垂向四隅，尾垂赤缨，中树若人盖者二层，礼图所谓建鼓者是也，左立鼓吏1人，作欲击状。周有乐工9人，各执其事。舞者2人，一长袖当风，高下有度，举袂昂首，作器上舞，一平俯地上矫然欲起。舞容步法互庆乐拍，如现铿锵缥缈之音，烛光明灭，使观之者几忘在幽隧矣。

5.杂伎图（在高楼左方射鸟图之下空地上，似亦表墓主生前宴乐者，平面图之四）杂伎亦称百戏，在汉极为流行。汉大一统，国富民奢。耽于娱乐，兼信鬼神，幻人登乎庙堂，巫祝遍诸里巷，上行下效，理所当然。唯墓壁画此，尚无前例，中原石刻，则往往有之，此图为壁画最精巧生动之场面，人物姿势尽作动态之描写，皆着短窄袖衣，细腰大袴。黑皮靴。服饰传彩尤佳，可谓写生妙迹。艺者多人，同时表演（图四），为求明了，分记如下。

（1）弄丸　亦曰跳丸，《西京赋》所谓"跳丸剑之挥霍"是也，盖为当时朝野盛行之者，即今日小儿手运石子起落不断之技也。当时有运百若千枚者，神乎技矣。此为一人侧立独演，双手舞弄六丸，目注飞丸，神情颇妙。今之艺者，每数人为组，互相合演，考其源流，当起三古，战国时期则见诸记载矣。

（2）跳剑　亦曰"弄剑""飞剑""舞剑"。《列子·说符》所谓"弄七剑迭而跃之，五剑常在空中"者是也。"掷刀"亦其类也。一人手弄数匕首旋互起落，法同弄丸，唯锋刃利，运之以柄，较难能耳。其人弄三

图四　杂伎

刀，仰面张口，注视虚空飞刀，左右手各一柄，正作一收一发之状。精神贯注，仪态生动，非老画师不能办也。今演斯伎，亦多数人为组，任取草笠、丸扇等易得之物，心手相合，运行敏速，已称妙技。源出干戚武舞之遗像，今则失之远矣。

（3）舞轮　壮夫一人，掷轮虚空，仰视坠轮。承之以手。器如单轮，中贯短轴，据图观之，轮大而重，非孔武多力者不能。详细节目，当亦不少，惜乎此技今已不传，未能窥其妙趣。俗传此技始于梁，而晋人《正都赋》已有"飞剑舞轮"语，可知来源甚古。汉固流行，前此则不得而详矣，意者古行车战，折盖断轮亦武，应手之具，或为吾国所创行者，然古代印度有金刚链轮兵器（所谓金刚法轮者），见于释典者颇多，似又有天竺传来可能。总之以吾人所知，言之吾国文史著录较晚，求其原始，殊为不易。

（4）反弓　一人反弓腰背，掌趾履地，首微后向，体肢柔软。又一人张臂作势，欲登其腹，神彩赫赫如生，今日市肆集会演者尤多，并有足履凳兀，反弓到地或以口衔物者。

（5）兽舞　一人服特制之瘦窄粉红色衣，掌趾履地作兽走状，后拖长尾，手足腕间各系红色小绶带一，首前昂作进退状，盖一种化装兽舞，与今日弄狮戏颇近，其来源必甚古也。

（6）倒立　倒立手行，跟斗旋舞之技，为各民族共有之游战，不必强为一源之说也。唯汉则流行普通耳。晋顾臻谓"足以蹈天，头以履地，反天地之常，伤彝伦之大"者是也。演者一人短衣、大袴，两掌履地，头微前昂，双足朝天。在绘画技术上观之，上三各取材表现皆非俗工所能者。盖此种姿态、身段、尺度、比例、结构、笔墨、傅彩，均较常态之表现为难能也。按当时较高演伎中有都卢寻橦之戏，中经六朝至唐而更精，所谓"载竿"其演变者也。数伎升而表演，此倒立其一艺也。

6. 斗鸡图（墓室左方突出小室正壁及右壁，平面图缺）

禽斗之戏，初民往往而有，赛马走狗，习而易知者。斗牛斗狮泰西为多，南洋巴里岛土人之鸡博尤为西方旅行家所乐道。至于虫斗、鸟斗诸博戏，吾国村童今有行之者。若鸡斗之在吾国当为三古所有，左氏传记季郈二氏之鸡斗也，衣以坚甲，加以金距，《荆楚岁时记》有清明斗鸡，皆为两汉前后之见诸文籍者。至汉似更流行，江南以鸭斗，北地以鸡斗，环境使然也。下至初唐其势鼎盛。鸡斗使神鸡童贾昌以黄口小儿携此技以要唐王，锦衣玉食，势动朝野，时谚有"生儿不用识斗字，斗鸡走狗胜读书"，可现当年朝野风行情实。唯其原始，殊难详考，汉代情况，史少明征，据图观之，雄鸡二羽，高冠赤羽，张口奋目，两翼微展，颈羽戟立，怒态可掬者一。一锻羽败走，回首惊顾。地上则血迹斑斑，间以残羽。右壁一老者短衣大袴，双手捧物趋前，盖鸡使也。墓中画此，或志墓主生前所好，亦考民俗者，所当取资也。

7. 仓廪图（在墓室前左角突出长方小室左后二壁，题有"代郡廪"一行三字，平面图缺）

仓廪一形如瓦屋，阶上朱栏绕之，留有出入路口。仓户偏左半启，一小史双手捧物走出仓室之右檐下。一持物仓门内作欲出状。左阶下向仓模卧白犬一只，方口微露舌端。双耳微圆而竖。长尾若龙蛇。二目眈眈注视仓门。右壁冠服一人向仓立，双手如有所捧。仪态高雅，不类厮走，或仓官欤。由上记各画面观之，当亦表示墓主人阶级身份或富豪者。其用意当与题"万石"字之陶仓明器同也。

8. 车列图（在墓室中左大壁两面，平面图之七）

车舆起源极古，而发源地则不可确考。吾国自创说虽少必无之反证，然实有一源传播之可能。其启示于滚木而加改进者，为举世之通说。古以车战，各族皆然。吾国上古，亦极重视。周礼有车人之职，宣圣设教御之科，五略屑车之取得于先后王盖有由也。暴秦燔书，古传无遗，三古车制，渐成聚讼。汉袭秦法，纵奢溢侈，三驾卤簿，万骑千乘，较穆天子率七萃之士周

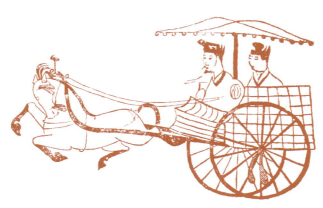

图五　白盖车

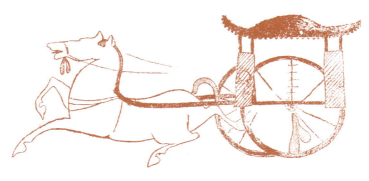

图六　黑盖车

丹 赭 橙 粉 红 黑

图七　主车

行天之下简徒卫，寡征求者，不可以道里计矣。故上自三公，下迄史佐，车骑咸有制度，单骑立乘，驷马安车，皆视秩位高下为隆杀，下不得僭上也。秦一天下车轨，必非先王旧制，况楚汉之际，法物不存，汉儒继处士横议之学风，各鼓门户之说解，车制之亡，大有故矣。后世儒者彼此之争，历代礼官车辂之议，其以是乎。近世学风，不尚空论，比物考文，易于近实，唯陵墓之涂车遣舆，易化腐壤，残遗零件复原难期，雕石画壁所以足珍者以此。此图两壁计车八乘，骑从二十四人。驾一马坐乘者七，内有高盖前后垂幌幌者二，高盖单驾者五。每车右侧骑从二三人，车后一二人不等。中一车驾三马。黑盖赤帷后垂长绶，形如近世轿子，后拥骑从五人，车制仪卫异与众乘。盖此为主车，前皆副乘也（图五—图七）。

9. 骑从图（在墓室右大壁及中央左右二小壁，平面图之八）

图存三壁，有仪仗骑卫之别，横排六人，每二骑并进统约百余骑，存可见者三之一耳。武士前队，兜鍪重札，马亦皆雕鞍饰勒（图八）。执长兵佩剑先导者数十人。次冠服乘者数人。一骑士持朱色大麾委地甚长，一仗幢从之。继以持伞盖者数骑，又有鞍后附以食篚之属，或手捧器物者。皆游绥飘风，光彩耀目。马皆大宛汗血之种，赤骝乌骓，毛色不一，复次则宽衣博带，类似从官，神态雍容气度闲适，时现还顾话言，及指点注视诸像。老少媸嬛，刚直温文，厚重清奇，喜怒宽急，各肖其性。通观全队武士先驱，文吏后卫，亦如乘御之旄头先驰，豹尾解屯者焉。其情调之绵邈自然，局式之前后应顾，真有铁板、铜琶，继以缓歌低唱之妙，叹观止矣。

以上为得见画壁部分内容之大者，其中有若干部分因脱落及观察不详，自难求其近实或稍近原意，但主要部分，不出乎此。至若仓廪相对之右前角小室以吾人之经验推测之，则必为厨房，斗鸡室相对之右小室及后壁右端，必有更多趣味之图画，惜乎为土所拥，当已不存。

图八　骑从

（二）题字

文字书法为吾国美术之一科，两汉为由籀篆入草楷之过渡中枢。东汉碑版尚多，西京数石而已，寻求古拓，一字百金，欲观真迹，直成梦想。近百年来，地不爱宝，木简发乎流沙，漆铭出诸青邱，败牍残髹，举世惊为至宝，若此墨迹题壁，实属人间第一珍品，不独有助于画壁之解释与年代之决定已也。

题字四处，白粉书一，墨书者三。粉书者文句较长，今存上首四字有半，下段漫灭不可读。书法撇捺均以点出之，姿态有娄先生碑奇古之气。墨书三言者二题，六言者一事。长捺圆润，结构饶曹邻阳雅丽之风。至于横直方劲，颇存西京楷模，月字倚斜，已开章草体式。以书法演进过程观之，此墓之绝对年代似属后汉亦可得而定之。题字位于画面上端之左或右方，颇似孝堂山石画"帝尧""帝禹"之刻铭，乐浪彩箧"孝子""孝妇"之题字也。唯文辞较短，表意难免含混，粉墨模糊，籀读容有不确，略陈管见用供参考。

1. 教以勤化以诚（层楼图后羿射鸟之左侧）

墨书一行六字，题于楼阁杂伎一壁之左，笔画清楚，行位整齐，为题字中之白眉。两汉一统，官民富庶，游惰谲诈之风起，奢侈淫巧之俗成，男不事耕耘，女不事蚕桑，形成不堪设想之危局，朝野忧心。以故屡颁力田禁奢之诏，郡国守相，县邑令长，咸负教化官民重责，稽其殿最，励以迁陟，盖汉重人治，犹存政教一元之制也。后汉百官志"凡郡国（守相）皆掌治民，进贤劝功，决讼检奸。常以春行所主县，劝民农桑，振救乏绝"。汉书仪上"哀帝元寿二年（前1），以丞相为大司徒，郡国守丞长史上计事竟，遗勅曰明诏忧百姓困于衣食，二千石帅劝农桑，思称厚恩，有以赈赡之，无烦扰夺民时。公卿以下务饬俭恪，今俗奢侈过制度，日以益甚，二千石务以身师，有以化之。归告二千石务省约如法，且案不改者，长吏以闻"。语乎

"教化"之责，确系郡国二千石之职，县邑令长及佐贰丞史不得当之，则此墓主人地位之高低，典职之大较，有可知者矣。

2. 小府史（二官人顶上）

一行三字题于宴饮图小室之左、楼阁图之右端。可有二解：

（1）为少府关系　汉设少府卿（武帝始）一人中二千石，掌中服御诸物，衣服、宝货、珍膳之属，员吏三十四人。新莽改小府曰共工。少者小也，小故称少，故古作小府（朝鲜乐浪郡址出"小府"封泥三个。但封泥考略一有"少府之印章""少府丞""少府铜丞"，再续一有"少府"，是小少府仍似不同）。盖专掌御用事物者。古史吏通，故长吏多有史名，小吏可称小史，如斗食佐史之类是也。若然则侍者为少府之史，墓主人或为府卿。总之画面必为墓中人宦途之一阶无疑也。

（2）为郡县关系　汉制郡县守令属官皆有诸曹掾史，后汉百官太尉下长史一人，署诸曹事，西曹主"府史署用"是也。汉官河南尹员吏927人，中有"干小史"231人。洛阳令员吏796人，中有"佐史""乡佐"77人，"斗食令史"啬夫假50人，"官掾史""干小史"250人。史位于掾下佐上，干小史为史阶之末，官位颇低，盖助理诸务颇与今之事务员为近也。意者"小府史"或即府小史或府小吏，当是守令府中之下吏，常侍诸左右者。如此说不误，则墓中人必为郡国长吏，居可称府，侍有小史，与题字一之"教以勤（劝农桑）化以诚（进贤显善）"互可印证者也。

3. 代郡廪（仓廪图仓屋上）

一行三字，点画清晰。"代"为赵秦旧郡，前汉因之，治于桑干，在今河北。后汉移治高柳，在今山西阳高附近。晋还旧治，永嘉后废，地属幽州，迫近强胡，抄掠不常，边民饥苦。永嘉之废，不得已也。由此观之"代郡"之年代，由汉至晋年代颇长，然自魏晋以来，乌桓鲜卑寇掠边郡，不特本题之代郡不久废革，即墓地之辽东亦沦于慕容氏势力之下。且隶书体式，不见晋世六朝风趣，则其时代必为两汉三国无疑。廪之在汉亦有二义：

（1）仓官也　汉因秦治粟内史更名大司农（同粮食部），下有太仓廪牺二令之设。州郡县邑，亦设仓官，古粟人之属也。大致与今日积谷备荒者同。唯图为一仓，作取物之状，墓主既能受郡廪供养，其地位可知。

（2）给官食也　汉制百官俸给，钱谷兼半，而特使专任者，例由官给廪膳，所谓敕所在给廪是也。如苏武使匈奴被留海上，因廪食不至，掘野鼠采草实而食，为人所周知者。流沙木简，记廪者尤多。如此则墓主以官廪为荣，故图之乎。

由此观之，墓中人或为代郡主廪之官，或服官该郡，荣受官廪者欤。

4. 季春之月□（汉）……（中央左小壁上部）

一行存四有半字，下则漫减不可读，月下一字，左存水旁，右上草头，□字尚明显，盖汉字也。意表三月，无可诠解，若汉字不错，时代明白，尤为可贵。惜乎下文脱缺，不知其原题全义。字用粉书，书法亦较前各墨书者不同。且墨书者皆在椁室外壁，此题独在内室中央左小壁骑士图中央，似与壁画内容无甚关系。或非一人所书，或为异时所作，其为用当自不同，今日殊难臆测。如非一时之书，盖亦有说，当是村衬启羡时记入者，如墓志铭刻妻志，享堂石壁来拜者题名之类欤。字体倚斜，月字尤甚，颇现章草体式。亦非一人所题之证，且为判定年代为东汉末之一助。

四、画艺及材料

汉设黄门画室给事朝廷，为后世画院之始，其画艺之精，想象可知。且两京画家，见于记载者颇多，而妙迹流传人间绝少者何也，一则年远代湮，历经离乱，不易保存，固为一理。再则当时绘画之内容及形态与中世以降不同实为主因也。盖图画由装饰画字进为自由绘画，乃各族美术演进之通则，在汉多以"神怪传说"及"圣贤写照"为绘画内容之二大主流，究其用途，多属政教工具，事过境移、了无价值，非若后世寄托幽怀之山水，赏心悦目之花卉等为纯美术品，人人爱悦。此为绘画内容上古不如今之易于流传也。两京绘画以画壁为多，章服仪什次之，屏幅则不多有，在尺度形态上，势难永宝。中世以来，缣楮发达，若卷子、立轴、屏幅、册页、便面、屏心之属，卷舒自如，大小随意，收藏较易。且表背装潢已成专技，新装重表保护之道大精，此在形态上古不如今之易于久传也。古代名迹之所以不多，或以此故。

是故究心汉代画艺及画史者，欲求实物上之论证，则多以镜鉴、漆器、画像石、画砖、织绣等为材料，作间接之旁证，唯此等资料，缺点甚多，若镜背实为一种铸金之浮雕，又局于颇小之尺度，画像石类于埃及古王朝之碑版，不过为线画之一种，加强保存施工，既无笔触，又无彩色，去绘画甚远，引为材料，差胜于无而已。至于漆器、织绣，虽有彩色笔姿，然几何之装饰部分差多，纯粹绘画之自由表现部分极少，又加尺寸有限，材料特殊，求一有结构之绘画部面，实亦不多，充其量不过为一种工艺品之绘画耳。若画砖或出于范埴或出于锥画，必付之毡腊，拓以墨影，视为绘画，自属勉强。欲求当时真正绘画资料，其难如此。

若由吾国绘画中人物写像一科观之，其发达自必颇古，由实物上溯其演进之迹，只可求诸狩猎图文之铜器，及前述之镜鉴、漆器、画像石、画砖等。此等材料既有缺点，已如上记，研究者必须更求真确史料，以为比较论证之资，否则一篇空论，与有形美术之绘画何益。近年考古发达，出土之汉代绘画资料颇多，笔者生工边疆，限于知见，据今所知出土于辽东半岛者，前有辽阳县太子河北岸石室墓画壁，（民国九年）迁于旅顺博物馆庭。后有金县营城子砖室墓画壁，（民国二十年）保存于当地。近年又有辽阳市南林子石室墓画壁保存于当地（笔者曾参与其役，报告尚未刊印）。中原则有传出于洛阳附近古墓之人物画砖（美波士顿美术馆藏），皆为珍贵资料。唯辽阳太子河北及南林子二汉墓壁画虽系多彩，而保存不佳，大半漫灭。营城子壁画内容简单，仅有墨廓。洛阳人物画砖，非经专人开掘，乃一种游离资料，虽属实物，年代难知。是此三项材料仍有不满人意处。而此墓壁画则内容复杂，色彩富丽，保存较好，时代明确，堪补既往之缺，宜位三者之上。兹分绘画技术及色彩应用二目说明如次。

（一）绘画技术之进步

据现存画面观之，全墓各壁合之则为一体系，与通行之《佛传图》，顾恺之《女史箴》《洛神赋》，吴道子《送子天王》等图卷相类，分之则各成独立画幅，若杂伎、宴飨、车列、骑卫等，皆具独立之绘画结构，此在全部结构布局上实为前此少见者。总观两汉之画像石，若太少室二石阙、孝堂山、武氏祠两享堂，多以灵兽、瑞物、神鬼、帝王等为题材，人生部面之描写较少。此画壁则反是，虽"有穷射鸟"附于杂伎图之上，实为附属之点缀，而非主题之表现。仍带两汉画人积习，固不待论，其能推陈出新，不袭故套，可见作者天才。在绘画演进上观之，时当已至东汉末乎。

今日吾人所知汉代绘画之特点，为画面上之事物，多侧影单像之连续，而无"群像集中之表现"，故人物如出一型，殊少个体特性及互相关系，此画虽亦有若干部分仍存之，而大体能作"群像集中之表现"。故人物空间位置之距离、左右、高下不同，因而产生人物向背掩映之相互关系。且个体均能集中于画中主题之一点。如第一宴饮图以主人为中心，二宾向对坐，宾主间罗列食器，主人后左方立持壶小史一，面席恭立，宾位右前亦立向席持壶者一人，其二人之远近方位虽不同，而皆作以主宾为中心之表现。堂左绿树一株，作无关画题要旨之风景点缀，可见山水画演进之迹。树下持壶小史一，欲趋堂上。较远处又有相同二人络绎而来，作遥望堂上，急趋之状。而盛宴初开，厮走忙碌之情，表现无遗。人物布置之疏密不同，点景不取对称之旧套，画面结构，已臻妙境。第七仓廪图，仓虽正面，而门设于左偏；朱栏门设于右侧，取物者二人，表现各有不同。一人侧影走至廪右，将下阶。仓门内正影一人，作欲出未出状。仓左阶下一白犬，相对之右阶仅朱栏一带而已，与前图之绿树相同，不取均齐对称古法。总观全体结构，略与前图相近。而结构布置最精者，当以第三杂伎图为最，演艺者十八人。作场于层楼之左。场中设建鼓，一人击之，鼓之前后左右各有伎者，且皆面鼓表演。其中有独演及二人合演者，神态和背，又自不同。长袖舞者二人，亦一伯扬袂当风，举足急步于圆物上之状，一平身俯地，双袖逆转，作腹旋后矫然欲起之势。观此一例，可概其余。远处坐部二朋，鱼贯面鼓，一行五人，一行四人，各有所执，似是乐工。此种整齐布置又与上述群伎杂然表演之局式不同。所谓复杂而不乱，整齐而不板，求之今日，亦不多有。至于反弓、倒立、兽走、俯地诸动态之表现，非写生名手，不敢为也。车列骑队二图，在题材上，最易流为整齐呆板，而此则结构表现，各自不同。斗鸡图仅雄鸡二羽，鸡吏一人，画材简单，布置尤难，此图二鸡不作相对酣斗之状，一立场心，余怒未已，地上血羽杂然，一断羽败退，回首惊顾。老鸡吏开口微笑，双手持器趋前作收场状。画面之统一，情调之紧张，物态之逼肖，各物心理之表现，可谓已入化境。两汉画史技艺之高。未可据今日残断零星之材料而妄议也。

在透视学上观之，汉人对此尚未十分注意，故楼阁屋宇，仍作正影，远近仅以高下位置表之（国画至今仍然），不以大小比例为远近之表示（远近生大小，本属错觉，非原物之本真），而反以人物大小为画题之主从，或阶级地位高低之暗示，此则吾人研究古代绘画所应注意者。虽然如此，而一画中绝无"马大于山"之不合情实，且若三层高楼与人体比例恰好，是在物体互相比例上，已颇为进步矣。

个性表现方面，尤见苦心，冠带高官则现雍容庄严神态，短衣伎人皆有轻佻小巧容貌。老鸡吏则面貌奇古，使人一见发笑。骑从则马上顾盼清谈，神情自得。武士则重札持稍，整齐严肃。马之腾骧，犬之静守，鸡之败，鸟之惊，各尽神妙。较今日画艺之重公式、尚临摹者大有不同，可为国画前途趋向之借鉴也。

装饰图纹方面较少，仅画壁及盖石板之前端，画有多彩云纹两种，属于壁端者，以正中一大曲线为主，每曲中描入似流云以回波之多重不定形波状曲线，远望之似急湍怒涛，又似夔龙或蟠虺。属于盖石者，云形同前，而每云隙加有怪兽一头，小耳圆睛，嘴长而微扁，踏波扶云，能作人立，使人一见不得不联想及乐浪出土漆盘中之熊形怪兽也。此两种云纹在漆器及镜背外缘，往往见之，似皆导源于吾国铜器花纹，又为六朝后瑞草，及唐代瑞草花纹中加入人物禽兽图纹之来源。依吾人观之即有名之"葡萄海马"图纹，亦不必定由西域传来，汉代织绣每于缠枝花纹中，加入文字吉语，取材虽异，在构图学上观之，实属相同，亦一旁证。连类及之，略备一说。

（二）多彩颜料之使用

吾国彩色观念发达极古，彩陶为见诸实物者。上古商嵌玉石、镂错金银之祭器及五彩章服为国家唯一礼制，上下不得僭乱。嗣及周末，由五行思想之流行，产生"五方""五德""五情"等哲学观念，而"五色"之"青赤白黑黄"亦配合其中。各色各有象征，各含意义，各具特性，各处一方，各旺一时，是为吾国古代色彩学之基础理论。欲求古代色彩文化史更详之记载，殊不易得。唯固有"设色之工，画缋钟筐"。及至后汉设平准令一人掌知物价，主练染作彩色，与后世织染署之设盖同，染色彩色进步可知。至于绘画应用彩色之种类，技术上之"调和"及"对比"，彩色"原料"之取用诸事，因少实证，迄不得详。乐浪汉墓漆器虽多有彩色，然在性质上为油漆彩料，仅可视为工艺学上之彩色，汉魏古墓出土描朱彩画之陶钟等虽为胶水彩料，然土蚀水荡，脱落者为多，近年边疆所出彩花织绣，亦不过为吾国汉代织染研究之新资料，皆与绘画彩色学无关。斯画彩色之研究，所以不可缺也。又其涂色之媒介物，似为一种植物胶质，盖附着力强而少菌类寄生之痕可知也。

1. 彩色种类　此画历经二千年以来，虽秘藏深隧中，究难免湿气之浸润，菌类之寄生，画面之色度，多少必生变化。又加中经盗掘及最近发现，时期虽不甚久，而大气燥湿之迭流，寒温冰霜之激荡，凋零变色，势所难免，唯以材料性质及涂色技术关系，色彩尚显明清楚，足资考论。绘画后素

（即先涂粉地而后画）为吾国古代画壁之通法，先素后画，美则美矣，唯含铅易变，料厚直易脱，为其二病。此画直绘于淡青色石灰岩面，不独色调温雅，亦复牢固不易脱失，保存良好，实亦以此。掘今日画面论，原色方面于赤黄青外，特用黑白，间色方面有绿紫橙褐，及原间二色再和之各色，总括约有下列各种属。

（1）黑之属有焦黑、淡黑、灰黑三种。多用于轮廓及楼屋车轮马足各部，变色率极微，保存较好，虽有部分因湿气凝水下流之迹，但较他色为显明。

（2）白之属有纯白、闪青白、闪黄白三种。应以纯白为正，余归入他色中，且有因邻近他色或石壁本色及湿度酸性而变质生成之可能，大体变色率较小，唯性弱质软，易偏脱失，混粉各色亦然。

（3）赤之属有朱红、丹红、赭红、粉红四种。前三种使用尤多，楼屋车马旗鼓及车骑，兵器上之饰物，人物之头帻口唇，云纹之主线怪兽等无不用之。变色率极低，色光鲜明，俨然如新。至于燕支红、茜草红，尚未见用。按燕支草为东印度原产，其时虽已移植我国，盖尚未普遍应用（旧说吾国商代已有，后多产于燕地）。茜红有于染色为多，画色或尚未用，抑或此等植物性彩色，耐久性较弱，多已变褪消失乎。

（4）黄之属有土黄、褐黄、粉黄、橙黄四种。用于衣服马匹为多。彩光暗淡，极不鲜明，求一真正黄色，绝不可得（唯橙黄较鲜，盖为丹粉等混合而成也）。此种事实，或因外来材料（若藤黄）尚未输入，或制物性色料（若栀、柘、槐等）因湿菌而消失，抑或制度上有所限制而不得用，今已不得而知矣。

（5）青之属有大青、粉青、蓝青三种。多用于衣服云纹。每和白粉使用，色度显明，而不艳丽，盖和粉使用，既不透明，又易变质故也。

（6）绿之属有粉绿、茶绿、褐绿三种。其中以粉绿用量最多，色度亦甚为鲜明，茶绿、褐绿二色，似经变质而非原色。至若后世之黄绿（普通植物绿色）尚未见用。或因植物性之黄色成分，业经变质，而成今日残存之茶褐等绿，然已不能确知矣。

（7）紫之属有青紫、绿紫、赤紫、粉紫，多用于衣服。全系间色，故色度不甚光艳鲜明，然赤紫、粉紫二色，保存颇为明净可爱。除此尚有三四种异属之色，因变质变调而不能证明。又有若干颇为不明确之色调，当由上述各色调之深浅度及和粉之多少而不同者。总之今日可视之色彩，不出上记各种类，简表列后。

彩色种类用量表

色属	色名	种数	用量	耐久性
赤属	朱红、丹红、赭红、粉红	四	最多	强
黄属	土黄、褐黄、橙黄、粉黄	四	较少	弱
青属	大青、粉青、蓝青	三	少	中
绿属	粉绿、茶绿、褐绿	三	中	中
紫属	青紫、绿紫、赤紫、粉紫	四	少	弱
黑属	焦黑、淡黑、灰黑	三	多	强
白属	纯白、闪青白、闪黄白	三	较多	中

2. 彩色原料　在色彩本身上观之，所用各色种皆不透明，而耐久力颇强。既无菌痕，又不甚变质，虽石壁而有颇深之酸化作用，而色度仍颇鲜明，可知永久不变之矿物材料为多。其所以不变者，盖一因多含毒质，菌类不能寄生，二因天然物质酸化还原等作用较迟故也。依吾人今日常有之彩色原料推测之大致如下；

（1）黑为植物烟墨，较今日通行之墨尤佳，永不变质，附着力强，无菌痕，所用当非动物质胶也。

（2）白为蛤粉，无反铅痕迹，研制极细，必须厚涂，故附着力最弱，脱落较易。

（3）赤为天然朱砂、铅丹、赭石，含毒质，永不变色，附着力强。

（4）黄为睢雄黄、鸡冠石，永不变质。因变质而不明者约有二种，多和白粉。较不变色，附着力不甚强。

（5）青为石青（铜矿）另一种不明（或为靛蓝），研制精纯，永不变质，附着力较强。

（6）绿为石绿（孔雀石），另有一种不详，研制最细，永不变质，附着力强。其他橙紫等间色，均系上记各色之和合，且每多加粉，在原料上并无新物。

3. 用色技术　汉人用色技能甚高，上述间色甚多，即其显证。在"色之对比"上，已深加注意。冠服唇须，限于制度或天然色彩者，固不必论，若屋顶焦墨轮廓，淡黑屋瓦，下继以丹红梁柱，粉绿帷幕，及白车黑轮，黑稍朱缨，皆层层清晰，彼此益见显明。在"色之调和"上，尤见苦心。若主人车中驾赭马，右骖黑色，左骖丹红，由左言依次作丹红、焦黑、赭红，渐深之色。从骑五马横列，其色由左糖黄、焦黑、赭赤、橙黄、粉红，色度深浅亦为调和之色，并将"对比""调和"二大原理变化活用，尤非庸史所能辨者，如杂伎坐部两朋，左列五人眼色为一朱二橙三朱四绿五紫，一、二、三，取色之调和，四、五亦然，若三、四则为"对比"。左列四人，服色为一绿二朱三橙四紫。一、二为色之"对比"。二、三、四则为色之"调和"。真所谓正变两用，复杂而不乱。统一而不板者矣。

尤可惊叹者色非平涂，物体每加阴影是也。例如墨廓朱服者色感重而板。乃间以粉红色沿墨廓再加以粗笔复廓，以求醒目，俨如暗部之反影。马体亦往往而有。今日人物画仍多用之，仕女尤为常见。又如橙黄服色者，沿墨线加染以调和色之浅红，以增其暗影，益显人物之立体感。各物所加之花纹亦然，如黄马赭花，朱领白点，前取"调和"，后取"对比"也。绿树一株，形如蒲扇，枝叶葱郁，不现玲珑透巧参差之态，今日观之，技术殊为幼稚。然其状如鳞羽之每一绿枝，周为苍绿，或褐绿，中部则为粉绿，此种鳞状树枝近树形轮廓者，色度尤重，仿佛西洋油色画法。且枝干全无墨廓，近后世之所谓"没骨法"者。其云水纹以朱红、淡紫、粉绿或粉青、白粉阔线排比，已现后世"晕锦"彩法之痕迹（如日光光带古建筑装饰用之尤多）。汉人作品，久绝人寰，欲窥其绘画技术及色彩文化之真象，殊亦不易，遇此良机，不忍空过。略陈鄙见，庸备参考。唯彩色原料并未经专家之科学化验视为臆说可也。

五、由壁画所见之礼仪制度

据此墓形态及壁画内容，有可考见墓主职位、年代及当代礼仪制度者数事，兹将坟山、屋宇、车舆、冠服、仪仗、乐舞饮食器六目，考说之如下，盖壁画设色对制度之考证，较石雕等为便也。

（一）坟山

陵墓之在汉，无论朝野，均极重视。汉制皇帝即位之明年，以天下贡赋三分之一造寿陵，至大行而已。举凡用地之广袤，凿坑之浅深，明中之阔窄，坟土之高低，均有定制。西汉帝陵坟高以十二丈为通制，虽因在位长短及功业隆兴之不同而略有出入（高祖长陵、景帝阳陵，均十三丈。殇帝康陵五丈四尺，冲帝怀陵四丈六尺。——见《后汉书·礼仪志》注引汉旧仪）大致不背此制。文帝灞陵因山川之故，不治坟封者示俭德也。武帝茂陵坟高二十丈者，以武功特崇之也。东汉帝陵见于《后汉书·礼仪志》注引汉旧仪者，光武原陵以下至灵帝文陵十陵中之坟，高逾十二丈之定制者一（另一说不逾），符者二，不及者七，均之不足九丈耳。以长安附近现存西汉十一陵之现状言，除灞陵无坟山外，余平均坟高减于定制者一公尺强（见《东洋文库论丛》二十之一，足立喜六著《长安史迹の研究》第五章汉代の陵墓）坟头且有仍存建筑物基址者，虽经二千年风雨之吹荡，坟土崩散之速率，不至超越此一公尺之数，是汉制坟高十二丈为近实矣。至于王公列侯，下至斗食民庶之墓制，史虽缺文，以理推之，必次第减等，盖下不得僭上礼之通例也。考之史文（《后汉书·礼仪志》注引《汉旧仪》），营陵余地为西园后陵，余地为婕妤以下。次赐亲属功臣。按之遗迹（《长安史迹の研究》），高祖长陵西北约二百公尺为吕后陵（《长安志》《史记》外戚注均在东），四周状况与长陵同，唯规模较小。再东北三里之间，有整然二列之陪墓十余，规模尤小，无一知其名者。皆足为当时墓制次第减等之旁证也。

此墓现存坟高11米强，以21厘米合汉尺计之，约存52尺，再加风雨崩颓之数，实高应在55尺以上，几及帝陵高度之半，斗食小吏焉得有此，齐民更无论矣。

以余所知现代汉墓之存高为比较，朝鲜大同江汉乐浪郡址附近已测量之十座汉墓中，最高者5.45米，低有仅见迹相者，均之为2.73米（乐浪の遗迹本文）。山西万安汉墓坟高3～4米，均之为3.5米。阳高古城堡汉墓坟高6～7米，均之为6.5米（蒙疆二於ケル最近の考古学的发现）。吾辽南盖复金三县者，或以土沙或以风，坟土多已不存，可考见者二墓耳。盖穷乡僻地无高官贵族，亦要因也。金县营城子第二号壁画砖墓坟高4.56米（《东亚考古学会丛刊》"营城子"）。旅顺刁家屯五室彩砖墓坟高2.73米（同会刊《南山里》）。辽中区辽沈抚三县者坟土多不存。沈阳市南湖公园经余调查之汉墓十八座，规模甚小地近河滨，不独坟封不存，室顶亦多坏。抚顺上柏屯汉城址（候城县址？）自然破露之汉墓群，地表上亦难认有坟土痕迹（余访古该地二次）。辽阳为东北汉墓最多之区，前后经自然破露及发现调查者，不下数百，有坟丘者此墓而已（三台子除此为汉墓外，他二台是否为古墓，尚不可知）。且其坟丘之高崇，在已知各地汉墓中为最高者。墓主人生前官阶地位似不在二千石下，此为吾人应加注意之一点，可同壁画题字之内容互证也。

两汉帝后陵墓坟山皆平顶方锥形，陪墓方少圆多。朝鲜方多。晋北则方圆互见，间有八方者。此墓不方不圆（俗呼三棱八觚）。是汉墓坟丘颇无定形，亦足为考古者之参考也。

附汉代陵墓坟山高度表

高度顺序	比较实例名称	坟山实存米数	根　据
第一位	西汉诸帝陵	平均27米	《后汉书·礼仪志》注

高度顺序	比较实例名称	坟山实存米数	根　据
第二位	本题古墓	存高11米	
第三位	阳高县汉墓	最高7米	蒙疆二於ケル最近の考古学的発见
第四位	朝鲜大同江汉墓	最高5.45米	乐浪の遗迹——本文
第五位	金县营城子汉墓	存高4.56米	东亚考古学会刊《营城子》
第六位	万安县汉墓	最高4米	蒙疆二於ケル最近の考古学的発见
第七位	旅顺刁家屯汉墓	存高2.73米	东亚考古学会刊《南山里》

（二）屋宇

吾国屋上之建筑装饰，以晋代为一大转变期，盖前以金雀，后以鸱属为主也。《北史》隋宇文恺议明堂古制曰："自晋以前未有鸱尾。"为史文之明证。鸱尾之设既起六朝，且有定制。故《陈书·萧摩诃传》："旧制三公黄阁听事置鸱尾，后主特赐摩诃开黄阁，门施行马，厅事寝堂并置鸱尾。"《北史·高恭之传》："高恭之，字道穆，出使相州，李世哲逼置人宅，广兴屋宇，皆置鸱尾，道穆毁去之"，特赐为荣，妄设遭毁，礼制之严，盖不可犯。此制通行至清，今日古式建筑仍用之，匠瓦所谓大吻、二吻是也。鸱尾，古作麟片鸟尾状，故得是称，中世以来演变为鱼头龙首怪兽，故称蚩吻。此制虽始于晋，其孕育时期必在两汉三国。汉武氏祠石雕画像尝有楼观正脊两端上加半如意头者，已备鸱尾之结构，与近世北方民屋尤似。本墓壁画屋顶皆结重脊，转变稍短，两端耸起而加大，亦为鸱尾祖形之表示。余往岁发掘辽阳汉墓时，尝得同形明器瓦屋一事，其较短重脊之两端，各葺花纹瓦当三颗为饰。此式瓦明器辽南出土尤多，沈阳古物馆亦藏二件，可知鸱尾滥觞所自矣。

晋前以金爵为屋饰，当以两汉三国为盛，散见于诗赋文辞者甚多，班固《两都赋》："上觚棱而栖金爵。"鲍熙诗："凤楼十二重，上户八绮窗。"潘岳《关中记》："建章宫圆阙临北道，有金凤在阙上，高丈余，故号凤阙。"崔豹《古今注》"朱雀阙上有朱雀二枚"是也。唯求遗物画像之实便则不多有，见于前贤记录者仅上虞罗世丈（叔言）《流沙坠简》。小学释奇觚中有："今中州新出汉画石刻图，函谷关东门画两爵分栖两观屋脊。"不知今在何处。若武氏祠画像楼观正脊虽亦有鸟兽怪人诸像，详观之皆画法上，与故实画面车马人物间加以飞鸟游鱼正同，非专为屋脊装饰而设也。

本墓壁画高楼三重，顶脊中央前向立一凤鸟甚高大，轮廓平齐，非写生法，绿色亦苍古如铜器，为人造物一望而知，正所谓"金爵""凤楼""凤阙""朱雀阙"之类者也。凤左右植七游朱旗，上结赤色双绶，飘风回舞，极为壮美。此种凤旗华瞻屋饰，当亦同后世之鸱尾，必不得随意而设也。他若斗拱、槫题、朱户、绮窗、栏干帷幔之属皆所以见墓主之身份。凡此非特为研究古代建筑之好材料，亦断定此墓年代之证也。

　　（三）**车舆**（参看第五、六、七图）

书曰明试以功，车服以庸，所以报功章德等威尊卑，程序上下，是礼之用也。古以兵乘多寡，衡国势隆替，车徒繁简，识程品高低，秩然有序，不得僭忽，为帝王制御群伦之大道。战国以来，车兵渐废，弓马代兴，而车舆在礼仪上反见重要。秦统一六国，车服过制，汉因不改，复多创制。以车辂言五路副车，镠金错玉，饰手羽，髹丹菁，旗常耀目，鸾和悦耳。三驾卤簿，九游前驱，豹尾解屯，属车相接，千乘万骑。驾出则弩清道，黎庶不得窥视，记注藏之秘府，士大夫不可得而见，其尊严神圣，盖可知矣。下迄王公斗食，视其品为制度。当时即有"以文义不著之故，欲人多失其名"之叹，今在史文残缺，注释乖误，实物不存之后，欲求制度之原，车制马饰之实，不得不以当代石雕为参考，而壁画有彩有益于考史者尤多。兹就画中有关车马制度者著之于篇。

今以壁画之车骑图为主，考以史文，参以实例，求其导从制度。车骑部居，车乘种类，服驾多少，希将史文，指明实手，并可考见古墓年代及墓主职程。先详记壁画车骑导从次第，末附五表，以便比较（表皆根据两汉及汉官仪制成者）。

壁画车骑导从次第如下：

1　车前伍伯　存十人　　　兜鍪重札　马上持

2　车前驺卒　存四十余人　赤帻衣黄　马上持帜二人

　　　　　　　　　　　　　　　　　　马上持麾存一人

　　　　　　　　　　　　　　　　　　马上无所持者十一人

　　　　　　　　　　　　　　　　　　画面不清者三十人

3　车前骑吏　四人　　　　黑帻短衣　马上持鎣戟

4　属官骑从　十二人　　　黑有梁冠杂色长衣，骑驰车前后左右

5　白盖小车　　　　　　车体小，无四维驾一，轴头飞轮，镳饰扇汗

6　黑盖有幌车　　　　　车体较大，驾一，轴头飞轮，镳饰扇汗

7　白盖小车　同五

8　黑幌车　　同六

9　白盖小车　同五

10　白盖小车　同五

　　（骑吏四人持檠戟前驱）

11　黑盖赤帷大车　车高大，黑覆盖，朱四维，驾三，飞扇汗

　　（驺卒五人骑从）

12　白盖小车　同五

（1）汉乘舆百官车驾与壁画比较表

汉乘舆百官车驾与壁画比较表

乘舆百官	车辂	服驾	帷裳
天子	五辂	六马	
太皇太后、皇太后	法出　金相　常出　辇车	三马	青帷裳
大贵人、贵人、公主、王如、封君	辇车	二马	油画帷
皇太子、皇子为王	金相车、青盖安车	四马	
皇孙	绿车	三马	
公、列侯	安车	二马	
中二千石以上	法出　大车常出　高车	四马　二马	

续表

乘舆百官	车辂	服驾	帷裳
大使	立乘大车	四马	赤帷裳
小使	不立乘安车	二马	泥油重隆帷
洛阳令、王国都县	大车	二马	
壁画主人车	大车	三马	赤帷裳

在表中二千石以下无文者，盖皆安车单马，由车盖色质以表秩级者也。汉官得乘大车，敕命大使，都县令及二千石以上也。得驾左右骖三马者，皇孙外史无文。得赤帷裳者，亦大使。大使驾四，墓主车左右骖驾三。减大使一马，得乘赤帷大车虽同，似仍未符后汉之制。帷按后汉舆服志注："案本传旧典，传车骖驾，乘有帷裳唯郭贺为冀州，敕去幨帷。"（可参阅蔡茂及贾琮传）观之，敕使乘传或刺史行部驾三赤帷乃两京及东汉初年旧典，若然此墓当在后汉中末叶，墓主或职在州郡及特使以上欤。

（2）汉百官车舆导从与壁画比较表

汉百官车舆导从与壁画比较表

公卿以下至县令	属车六乘	导斧车、门下五吏车（贼曹、督盗、功曹、主簿、主记）
下至三百石长	属车五乘	门下五吏车
洛阳令、王国都县	属车七乘	兵车，门下五吏车，兵车
大使	属车四乘	贼曹、斧车、督盗、功曹（持节者重导从则八乘）
小使	属车三乘	贼曹、督盗、功曹
本墓壁画车舆图	属车七乘	黑盖赤，二乘，白盖安车五乘，皆单驾

以乘数论壁画与洛阳令、王国都县令合，然画中确无辟车（兵车卒四人乘），且导车中有二乘相同参互者三，导车多而从车仅一乘或持节大使之重导从者欤。总之不在三百石长及小使下也。

（3）汉百官车前伍佰比较表

汉百官车前伍佰比较表

公	八人
中二千石，二千石，六百石	四人
四百石以下至二百石	二人
本墓壁画	十人

（4）汉百官车盖与壁画比较表

汉百官车盖与壁画比较表

汉百官车盖		壁画车盖
千石以上	皂覆盖	一乘(主车)
三百石以上	皂布盖	二乘(前导)
二百石以上	白布盖	五乘(导从)

第三表车前伍百十人，数溢三公，或为持节大使，不与常官比也。第四表皂缯覆盖，知其为覆盖者，因盖缘未露橑末，异于常制也。皂盖导车二乘，知主车乘者有三百石以上属吏为导从，其本人职程亦可得而知矣。

（5）汉乘舆公卿百官马饰制度表

汉乘舆公卿百官马饰制度表

天子	方钗翟尾	镳饰朱扇汗
五公列侯	方钗叉髦	镳饰绛扇汗
二千石、大使者	方钗叉髦	镳饰提扇汗
壁画车骑	方钗叉髦	丹色扇汗

壁画马头皆叉髦，镳饰丹黄色，是缇扇汗，墓主人不在二千石及大使者以下又可知矣。

总观上列五表，不特车驾导从，舆饰马文与制相符，而墓主官品必在二千石以上，尤为明白，且与大使者更近。次将车马杂制度可得考见者，表之于后。

1. 高车、安车

古代乘车有二式，一为坐乘，跪坐车辄上，如今曙膝胡坐之法，名曰安车。二为立乘，实倚乘也，如今垂脚倚坐之法，以立乘故盖幔必高，是为高车。汉乘舆属车有五立五安，由乘法不同之区分也。小吏坐乘之车，车马轻小，则别名小车。故刘熙释曰："安车盖卑坐乘今吏之乘，小车也。"又"小车驾马宜轻，使之局小也。"壁画车之白盖有橑末朱题者皆卑小，黑盖悬朱幰者皆高大，可知小吏之车，与三百石长吏以上皂盖之乘大不同也。

2. 车帷裳

立乘高车之有帷者名"大车"，中二千石以上官法出乘之，敕命大使亦乘之，皆驾四。大使车赤帷裳，小使安车绛帷裳，唯驾二不立乘与大使异。《图书集成·车舆容盖》注："郑司农曰容谓幨，山东谓之裳帏，或曰幢容。郑康成曰盖如今小车盖。"又《后汉书·贾琮传》：

> 琮为冀州刺史，旧典传车骖驾，垂赤帷裳，迎于州界。及琮之部，升车言曰："刺史当远视广听，纠察美恶，何有反垂帷以自掩塞乎？"乃命御者褰之。

可知车帷裳悬于普通车之上可垂可褰，与妇人乘用之车不同。观释名："骈车，骈屏也，（按骈应作轩）四面屏蔽，妇人所乘"可知。《图书集成·车舆考》王后五路翟车注：

> 郑锷曰：有幄者，谓之帷幕以为幄（似有衍文），有幄者则无容盖。郑康成曰，如今骈车。贾氏曰汉法，轩车无盖故举以况之。

汉法辑车无盖，则当如清代之轿车，其上漫圆以布幕之故如幄也。此式辑车，汉石画像中亦有之。按《后汉书·梁冀传》：其妻孙寿"作平上辑车"。平上既异常制，则辑车无盖矣。故知画中为赤帷车非辑也。

3. 飞轮

飞轮者系于轴头之绶带车饰也。轮者，铃也，原必有缀以铃者。高官贵族车驾有鸾和之音，故车轮乃演变为观瞻威仪之物，二千石以下官不得有也。故《后汉书·舆服》飞七注："薛综曰飞轮以缇油（黑赤色油帛）广八寸长注地，画左苍龙右白虎，系轴头。二千石亦然，但无画耳。"

此种车饰汉石画中未见，其理未喻。壁画各车皆丹色双绶缀轴头下注地，车得饰此，其为二千石以上长吏，又复何疑。

4. 车幰

幰，车两旁御热幔也。其制不古，汉无定法。盖当时车制不得妄加帷幔，乃有此物。形如疋帛，悬垂于车旁之前后，既可御热，又不违制，汉之车轻绶，亦此物（非古升车之绶仪饰也）。《汉旧仪卷》上：

"明帝临观，见洛阳令车骑，意河南尹，及至而非，尤其太盛，敕去轩绶。时偃师长治有能名，以事潜台，因取赐之，下悬遂以为故事。"汉制洛阳令王国都县，乘大车驾二马，属车七乘，威仪之盛不下大使，明帝昧于旧典，故有此敕（可参看车舆项附第一、二表）。按释名："绶夏后氏之旌也，其形衰衰也。白旆殷旌也，以帛继旐末也。"是绶以帛为之，挂于轩下衰衰下垂之物，纯系仪饰之具。语其原始之用，则御热也。释名曰："幰，幔也，御热也。棠，樘也，在车两旁，樘幰使不得进却也。"壁画黑盖导车二乘，车旁有朱幰，形如悬帛，有文彩不甚清晰。幰背有双柱植于较上，结于弓橑，盖"命不进却"之棠也。县令车为导从，主人秩品高可知也。

5. 乌啄

壁画导车衡上立短竿一本，端有羽葆状物，蓬蓬然如今之鸡羽拂尘（掸子），竿下端二分如人字，连于衡轭交结处，殆汉人所谓之"乌口""乌啄"是也。释名释车曰："楅，轭也，所以扼牛颈也。马曰乌啄，下向叉马颈，似乌开口向下啄物时也。"盖当时之俗称也。汉制天子五辂，衡上立鸾，左轭建蠡，以为威仪。此则像乌以为饰乎，总之其非实用物无疑也。軥端各有大环鼻，马辔贯之，殆即《尔雅·释名》所谓"载辔之仪"者。

6. 防釳

亦作方釳，汉制马头饰也。乘舆插以翟尾，王公以下插以叉髦、壁画车骑马头皆有高羽翅，殆此物也。按说文："釳，马头上防釳，插以翟尾，铁翮相角，以防罔罗，釳去之也。"《后汉书·舆服志》注：

> 独断曰，方釳铁也，广数寸在马髦后，后有三孔，插翟尾其中。薛综曰：釳，中央两头高，如山形，而贯中翟尾，结著之；徐广曰：金为马文髦。

文叉必有一伪，然文言饰叉象形（相角）说皆通民。此物原系马饰，非实用物，罔罗之说迁不近理。故可以翟尾，可以铁翮，亦可以文髦为之。按史文天子以翟尾，王公列侯以文髦，则铁翮相角者小吏通饰乎。此种遗物曾出于外蒙古匈奴贵人古墓中，大可参考也（见梅原末治《北方文物之研究》）。

7. 扇汗

古曰幩，镳饰也。锥马勒旁铁，诗曰"朱幩镳镳"，毛传曰"人君以朱缠镳扇汗，且以为镳饰"，是也。汉俗名扇汗，故许氏说幩曰："马缠镳，扇汗也。"汉制天子朱扇汗，王公列侯绛扇汗，卿以下有绯者（二千石及使者）缇扇汗。壁画马口旁垂二朱黄绶是此物也。得用黄赤扇汗，主人当系有绯以上阶级也。

8. 白马朱鬣

汉五行思想发达，于是五方、五色、五物、五德等说，成为一切政治文化基本哲学。而礼仪、舆服上，尤为显著。汉制乘舆卤簿有五时车，其制与五德车同。其代表西方之秋车，车旗马饰皆以白，所谓"各如方色"也（《舆服志》）。然汉以火德。大尚南方正赤之色，而纯白车马，不免惨淡使人不快，故白马皆朱其鬣尾为"白马朱鬣"也。此制在礼言，不失汉尚大赤之体，暗示为吉礼之仪。在色彩学及美学上观之，化单纯为复杂，以少量对比之色，破除寂寞之感，略增华赡之饰也。故立秋斩牲仪戎车白马亦如之（《礼仪志》），盖秋属西方，斩牲有杀伐义，是以用之。壁画黑盖导车一乘驾纯白马一匹，骨相神骏，鬣尾皆纯赤，殆是之也。盖此种马色，世不经见，一望而知为人工加染者。此制是否通于上下，史无明文不敢臆断，然《后汉·舆服志》："皇太子、诸侯、王公、列侯二千石，诸马之文（饰也）案乘舆之制。"则似二千石以上得用之也。况此制出乎美观装点者多，于礼无关大要，在礼乐陵夷之际，演成习俗，通行上下，亦事理之常也。

（四）冠服（参看第二、四、五、六、七、八各图）

秦一六国，灭礼改制，汉承秦统，率由旧章。职官、车舆、冠服，尤为显然。历代沿袭虽亦间有因革，而推其渊源，实多出于西汉，盖秦燔群书，古传不存，六国混一，外夷殊俗与华夏杂糅，南楚北赵，东齐西秦，异冠奇服，礼无其文，今在二千载制度变改，实物不存，纪录疏略残缺之后，欲究其源窥其制，殊非易事也。

中世礼家多就《周礼》以说汉制，附会穿凿，间多迂怪，聂氏礼图其代表也。有清以为朴学大兴，及其季叶，尤重实物，故两汉砖瓦、石刻、明器、镜鉴之有图像者皆为考古证史之所必资。近年来考古大行，楚汉髹器，两汉古墓之画砖画壁时有出土者，考定古制，较前贤尤便，兹就壁画人物图像之有关冠帻者，疏记于后，先列《后汉·舆服志》史文，以为根据。

汉乘舆公卿百官常服冠帻表

冠名	服用者	制度渊源	形式尺度
通天冠	乘舆常殿	秦制	高九寸，正竖顶少邪却，乃直下为铁卷梁，前有山展筒为述
远游冠	诸王	秦制	如通天，展筒横于前，无山述
高山冠	中外官谒者仆射	齐制	如通天，直竖不邪却，无山述展筒
进贤冠	诸文官（以一二三梁分尊卑）	周制	前高七寸，后高三寸，长八寸
法冠	执法	楚制	高五寸，以纚为展筒，铁柱卷
武冠	诸武官	赵制	有金珰貂尾附蝉翟尾诸饰
却非冠	宫殿门吏仆射	楚制	似祀服之长冠（刘氏冠）而促
却敌冠	诸卫士	周制	前高四寸，后高三寸，长四寸，似进贤
帻	通用或用于冠下或单用	汉制	有颜题、双耳、巾屋、收

据表知汉代百官常服，文职无上下通服进贤，以梁之多少为尊卑之节：

（1）公侯　三梁进贤冠

（2）中二千石下至博士及宗室刘氏　二梁进贤冠

（3）博士以下至小史私学弟子　一梁进贤冠

汉冠之中，此最普遍，次则为帻。以上自天子，下迄民庶，无贵贱通服之故，以彩形状滋多变改。其他特制服色尤多，况史文简单，注多纰缪，后世礼图更多虚构，兹就壁画图像人物之职位身份，执事动作归纳之，以求其冠服之名实。

1. 进贤冠（第二小府史图）

冠者贯发髻之具，与后世冒道之帽不同，帽大而冠小也。其制或以韦，或以布帛，意在实用，使髻不散而已。东周以降，礼制陵夷，诸侯乱，殊方异制，斗丽争华。秦并六国，多以其冠为臣服，汉兴因之，且多滋变。故考汉冠者必须注意二事：一、汉冠以卷梁者为多（柱卷亦梁之一种），制兴于秦。二、冠每与介帻并用，或但用帻而不冠。此皆古制所无者也。进贤冠为文儒者之服，虽曰古缁布之制，不过为儒家祖述三王之一说，按其冠形，仍似通天。其为秦制，不言而喻，兹比较之于后：

（1）通天冠　高九寸，正竖顶、少邪，却乃直下为铁卷梁，前有山展筒为饰。

（2）进贤冠　前高七寸、长八寸、后高三寸，有一、二、三梁之别，前无饰。其同点：一、前高后低，二、有梁（进贤冠，以梁上起脊之多寡，为尊卑之节，如满清顶珠彩色，近代军服几星也）。不同者，通天高而有饰，进贤则否，所以者何，臣僚减等犹诸王远游冠，体制虽似通天，而以横置展筒无山述减于天子一等耳。故谓秦制也。

其形前高七寸、梁长八寸、后高三寸，若前后以竖直拟之，冠底亦应长八寸，汉尺虽短，其长已超人顶纵长直径，冠之必如顶一后足稍短之小俎，其下再加更大有耳之帻，其制奇大不伦，已失贯帻韬髻之义。其上长七寸，下无文者，盖以发髻为大小，略之也。故知其前七寸后三寸必斜立无疑。若右前七寸直竖，上八寸向后低斜，以三寸之后高为内斜，不特短不能及髻，而全冠重量位于脑后，既不美观，亦欠安牢。以其尺寸揣之，必以前高七寸，上长八寸之二线作锐角而前突于顶上，始与人首部位，冠之重心均称也。

壁画人物清晰而冠此式者；宴饮二宾，运酒瓶者，主车御者，"小府史"题字下之二人物，约十余人。按《后汉书·舆服志》："时贤冠自博士以下至小史，私学弟子绵一梁。"可知"小府史"人物所冠为一梁进贤无疑也。其冠下皆有介帻，后竖双耳甚长。冠下皆有缨系于颌下，下垂缨蕤于胸前长约尺余，按《后汉书·舆服志》：

"诸冠皆有缨蕤，执事及武吏皆缩缨垂五寸。"执事武吏冠缨缩短者，便动作也。文吏冠缨长垂可知矣。同志：

"帻者颐也，头首严颐也。至孝文乃高颜题续之为耳，崇其巾为屋，合后施收。上下群臣贵贱皆服之。文者长耳，武者短耳，称其冠也。"文冠进贤于巾帻上，耳不防长，武冠大冠于巾帻外，耳必须短，故谓称其冠也。此等规制按之汉代石画、洛阳画砖，以及稍晚之《女史箴》《帝王图》皆合。以壁画校之尤知《后汉书·舆服志》之精确不误也。

2. 却非冠（参看第五白盖小车图）

壁画车骑图中白盖车之乘者二，《宴饮图》中捧瓶侍者二人，皆介帻上冠一种直竖而全体微圆，基部细小之高冠。既无进贤、却敌二冠之铁卷梁，又无法冠之铁柱卷。且为汉代石雕壁画等材料中从所未见者，校以史文，似却非冠也。汉冠制度中史文最略者，莫如却非，既无大小尺寸，又未记详细形状。按《后汉书·舆服志》："却非冠制似长冠下促，宫殿门吏仆射冠之"是也。又：

"长冠一曰斋冠，高七寸、广三寸，促漆纚为之，制如板，以竹为里，初高祖微时以竹皮为之，谓之刘氏冠，楚冠制也，民谓之鹊尾冠，非也。"

此冠无卷梁无柱卷，不前倾，不后斜，甚高而细如鹊尾，与上记壁画之冠绝类，画中者基部细小，尤符"似长冠下促"之文，其为却非，庶几无疑。唯史载服此者为宫殿门吏仆射，皆官卫武职之较低者，葬者门下属吏不应有此，或史有疏略缺文欤，而门吏仆射秩程不高，人数不众，史特注其冠，亦文有残缺之证。

3. 却敌冠

似进贤而差小，前高四寸、通长四寸、后高三寸。较进贤前高、通长约减半，而后高独同。据尺寸推之，其侧影应为后稍斜却之方形。无若进贤之前有锐形突角者。后同高三寸者，盖直竖髻后，发髻之高低不以阶级限，人皆相等也。总之此冠之下长后高与进贤等，唯前低上短故无前突锐角为异。画中服之者为车旁车后之从骑，盖亦卫士之流也。

4. 帻（参看第四杂伎图）

古者冠而无帻，帻非古制也。史谓起源于秦，以绛帕饰武将首或近之矣。关于帻巾起源及形式之最古记录，约有下列数种，录列于后以便归纳比较。

刘熙《释名·首饰》：

> 帻迹也，下齐圆（一本作眉）迹然也。兑上下小大（一本上小下大）兑兑然也。或曰联。联析其后也。曰帻，形似帻也。（似伪）贱者所著曰兑，以发作之，裁裹发也。或曰牛心形似之也。

《后汉书·舆服志》注：

> 独曰帻古者卑贱执事不冠者之所服也。董仲舒止雨书曰，执事者皆赤帻，知不冠者之所服也。元帝额有壮发不欲使人见，始进帻服之，群臣皆随焉。然尚无巾，故言王莽秃帻施屋。冠进贤者宜长耳，冠惠文者宜短年，各随其宜。汉旧仪曰凡斋绀帻，耕青帻，秋貙刘服绯帻。

同书同志：

> 古者有冠无帻，（中略）秦雄诸侯，乃加其武将首饰为绛袖以表贵贱。其后稍作颜题。汉兴续其颜题却摞之，施巾连题却覆之，名之曰帻，帻者赜也，头首严赜书也。至孝文乃高颜题，续之为耳，崇其巾为屋，合后施收。上下群臣贵贱皆服之，文者长耳，武者短耳，称其冠也。尚书赜收颐（帻）收方三寸名曰纳言，示以忠正显近职也。迎气五郊，各如其色从章服也。皂衣群吏，春服青帻，立夏乃止，助微顺气，尊其方也。武吏常赤帻成其威也（下略）

许慎《说文》：

帻帻也（按应或为迹颐）发有巾曰帻从巾责声。

《急就篇》注：

帻者韬发之巾，所以整迹发也，常在冠下，或但单之，冠帻非一物也。

归纳上记材料可得下列数事：

（1）帻非古制，渊源于秦，完成于汉。故冠帻为两物。

（2）孕育之源有二：一为军容挨额之绛袙，二为卑贱执事不冠者之兑。

（3）演变之迹由绛袙，颜题，施巾，加耳，施收，起屋而完成标准汉帻之形式。

（4）初为卑贱执事不冠者之服。起孝文无上下贵贱通服之，故有兑联帻之别。

（5）其服法或用于冠下为官服，或单之为燕服，而武吏执事不冠者，仍其旧惯。

（6）其类型有四：一标准汉帻（介帻），二有屋帻，三武吏执事之帻（平帻），四庶民贱者上小下大状若牛心之兑。他若终不加颜题之幅巾亦此类也。

（7）其色有青、赤、白、黑、黄（五时五方之色）、绛、绀、绯、绿之别。兹就壁画所见者，证以史文，疏列其形式制度于后：

甲、平帻

帻发源于秦将饰首绛袙及卑贱执事不冠者裹发之巾，其质皆软，且简易不成制度。后乃稍作颜题。颜题直竖之立面，如人之有首面，题者上面之平顶，如屋橡笔管之有题端也。其形与村僻老婆头上所载发罩俗呼脑包或昭君套者略同，唯缺上顶为异。其颜题质硬，其顶上平，为执事不冠者之常服，名平帻。按《图书集成·礼仪典》引《英雄记》："公孙瓒，字伯珪，为上计吏，郡太守刘基以事公车征，伯珪褠衣平帻御车洛阳，身执徒养。"是也。壁画人物用此者，老鸡吏一人，腰襦大袴，以司斗鸡，正所谓"卑贱徒养"也。

乙、介帻

汉兴续续帻之颜题连巾于顶之中央。载之头首，下齐于眉，上冒全发，严鬜不乱，故有帻名。及至孝文高颜题读之为耳，崇巾为屋，合后施收，成汉帻之标准形式。高颜题者，加高帻周围之介壁。续之为耳者，帻后上方接竖双耳也。崇巾为屋者，高其顶上巾部为屋，便贯发髻。"王莽秃帻施屋"盖附会也。合后施收者，帻后台缝之外，裹一方形物以掩合缝之迹，所谓"尚书蟥（帻）收方三寸各曰纳言"是也。以颜题硬如介甲，故谓"介帻"连有软巾，亦称巾帻。无贵贱通服之，加于冠下则为礼服，单用之则为燕服。按《三国志·魏书·武帝本纪》注引《曹瞒传》：

太祖为人佻易无威重，及欢悦大笑，以至头没杯案中，肴膳沾污巾帻，其轻易如此。

是燕居帻而不冠之明证也。通两汉言之，初期冠而不帻（一说文帝时上下通服帻，一说元帝）。中期冠多加帻。末期则人从简易，燕居则帻而不冠矣（后世幞头角巾皆源于此）。

壁画用此者宴饮图主人而已，衣白常服戴双耳黑介帻，盖主人地位最高，又私第燕居，意在舒适，故不冠也。

丙、屋帻

帻顶施屋，史谓新莽创制，实则顶既加巾，发髻高撑，软巾如屋，理所当然，其状前低后高，与唐代角巾略同。唯虽有颜题，后无双耳，盖双耳介帻为有秩之服，此虽较平帻略高一等，仍为斗食以下舆台徒养之服也。故壁画中唯仓吏及马上棨戟之骑吏四人服之，亦平帻、赤帻之亚也。

丁、赤帻

帻源于秦武将首饰，故两汉军吏伍佰仍袭服之。其制度形状无记载，而武职冠文者介帻仍短耳，则武职小吏帻无耳必矣。壁画中所见之赤帻有二式：

（1）为赤色颜题之平帻。既无双耳，其颜题后亦不合，"聑析其后"是也。颇近红巾抹额之制（汉末山东贼以黄巾为识别或亦以此）。百戏之伎人，仪仗前驱，主车驺骑服之者约四十余人。此所谓"乍容抹额"，"襦衣绿帻，厨人之服"者。汉旧仪："鸡鸣士朱雀门外著绛帻，传鸡唱。"《古今注》："汉诸公行，则伍伯率其伍以导引，古兵士服韦弁，今伍伯服赤帻缥衣素袜弁之遗法也。"可知此为帻之原始式，无耳无屋宜也。

（2）为颜题较高，上起巾屋之赤帻。壁画中唯列坐之乐人服之，且皆氏袍中单，帻虽无耳，盖较前者稍优矣。他若发作之兑，不见于画。旧仪百官之赤帻为介帻之赤色者，与此无涉，故皆从略。

5. 铠胄（参看第八骑从图）

古兵士战阵之冠服，有甲者或曰介或曰函。头铠则曰胄。秦汉以来，弓马大行，攻之力既强，保护之道必周，铠胄形成于此期，为理所必然者。六经中不见铠甲兜鍪字，其物晚立之证也。汉混称铁幕冠服为铠甲，单称头铠曰兜鍪也。

《说文》卷二七金下：

> 铠甲也。釬，臂铠也。铔鍜，颈铠也。鍪，鍑属也。一曰鍪首，铠也。

刘熙《释名》释兵第二、三：

铠，犹垲也，垲，坚重之言也，或谓之甲，似物浮甲以自御也。

书刑法志："魏氏武卒衣三属之甲，操十二石之弩，负矢五十个，置戈其上，冠胄带剑，赢三日之粮，日中而趋百里，中试则得其户，利其田宅。如此则其地虽广，其税必寡，其气力数年而衰，是亡国之兵也。"三属之甲注"服虔曰作大甲三属，竟人身也。苏林曰，兜鍪也，盘领也，髀裈也。如淳曰，上身一，髀禅一，胫缴一，凡三属也。"（文信按正文有冠胄语知苏说误）

概括之可得汉代铠胄之情状如下：

（1）胄，头铠也，一称兜鍪，形如反唇小镁。

（2）上身，髀裈，胫缴竟人三属之甲，颇为坚重。

（3）上身，含盘（铮锻）之颈铠，两臂称钎之臂铠，及胴铠三部。

（4）髀裈，有甲之犊鼻裈也。髀股也，释名："短刀曰拍髀。"又"裈，贯也，贯两脚，上系腰中也"。是其明证，画形如今日短裤，其用同后世之战裙也。

（5）胫缴为下腿之甲，古曰逼，汉名行縢，隋唐曰袴袜。今之裹腿或称腿绷者是其类也。释名"佰所以自逼束也，汉曰行縢，言以裹脚可以跳腾轻便也"是也。

（6）铠、铮锻、钎、兜鍪等字或从金革，盖皆金革为之，故坚重也。

壁画车骑导从执槊前驱者十人，冠胄如镁而缺，顶注大珠，上插若羽翅状物为饰者，是兜鍪也。颈围高领，上奢如杯盘者是盘领也。前膝若近世战裙者，髀裈也。兜鍪、盘领满布直线如鱼鳍尾者，表铁札鳞比之迹也。上体斜文方目者，像甲片鳞鳞也。此种汉代铠胄图像世颇少见，实兵服史上之新材料也。

6. 衣服（参看第二、四、五、六、七、八图）

古者上衣下袴为庶民执事之服，外加上衣下裳之深衣，则为正服，后为尊古儒者所服，又曰儒服。汉兴，高祖南人，不喜儒服，故臣下多改服楚制之短衣（《汉书·叔孙通传》）。其后叔孙虽稍定仪法，以疏落而未备，且其仪法制度亦皆沿袭前代，略加扣益，故长冠均玄以为祭服，百工群吏皂袍而已，礼无其文，制度非古，虽成一代礼文，实非先王旧典，见讥于齐鲁之儒士，良有由也。后若贾谊议定制，而遭绛灌之阻。武帝初议立明堂，制礼服，以太后不喜儒术而废其议。董仲舒策言更张旧制，以外征而罢。孝宣时，琅邪王吉言愿与大臣儒生共述旧礼，明王制，上不能纳。成帝时，刘向议更定礼乐仪容，适帝崩而事不成。是西汉二百余年，仍沿秦代旧章未复周制明矣。

光武中兴，始修先王之礼，明帝始备旒冕九章之服，而百官庶民，一仍旧惯，别无更革。是东汉常服仍与西京相同也。按《后汉书·舆服志》：

> 凡衣冠诸服，旒冕长冠，委貌，皮弁，爵弁，建华，方山，巧士衣裳文绣，赤舄服绚覆，大佩皆为祭服，其余悉为常用朝服。

又同志通天冠条：

> 通天冠（中略）乘舆所常服，服，衣深衣，制有袍随五时色。袍者或曰周公抱成王宴居，故施袍。礼记：孔子衣逢掖之衣，缝掖其袖合，面缝大之，近今袍者。今下至贱更小史皆通制，袍单衣，皂缘领袖，中衣为朝服云。

可知通两汉除明帝制定之"文绣衣裳"为天子祭服，深衣为天子常服外，其余悉为"常用朝服"。此常服朝服，即"制有袍"之袍也。袍既为汉制，其源非古，当受之秦者，故儒士者流一托之于周公，再符会于孔子，吾人观之汉人所谓"今袍"实非"缝掖"之衣。而"抱成王之说"亦不过由袍有苞义，望文说解，皆非是也。其制为袍单衣皂缘袖。中单，小衣袴，无贵贱上下通为官服。他若执役庶民，则依其贫富及执事性质之不同，而各有专服，此为古今理之所当同者。兹先列壁画人物服色为表，略记其制度可考者于后。

壁画人物冠服表

画题	人物	冠帻	外服	其他
宴饮图	1 主人	黑介帻	青袍领袖无缘	中单不清晰
	2 二宾	进贤冠黑介帻	青袍皂缘领袖	素中单
	3 室内二侍	却敌冠黑介帻	黑褐袍黑缘领袖	素中单
	4 室外运酒	进贤冠黑介帻	深青袍黑缘领袖	淡青中单
小府史	小史二人	进贤冠黑介帻	黑褐袍黑缘领袖	黄中单束带
伎乐图	1 击鼓人	赤平帻	紫袍黑缘领袖	背立中单不详，素黑鞋
	2 舞人二	赤平帻	特制舞衣缘领袖	圆领不见中单素袴黑鞋
	3 兽舞人	赤平帻	特制拟装有尾淡红衣	跣足四腕系红缨
	4 弄丸等六人	赤平帻	杂色短襦，杂色领袖	犊鼻裈，行縢
	5 坐者九人	赤有屋帻	杂色袍，杂色缘领袖	杂色中单，束带
斗鸡图	老鸡吏	黑平帻	素圆领红腰衣长至膝	素袴腰带黑鞋
仓廪图	1 仓吏	黑有屋帻	黑褐袍，黑缘领袖	素中单，束带
	2 仓役二	帻不清晰	黑袍筒袖圆领衣长至膝	素袴，有带
车骑图	1 持稍伍伯	胄	铠	胫铠黑鞋
	2 仪仗驺卒	赤帻	杂色短上衣杂缘领袖	杂色中单，黑鞋
	3 棨戟骑吏	黑有屋帻	赤色短衣缘领袖	素中单黄袴黑鞋
	4 车旁从骑	却敌冠黑介帻	赤短衣黑缘领袖	素中单黄袴黑鞋
	5 御者三	进贤冠黑介帻	赤衣缘领袖（长短不详）	素中单
	6 乘者二	却非冠黑介帻	黑衣缘领袖（长短不详）	素中单
	7 从卒五	赤平帻	赤短衣缘领袖	素袴
	8 骑从吏	却敌冠黑介帻	赤短衣缘领袖	素中单黄袴

（1）袍（第九图）

袍为官服汉制也，溯其名则甚古，诗云："岂曰无衣，与子同袍。"《礼记·玉藻》："纩为补缊为袍。"盖古有著之长衣也。秦为朝服，汉承之不改。说已见前。《释名》：

> 袍丈夫著，下至跗者也，袍苞也，苞内衣也。

可知袍为庶民便服，下长至足，用作外衣。朝服则单，便服著絮则曰缊袍，《后汉书·羊续传》：

> 灵帝欲以续为太尉，时拜三公者皆输东园礼钱千万，令中使督之，名为"左骄"。……续乃坐使人于单席，举缊袍以示之，曰："臣之所资，唯斯而已。"左骄白之，帝不悦，以此故不登公位，而征为太常。

是公卿朝服便服亦皆袍也。不过应节为单绵及更易服色而已。皇后亦服之，下通于庶民之妇，不过贵者以绮縠，中者以练绢，贱者以枲枲耳。《释名》释衣服：

> 妇人以绛作衣裳上下连，四起施缘亦曰袍。

《后汉书·马皇后传》：

> 后尝衣大练裙不加缘，朔望诸姬朝请，望见后袍衣疏粗，反以为绮縠，就视乃笑。

是妇人上下通著之证，不过领口袖襟下之四起，加缘为饰为不同耳。

其色为祭服时，随制而不同，常用官服则皂色，"皂衣群吏"为当时常语，可知其然也。其式为交领袖有胡较深衣者为短，领袖皆加缘饰。下虽至跗，但较中衣稍短，外加束带。后世往往误袍与长襦为一物，按《汉书·匈奴传》："文帝遗匈奴服，绣袷长襦，锦袷袍各一。"袍与长襦连举，知非一物。

壁画人物确服皂袍而又标准者，为"小府史"二人，宴饮图侍者及运酒者五人亦服之，皆为侧影。伎乐图击鼓者为背影，乐人二列为坐像，虽皆杂色百戏乐舞之服，其式为袍则一也。汉史制袍即通于贱更小史，是"小府史"所服者为袍无疑矣。据图知其类型有二：

甲. 短后式袍——亦可称为曲裾式，"直裾谓之襜褕"（《说文·衣部》）。小府史前立者，击鼓者二人服之，式为交领窄袂（袖口）长袂（袖头）前襟方正至跗，而后襟独短者。盖汉袍下长及跗，而旁无褉口，非若后世衩衣便于乘骑步履，故必短后以济之。官民皆然，武吏尤短。汉袍既以短为便，久成自然，故视两襟相等之深衣，为儒生迂怪之服，梁冀衣裾曳地，称曰狐尾，视为服妖。此式见诸当时记载者，有《汉书·江充传》。

初，充召见犬台宫，自请愿以常所被服冠见上（武帝），上许之。充衣纱縠禅衣，曲裾后垂交输。冠禅纚步摇冠，飞翮之缨。

注引：

张晏曰：曲裾者如妇人衣也。如淳曰：交输割正幅使一头狭若燕尾，垂之两旁，见于后，是礼深衣续衽钩边，贾逵谓之衣圭。苏林曰：交输如今新妇袍上挂全幅缯角割，名曰交输裁也。

今日吾人观之曲裾交输一事也，注家如说较确，而是礼深衣续衽钩缀边则大误。苏说为交输剪裁之法，与曲裾无关。张以时衣说之，今日已失明了之道。盖裾者后襟，曲裾者使后襟缺曲，与前襟之衽无关也。深衣续衽者，因深衣下裳为直幅，腰围较小，下以步履动作，襟之下宽今呼"下摆"者必须加大，故另用长与裳幅相等之幅帛二段，对角割之，作成四个不等边三角形，以割边续于裳前后之两侧，谓之续衽。其续衽三角形之次长边既向外，则其短边向外之角必上斜中矩，称其三角全体是为钩边（钩中矩也）今日

"贴边"，实一事也。此种裁法，妇孺皆知，实无出曲裾可能也。"交输裁法"者，为幅帛对角割以续衽之普通术语，谓曲裾应用此裁法则是，直指为曲裾之制则非是。

曲裾之法为后襟垂直两幅之下部。缺左一截顶三角形。其裁法由腰下垂幅之左右两角，各作对角线向中疑直割二分之一或三分之一，再由二止点连接割去之可得任意深浅之截头三角形缺裾矣。反顾其两侧所有垂下之锐角，外加续衽之贴边，适成如圭之两矩形，斜如燕尾。所谓"若燕尾垂之两旁，见于后"是也。质而言之，称其缺去之截顶三角形则为"曲裾"，称其两旁所存之燕尾形则为"交输"。

此式汉袍见于画像石雕者较少，（武氏祠石画以齐王为明显）见于空心墓砖者极多。（据汉砖集录）金县营城子汉墓壁画二门史亦此式。江充孝武时人，又为常所被服者，是曲裾袍为汉初以来贵贱通行之一种形式也。张晏如淳皆曹魏人，其时新妇裁有此制，则其制度之改变当在东汉末，若然此墓年代，又得一证矣。

乙、曲契式袍——亦可称为开衩式。"小府史"后立者服之，袍上部形式同前，唯后裾长几注地，膝旁当前后襟际处，为一大缺曲，且有赤缘，知非画现上所致，而为特殊之形式也。其曲缺之用意当与前式同，且为后世衩衣之滥觞也。唯此式汉袍仅一见于武氏祠石画中，余未多见，似亦为汉袍之一式也，其人物胸前垂二带，当是衿结之缨，其上所以结袍衿使不开者，此制我国明代后已不存、朝鲜旧装仍有之，可为参考。且为当时史文画像所未见，亦一新材料也。

（2）襦衣

襦字或作褕，原为有着冬衣，按释名"襦，臑也，言温臑也。单襦如襦而无絮也"是也。统观汉魏晋人记载，襦有：汗襦、单襦、複襦、襦裤（曲领无右）、腰襦、短襦、长襦、反闭、褠衣等式。括而言之襦为短躬，狭袖、圆领、无右襟之便服。长襦为无袖胡之长衣。反闭为衿结于背反着之服，如今小儿所著之背口洋服者。褠为筒袖短衣，皆其演变也。

汉代官士阶级均喜"褒衣大召，衣长曳地"之服，此等动作方便之襦，自然流行于执事劳动及贫贱庶民中。然考之记载，上自天子，下至斗食群吏亦皆服之，唯官士富有者用为内衣，贫贱粗民则单之而已。

壁画演伎六人所服者或圆领或交领之筒袖杂色短衣皆襦也。老司鸡者所服素色圆领筒袖窄腰其下奢襟至膝者，盖为贫贱执事者典型之汉襦也。

（3）裈袴

古代下著之服，与今裤袜等颇多不同。以其进化形式之顺序言之可分四种：

甲. 为兜裆带袴，人类下著褒衣发达较晚，为世界各族通例，吾国亦然。初不过一带缠裹于两股及阴翳处，古之蔽膝（韨）其遗象也。故上古多不著袴，秦汉胡服倡兴，袴、袜、靴乃盛行于世。然时人或厌于束缚烦琐，或限于赀力物材，仍多不袴者。《后汉书·吴良传》：

> 良初为郡吏，岁旦与椽史入贺。（中略注引东观汉记）良时跪
> 曰：盗贼未尽，民庶困乏，今良曹椽尚无袴。（王）望曰：议曹惰窳
> 自无袴宁足为不家给人足耶。

《三国志·贾逵传》注引《魏略》：

> 逵世为著姓：少孤家贫，冬常无袴。过其妻兄柳孚宿，其明无何
> 著孚袴去。

吴良郡椽，元旦贺上而不袴，贾逵无袴而往妻家，今人观之殊足惊怪。然在当时袴盖可备可无，无之不足以为耻，备之反视为奢侈物，如今冬日之外套，夏季之雨衣也。唯不袴无袴非裸下之谓，别有物也。《释名》释衣服：

帕腹，横帕其腹也。抱腹，上下有带抱果腹。上无裆者也。心衣，抱腹而施钩肩，钩肩之间施一裆，以掩心也。

帕腹为今之围腰，毫无疑义。所谓"抱腹，上下有带，抱裹其腹者"。为上施二带钩挂于肩，带间中裆则名"掩心"，形近今日童稚之挂肩背心裤。唯抱腹既非横帕之"帕腹"，则其下带必络于两股阴尻之交。故此带实为原始下体亵服之一种。犊鼻裤之祖型也。今日东人多用兜裆带，吾国女妇之月事巾，乳儿溺布兜其遗法也。抱腹何以裹及下体，盖汉人视阴尻为腹背之一部故也。前书释形体腹下：

腹，复也，富也，其中多品似富者也。（次心、肝、肺、脾、肾、胃、肠、脐、胞，诸释略）自脐以下为水腹，水均所聚也。又曰少腹，少小也，比于脐上为小也。阴荫也，言所在荫翳也。（其下胁、膈、腋诸释为体非腹属也）

同书释背下曰：

背，倍也，在后称也（次尾、腰、髋、臀诸释略）尻廖也，所在廖牢深也。（其下释枢、髀、股膝诸下，非背属也）

由二释之顺序观之，尻以属背，阴以属腹，故抱腹而阴为理所当然，不足为怪者也。

乙. 为袴原为两裥，无前后裆，形如清代之套裤者，与今便裤不同也。汉人说此者有：

许慎《说文》：

袴，胫衣也。

又：

> 袨袴也。

刘熙《释名》：

> 袴，跨也，两股各跨别也。

扬雄《方言》：

> 袴，齐鲁之间谓之襱，或谓之袨，关西谓之袴。

颜注《急就篇》：

> 袴之两股曰袨，合初谓之裈。

由引文观之，或释为"胫衣"，或释为"两股各跨别"，无一释为藏阴有裆之裤者。且"合裆谓之裈"，不合裆可知矣。是汉人所谓袴者，除冬寒应备外，可有亦可无，故蜀人歌范廉夜不禁作曰"不禁火，民安作，平生无襦今五袴"（后汉书本传）。孙略冬日脱袴遗贫士也（见高士传）。

丙. 为裈字或作幝裈，别名襣，欲称犊鼻裈。其形大裆左右垂二孔，如子牛鼻故名之。今下体内衣之裤衩，夏季之短裤是也。古为给使贫贱之服，颇见鄙于仕宦阶级，故汉司马相如自著犊鼻裈，以要其妻父（本传）。晋阮咸未能免俗，晒衣节（七月七）张大布犊鼻于庭，为人所怪也。当时亦有袴裈并用者，《三国志·魏书·裴潜传》注：

> 韩宣尝以职事当受罚于殿前，已束缚，杖未行。文帝辇遇，特原
> 之，遂解其缚，时天寒，宣前以当受杖，豫脱袴缠裈面缚，及其原，

裤腰不下，乃趋而去。

"脱袴缠裈"其证也。盖袴无裆，以简而便脱，裈有裆烦琐，故止卷下其腰也。他若给使贱役或军伍，又每与行（后演为裤袜，有鞨至膝，实为袜连行膝为一者）并用之。

丁. 为穷袴，亦曰裈裆袴，前后有裆不便交通，今之死裆裤也，按《汉书·孝昭上官皇后传》：

> 后霍光外孙，光欲皇后擅宠有子，帝时体不安，左右及医皆阿意言宜禁内，虽宫人令皆为穷袴，多其带，后宫莫有进者。"（注）服虔曰穷袴有前后裆不得交通也。师古曰绲古袴字也。穷袴即今之绲裆袴也。

是"穷袴"即为裈裆之袴，前后有裆连属，不便于男女交通，故后宫无进御者，则素著无裆便于交通之袴明矣。其式或为活裆，或如套裤无疑。且此为创例，普通官民男女当以无裆裤为常服也。

上为袴在文史记载上之演变实情，欲印证以实例则不可多得，盖汉代一切画像人物著长服者居多，襦裤短著者较少也。壁画百戏之伎人，皆著短襦，其下著赤色犊鼻裤者为弄丸反弓等三人。袴肥大上系腰中，胫服素色，袴或行縢不得而别矣。著橙黄色亦绿裤者舞轮一人。倒立手行一人著紫色犊鼻甚短，其下较长者为袴无疑。著素色裈裆袴者飞刀一人。击鼓者虽著素袴，以上著长袍，故不详其式。二舞者皆狭衣长裾，一素色衣腰际有横襕，一绿衣下连于裤，盖褅衣之类也。

（4）百戏衣

伎乐百戏之服，史文不详，以情揣之，形式必洒脱轻便，采色必都丽华瞻，质地必柔婉飘举始合节度。莱子"著五采褊洒衣"以娱亲，其实例也。

壁画伎乐图之伎人乐工衣皆多彩，已见前记，是即所谓百戏之服也。盖汉以五彩绣缋为祭服之章饰、百工民庶以皂素二色为常服，若此绮丽多彩之衣，非常服所应有也。观后代记载犹可略得梗概。按《宋书》武三王江夏文献王义恭传：

> 义恭又与县骠骑大将军竟陵王诞奏曰（中略）谨陈九事，（略）诏付外详，有司奏（略）九条之格，犹有未尽，谨共附益凡二十四条，（略）胡伎不得彩衣。舞伎正科著袿衣，不得装面。冬会不得铎舞，杯柈舞，长跷，透狭，舒丸剑，博山，缘大橦升五案。（下略）

《魏书》卷十九上乐浪《王忠传》：

> 忠肃宗时复前爵，位太常少卿。出帝汛舟天渊池，令宗室诸王陪晏，叫愚而无志，性好衣服，遂著红罗襦，绣作领，碧绸袴，锦为缘。帝谓曰：朝廷衣冠，应有常式，何谓著百戏衣。忠曰：臣少来所爱，情存绮罗歌衣舞服是臣所愿。

是知襦袴为百戏衣服之特色，杂彩锦绣乃歌舞章饰之常规。宋魏如此，其来必远。下至唐宋，亦仍此制，按之两史乐志记载尤多。皆足为两汉歌衣舞服参考之资也。

（5）鞻鞵

百戏伎人皆著黑色履，体长瘦，前端尖锐且翅起，其非吾国固有厚底方头布帛之履，一望而知，详其式则与今日无鞲细尖黑皮鞋为近，盖与百戏同入吾国之外来履物也。秦汉以来，西域交通甚便，舍利幻人、都卢诸伎源源而来，乐舞亦然，此种革履或随天马葡萄同入吾国者。按《说文》革下：

> 鞵，革履也。（周礼注引）鞍、鞻（一名）鞻沙也。

《辽曲礼鞮鞻氏注》：

> 鞻读如屦也，鞮鞻，四夷舞者所扉也。

《释名》：

> 鞍韦，履深头者之名也，鞍，袭也，以其深袭覆足也。

又：

> 靴，跨也，两足各以一跨也。鞔鞸靴之缺前壅者，胡中所名也。犹速独足直前之言也。

《急就篇注》：

> 鞍谓韦履头深而兑，平底者也，俗谓之跣子。

概观所记诸皮履之形，均与百戏诸伎服者相符。其名称吾国则为"鞮"（前尖无饰），又曰"鞍"。胡称为"鞅沙"或"鞔鞸"。其质为皮制。其式锐尖深头而干底。其原为游牧族骑服，来吾国之歌舞者皆服之。此亦西域文化流入吾国之一证也。

（五）仪仗

1. 棨戟（图九）

古戈原出新石器之石镰，一端纳于柄中缚之，汉铁镰出自辽阳朝鲜者仍作此式。本为勾拉之兵，故古式单援戈"勾兵"之称。后渐进步，加胡为横击兼勾拉之用威力加多，而戈之常态成。复更进步利用内（纳入秘凿之横柄）端为锋，再增其威力，而成丁字形之三锋，名曰"戟"。是古者戈戟实同形异制也。

至汉又与刺兵结合，加矛锋于援上与胡作垂直，略成"卜"字形（沈阳博物院古物馆藏此式铜兵一件），为汉戟之祖型。盖汉兴车战渐废而步骑大行，以直刺之汉戟，代勾拉之古戈，理宜然也。汉戟之形态有二，一曰"勾子戟"（释名"戈勾矛戟"也。《后汉书·舆服注》薛综曰戈，勾子戟——勾子、勾矛、勾戟不知谁是），亦名鸡鸣，或曰拥颈（加筒形物纳柲不用内也）；二曰"三锋戟"（郑玄考工冶氏为戈注）。因郑氏以勾子戟释戈，三锋戟释戟，故聂氏三礼图于直锋一侧加以前曲小锋者为戈，两面加锋如三叉者为戟，按之文献考之遗物，两不可通。考郑氏之意，汉勾子戟虽成直锋之刺兵，然仍存横锋（枝格也），不失戈形，故释为戈，实则戟也。其实物出朝鲜汉墓者数例，日本东京美术学校亦藏二品（见乐浪郡时代の遗迹一本文及图版）。汉戟之为用有三，车戟曰常，长丈六尺；骑戟次之；手戟最短，盖车骑步异用也。其形可于汉武氏祠石画中见之。汉戟之形态既明，次可解说当时之棨戟矣。

棨戟为两汉以来官吏仪物之一，其初用同斧钺。唐后演为门戟之制，车驾仪仗仍皆用之，而原始形态，迄无详明记载，近世亦无考说之者。按《汉杂事》曰：

"窦固征匈奴，骑都尉秦彭擅刺军司马，固奏劾之，公府椽郭公曰，汉制假戟以当斧钺，彭得斩人。"

《汉书·韩延寿传》：

延寿在东郡时，试骑士，治饰兵车，驾四马，传总建幢，植羽葆。鼓车，歌车，功曹引车，皆驾加上马，载棨戟（注）荣有衣之戟，其衣以赤黑缯为之。

《后汉书·舆服志》：

图九 戟、麾、袍

公以下至二千石，骑吏四人。千石至三百石县长二人，皆带剑持
戟为前列。

崔豹《古今注》上卷·舆服第一（汉魏丛书本）：

荣戟殳之遗像也，诗所谓怕也，执殳为王前驱，殳前驱之器也，
以木为之，后世滋伪，无复典刑，以赤油韬之，亦谓之油戟，亦谓之
戟，公王以下通用之为前驱。

可知荣戟者，（一）代古之斧钺，为公至县长出行前驱骑吏所持之器。
（二）以木为之，虽名曰戟，无复真戟之典型。（三）以赤黑缯韬之故亦称
油戟也。此器至晋已滋伪无复典刑。及至唐宋，多以三叉形物及矛锋两侧加
月牙小锋如古文用字物当之，戟之原形益泯。此墓壁画车列前驱骑吏所持仪
物如长竿，去竿端尺余出一成矩之横枝，枝下连柲（柄）结一布帛状物如袋
亦如小旗。其竿端枝端及柄至小旗下处均结双叉赤缨为猸，盖叉戟也，可有
三证：（一）行为前驱骑吏所持，武氏祠石画"此君车马"（武氏祠前石室
第五石第三层）石车前前驱二骑吏持此物，上方榜题"此骑吏"三字，可谓
铁证。且戟枝斜向上方，布帛状物不下垂，可知其为韬戟之物而非旗帜。
（二）戟端及枝端均平齐无尖锋，且有双叉饰物一望知为木制仪饰而非实用
兵仗。（三）行为前驱之仪，居为门卫之仗，史无记注，盖缺文也。乘舆副
车出则导从，居则充庭，其制一也。唐列门戟，其源必远。汉官解诂：

卫尉诸部，各陈屯夹道其旁当兵，以示威武，交戟以遮妄出入者。

门戟之制或原于此，辽宁金县营城子汉墓壁画门旁画二吏，各执一物，
体制形态与上述之荣戟者同，盖门卫荣戟也，按文考物，可谓略得其实矣。
前驱持荣戟之骑吏既为官吏必有之仪饰，故荣戟又为官吏之代词。员额

之多寡必视其官阶之高低，附列后汉骑吏表，以见墓主之地位。

所部	官名	员吏总数	骑吏数	根据
太尉	太常卿	八十五人	十五人	《汉书》
	光禄勋	四十四人	六人	同
司徒	太仆	七十人	六人	同
	廷尉	百四十人	二十六人	同
	太鸿胪	五十五人	六人	同
司空	宗正	四十一人	六人	同
	少府	三十四人	六人	同
一般	二千石		四人	《后汉书》
	千石至三百石		二人	同
	本墓车列图		四人	

2. 矟（图八）

矛为刺兵，形制简素，殷周遗品尚多。汉废勾兵，其形突变，刘熙《释名》卷第七《释兵》第二十三：

"矛，冒也，刃下冒矜也，下头曰鐏，入地也。松枪长三尺，其矜宜轻，以松作之也。犊，速犊也，前刺之言也。矛长丈八尺曰矟，马上所持，言其稍稍便杀也。又曰激矛，激，截也，可以激截敌阵之矛也。夷矛，夷，常也，其矜长丈六尺，不言常而言夷者，言其可夷灭敌，亦车上所持也。"

可知矛分三种：其矜三尺，以松作为轻而便于速前刺者为手矛，一也（步兵）。长丈八尺，马上所持，以便激截敌阵者曰矟，二也（马兵）。矜长丈六尺，车上所持，可夷灭敌者，曰夷矛，三也（车兵）。唯所释器形，颇为复杂，汉兴铁兵，遗例出土故少。以普通直锋有銎铜矛拟之，又殊不相类。"刃下冒矜"固可以銎解之，盖矜矛柄也，然"松枪"之制则颇不明了。况刘氏"速犊"之释，似亦不典。且銎中空，装以三尺松枪之矜，以汉尺度之，实长约六十余厘米，合今二尺许，虽系手兵，亦嫌过短。唯朝鲜大同江汉墓所出铜矛与释兵颇合，知刘氏不误也。其一为起脊两面刃直锋之矛，基部两侧逆出（向后斜出）羽翅状之斜锋二，结为略呈两长边三角形之矛体，下插于圆形长筒（鐏）内，筒一侧起环鼻为系矛旒处，此殆"冒矜"之制也。长鐏下继有长筒瓦状物二片互合于柄，为护柄之外甲，防敌刃也。棜有藏义，此之谓乎。其二唯无逆锋，结构相同且以矛身、长筒、长甲三物度之，已三尺余，再中三尺松棜，庶几可用矣。

壁画前驱介胄武士十余，皆马上持长矟，矟体长大，正作二长边有逆锋之三角形，与朝鲜出土物略同，与汉石画像之步矛略异。矟尖及矜中（棜甲下故当矜中）结赤色矛旒甚美，其一旒大如伞盖，盖亦皆仪饰之具，所谓像剑仪刀之类，非实用品，故《中华古今注》矛殳曰："其器也，以木为之"也。

3. 幢（图八）

六瑞五节，古之契信也，秦汉制用铜虎，中分为符，右在内府，左付郡国长吏，发兵取物，符合乃行。有符者，必持节，符以取信，节以旌别，二物成一事，虽符节连称，实非一物也。汉制凡发兵，出使外夷，巡行郡国，特使将命者皆用之，所谓"使者所拥之行节"是也。

其用于旌功表德，章威扬武，则名旌幢，旌言用，幢言形也。汉人字或用橦幢，其物新立之证也，故刘熙释之曰："幢童也，其貌童童也。"童童者言幢首羽葆蓬蓬像短发稚童也。汉乘舆用于騑马，则名左纛，中世用于仪仗，则名纛头。后演变为皂纛，皆缀毛羽于竿头之器，因其用而异名也。

幢即原出于节，其形制亦当由节求之。按《释名》："节注旄竿首其形荣荣也。"幢可作橦，既有竿义，荣荣亦童童也，其形同可知。其竿以竹长八尺，《光武纪》注："冯衍与田邑书曰，今以一节之任，建三军之威，其特宠八尺之竹，犁牛之尾哉。"八尺之竹，注以犁尾，说与刘合，皆不言重数者或系原始形式，或略之也。汉初毛葆二重，《高祖纪》原注："节以毛为之，上下相重，取像竹节，将命持之以为信。"是也。东汉葆为三重，日渐奢美，亦为渐变为威仪之证也。光武纪原注："节所以为信，以竹为之柄长八尺，旄牛尾为其眊三重。"是其证也。

节毛三重，顶称第一葆，二、三亦如之。汉以火德，节毛纯赤，武帝征和二年七月以巫蛊事发，庆太子持节称兵，故加黄以别之（本纪）。加黄毛于赤毛以资别，非改色也。新莽即真服色尚黄，俾节之旄旛皆纯黄，始变汉节之色，是汉兴至武帝征和二年七月间，节毛纯赤。直到新莽即真天子位之初台二月间，节第一葆赤毛上加黄毛。新莽十五年间节毛纯黄。东汉中兴，节旄三重，虽史无毛色明文，然后书百官符节令史注："魏氏春秋曰中平六年始复节上赤葆。"复者去武帝所加之黄毛，复汉初纯赤之旧节也。

同书《袁绍传》："中平五年初，置西园八校尉，以绍为佐军校尉。……卓复言'刘氏种不中复遗'，绍勃然曰：'天下健者，岂唯董公！'横刀长揖径出，悬节于上东门。（注）《山阳公载记》曰：'卓以袁绍弃节，改第一葆为赤旄。'"改第一葆为赤旄与复节上赤葆为一事，纪年不同者，盖袁弃节为五年，董六年改之耳。用是知光武中兴。直至中平六年，节之第一葆为赤加黄旄，中平六年后始复汉初纯赤之节。

节之流变如此，而幢亦当沿其制。汉制乘舆属车则建之以扬威武，《后汉书·舆服志·戎车》：

> 戎车其饰皆如之（如五辂也），蕃以矛麾金鼓羽析幢翳，辒膏甲弩之箙。

> 轻车古之战车也，洞朱轮舆，不巾不盖，建矛戟幢麾，辒车辄弩箙。

戎车轻车均为兵戎之乘，故树之为威仪。大将军有之，专命典兵者得假给之。《后汉书·班超传》："（建初五年）拜超为将兵长史，假鼓吹幢麾。（注）横吹麾幢皆大将军所有故假。"是也。

节幢虽属一物，一表信，一彰威，其用则异，故节付专使持之不得离左右，爰盎之解节怀毛，苏武节毛落尽，犹杖之归汉，示不可失节也。幢赐武臣，行则杖之前驱，居则建之牙门，战阵则为指麾之具也。

中世以来，符变而为佩鱼、金牌，而幢流为仪饰，节则名实两亡。近世滋伪，幢已失注毛竿首童童之义，求其原形，殆不可得。汉画像中持节者多，如武氏祠石画之"齐高行"石使者所持。"义妇"石，齐将军所持。"义妇"石，齐将所持者皆是也。

壁画车骑前队马上持幢者二人，幢竿粗壮，幢葆如盖，第一葆灰褐色，第二葆大亦如之，黑廓设丹赤色，或未复第一葆时物，果然墓属东汉，葬者典兵者欤。

4. 麾（图九）

麾者挥也，本军阵指挥之具，书"武王右秉白旄以麾"是也。故汉制乘舆戎车建之轻车亦建之，将军法有之，专命典兵假给之，武官称麾下，亦以此故。古者"全羽为旞，析羽为旌"，羽者毛羽之总称，兽得称禽其证也。全羽者禽兽之尾翅，故树鸟尾翅于竿则为羽翟翯翯之属。缀兽尾于竿，则为谜麾之属，故有下垂顺滑之貌。（释名语）析羽者零星毛羽也，注于竿头，则为节幢旌蠹之属，故有精光童童之称。（释名语）故此种威仪装饰，实皆原始文化之残遗，名则后立者也。是麾本为结兽尾于长竿，作军阵指挥旗帜之用者，豹尾其遗法也。后渐滋伪，编毛羽于长绹，为多节之羽葆，结于有葆似幢之竿头，故后世误麾为旌幢，全失析羽童童之义，求其原形，不可得矣。汉制乘舆属车建之为先驱则曰鸾旗，欲名鸡翘。《后汉书·舆服志》：

> 乘舆……属车四十六乘，前驱有九游云罕，凤凰阘戟，皮轩鸾旗皆大夫载。鸾旗者，编羽旄，列系幢旁（原注胡广曰建盖在中），民或谓之鸡翘，非也。

此虽鸾旗，实即麾也。编羽毛者非注也，结于长绹也。系幢旁者，绹系于幢竿之首，节节羽葆之长绹垂幢旁也。即可系编羽毛之长麾于幢旁，幢为直竿，旁原无物可知，是亦后世误麾为幢之证也。诗"崇牙树羽"正义引：

"汉礼器制度云，为龙头及颔，口冲璧，璧下有旄牛尾。"（传世辑本无）可见汉制之一斑矣。其麾色在汉，亦有制度，《古今注》：

"麾所以指麾武王右执白旄以麾是也。乘舆以黄，诸侯公以朱，刺史二千石以缥。"麾即为军阵指挥之具，必用显赫长大之物，如今旗语之旗，而析羽童童短竿，（幢）何足当之。壁画车骑前队一人持竿，首注赤缨，下系绳如长鞭，上等距缀赤色羽毛五簇飘垂马后甚长。观其陶陶下垂飘摇顺滑之状，知其为麾无疑。汉制麾既为军容之饰，二千石不得用朱，则此墓主人盖二千石以上典兵者。

（六）乐舞饮食器

壁画中属此类者较少，建鼓、舞节、舞盘为乐舞器，饮食器则仅食案酒壶而已。它如帏幕筵席之属，以世俗所知故略之。

1. 建鼓（见图四）

鼓为革制击乐之一种，其制由木竹陶金等质之鼓腔鞔皮而成，历代虽有损益，其大体无甚变化。古传夏鼓立以四足，商殷立以木柱，周则以木架悬之，故《礼记·明堂位》曰：

"夏后氏之鼓以足，殷楹鼓，周县鼓。"然此不过表示皮鼓架设进化之过程，必为三代不相因袭之制，则失于固矣。按《礼记·大射仪》：

"建鼓在阼阶西，南鼓（注）建犹树也，以木贯而载之，树之跗也"。可知楹鼓亦见用于周代也。周悬鼓之架横木曰栒（或作簨），植者曰虡（或作鐻）。由文观之，其形应为立柱横木如矩尺者，以改其跗（或作柎）每以兽·形为饰，或以金属作之形同钟者，称其重使不厥也。《说文》卷五上：

"虡，钟鼓之柎也，饰为猛兽，从虍异像形其下足。"后汉张衡《西京赋》亦曰"猛兽趩趩"是也。后世对栒虡形式之解释与古略异，皆作两柱横梁下饰兽形为跗，宋以为礼乐书图皆作此式，求之汉代则未见（《释名·释乐器》亦无此说）。以情理推之编钟编磬应作此式，若特悬钟鼓，则矩尺式架，上悬于梁，侧系于柱，为极便利之方法，近世仍多用之者。

汉代乐鼓以余之所知，见于石雕画像者四例，山东武氏祠及鱼台县出者二例。鼓腔皆横贯柱中，柱下猛兽为跗，柱上端有盖，形同车盖，旁垂出二长枝为饰。孝堂山者大章车（乐车）一例，鼓横建于车之上层，形同前例，唯二垂枝下结龙首为异。武氏祠后石室雷公辇一例，二鼓横建于车舆之前后，鼓形如鞉（摇鼓），上出杯形花头状物为饰，上结羽状饰物三支而一向相连。见于辽阳南林子汉墓壁画者一例。（此墓现仍保存原状）大鼓横建柱上，下以大形十字木架为跗，上树亦色翟尾状物四枝。括而观之，可得汉鼓形式之要点如下：

（1）为建而不悬；

（2）跗有兽形十字二式；

（3）上有羽盖长枝为饰。

《汉书·礼乐志》安世房中歌大孝备矣章：

"大孝备矣，休德昭清。高张四县，乐充宫廷。芬树羽林，云景杳冥，金支秀华，庶旄翠旌。（注）臣瓒曰：乐上众饰，有流遡羽葆，以黄金为支，其首敷散若草木之秀华也。"是汉代鼓上饰物，在文献图像两方极为符合也。

壁画伎乐图之鼓亦横建于柱中，柱下钝圆锥形座为跗，上柱中出偃月状物为饰，当系盘状以断面表现之者，色皆纯赤。鼓腔鼓面皆朱墨杂绘图文。鼓上木柱作二层羽盖如羽葆幢。下层盖上贯柱为木方台，四角植曲垂长枝状物下齐鼓面。下端作大结，缀流苏甚大。其色除羽盖墨廓外，余均纯赤。此与上述史文及画像比观，尤为吻合，盖汉代乐鼓标准形式之一种也。

东晋丧乱以来，法物零散，礼家误于礼记大射仪朔应二鼓陈于建鼓左右之文，竟结二小鼓于建鼓鼓腔左右，以致伐鼓扬声，诸多不合。又因鼓上应有羽盖为饰之说，乃作锦帛大盖顶立一鸟按鼓上，误解礼文，迂拙可笑。唯其误甚渐，宋晋书唐宋史乐志所记虽可略得梗概，然其前后误变之迹，仍欠详备。今以东晋末顾恺之《洛神赋图》及五代聂崇义《三礼图》中之建鼓为比较，可得其演变真相。

（1）《洛神赋图》 原系端陶斋中故物，今归美华盛顿弗利尔美术馆。阮元石渠随笔，胡敬西清剳记均有批评，或谓摹本，或谓真迹，其物当不在六朝后。图中建鼓横树于圆柱，下为十字形跗，跗上贯柱，方板为饰。鼓腔侧附以小鼓，彼侧当亦有之。上大圆盖一，盖顶四旁出枝状物，下垂六簇缀缨流苏注地。盖上短竿首缀毛羽如幢，上立一鸟长颈短尾如鹤，其与汉鼓最大之不同为：一、鼓侧加小鼓。二、布帛大圆盖。三、顶上立鸟。余则大致仍汉之旧制。（图见日本故内藤湖南著《支那绘画史》第二、六朝之绘画第九图）。

（2）聂氏《三礼图》 聂崇义周世宗时太常博士，为溯正典礼，考三礼旧图，制成此书，宋太祖建隆三年表上于朝，颁其书南宫，并图于国学壁上以尊崇之，为传世礼图之最古者。建鼓图在下卷第七，鼓横建于方柱，下为四兽后体相连之十字状跗。鼓上方形大盖，四角龙首含结绶缨缀五簇流苏。盖上出一竿，中贯同形无饰如斗之小盖。竿顶立一鸟。与汉鼓异点更多：一、跗上柱中无饰；二、盖方形五四出枝而有流苏；三、顶立鸟而无羽葆幢。而不变者鼓、柱、跗三要件而已。

前图同汉鼓之点多，后图则反是。其与时演变之迹，历然可见，一物之微，变化之烈，有如此者，亦可藉知壁画古墓时代不在魏晋时也。

2. 舞节（见图四）

节者，节制乐舞缓急之器也。其类有二：（一）为发音之具，（二）为标视之器。周时属一类者曰雅，第二类者曰龠。按《周礼·春官》：

笙师掌教白牍应雅以教祴乐。

《礼记·乐记》：

讯急以雅。

是一类也。《诗·邶风·简兮》：

简兮简兮，方将万舞，左手执龠，右手秉翟。

是二类也。盖雅，乐器以为乐舞强弱缓急之节。龠，仪饰，以为舞容进退俯仰之识。按龠虽乐管，以侧诸干戚翟等舞器中，且执于左手，非吹奏器可知矣。及至有汉，二者混一而为节（礼仍存其旧典而已）：

梁沈约《宋书·乐器》四革条"节不知谁所造，傅玄节赋曰，黄钟唱歌，九韶兴舞，口非节不泳，手非节不拊，此则所从来亦远矣"；又引乐录曰："长箫短箫，丝竹合作，执节者歌。"

后汉傅毅《舞赋》曰：

于是蹑节鼓陈，舒意自广。……及至回身还入，迫于急节。

是知节为二物成一器，歌者执而击之以合唱，舞者蹑其音响以为容者也。节为打乐，魏晋南北朝仍行之。按《宋书·乐志》（晋书抄此故不取之）：

魏晋之世有孙氏善弘旧曲，（古典作曲家）宋识善击节倡和（伴奏家）。陈左善清歌（古曰讴亦曰徒歌，无伴乐之清唱也）。

《晋书·王敦传》：

每酒后咏魏武帝乐府歌，……以如意（搔背器）打唾壶为节，壶边尽缺。

梁简文帝《舞赋》：

于是徐鸣娇节，薄动轻金。

是也。唯节之形制，迄无记载。及至唐代，称为节鼓。《旧唐书·音乐志》曰：

节鼓状如博局，中间负孔，适容其鼓，击之节乐也。

唐世节鼓为节乐之具，形若方棋局，上有孔容鼓，其渊源必有所受，或唐前亦作此式也。后又流而为伯板（一说晋魏间宋纤所创，见野记或即宋识之误欤）。

《旧唐书·音乐志》：

拍板长阔如手，厚寸余，以韦连之，击以代抃。

段安节《乐府杂录》：

拍板本无谱，明皇遣黄幡绰造谱。

是唐始流行之证，野记所载，盖误认善击节和歌宋识之所击者为歌板，纤识殆形近致误也。近世俗曲仍用之，以鼓伴奏曰鼓板，俗称唱拍曰板眼者是也。秦腔之梆子，学歌之拍节机，乐师之指挥棒，皆其类也。第二类之仪饰则转变为歌扇舞巾，仍为歌舞伎所常用。

壁画杂技图，坐者二列，左四右五，每列持短杖者二人，状如马策，长约二尺强，径如手指，殆即击节之器也。此物亦见于山东武氏祠左石室画像中，石画一石三段，中为车骑，下为庖厨，上段亦杂技乐舞图。右端管弦乐工六人，左端俯身舞于四鼓之上者一人，在手足两膝履鼓上，右手扬袂作回首惊顾状。左右二人相对助舞，一屈膝，一枚足履一鼓上，二人均执节杖作抑扬高下之状。其为节制舞容之器，尤为明显，堪作壁画参证者也。右列坐者前方直一器，形如方案，中植柱负一物如兜鍪，上结赤色小绶二左，殆即节制舞容之节也。其形下方如棋局，中有孔植发音器，颇与唐节鼓为近，唯发音具不作鼓形，或系小乐钟及其他可发音响者。且置于欹舞队之前，为节无疑也。

3. 舞盘（图四）

盘为汉代燕乐舞器之一，字古或作盘杆。其为用也，陈于广庭，舞伎手足肘膝履之而舞。盖具伎已近百戏，与郊庙乐舞不同，故史不记也。按沈约《宋书·乐志》曰：

> 盘舞汉曲也。张衡舞赋云，历匕盘而纵蹑。王粲七释云七盘陈
> 于广庭。颜延之云递间关照鲍。盘属于云节盘起长袖。皆以七盘为
> 舞也。

是汉魏盘舞盛行，且每以七盘为率也，亦有盘鼓并用者，按汉张衡《观舞赋》云：

> 音乐陈兮，旨酒施，击灵鼓兮，吹参差。……美人兴而将舞，乃
> 修容而改服，……拊者啾其齐列，盘鼓焕以骈罗，抗修袖以翳面，展
> 清声而长歌。

后汉傅毅《舞赋》云："轶态横出，瑰姿谲起，眄盘鼓则腾青眸，吐哇咬则发皓齿"是也。盘之多寡，盖视舞师伎艺之优劣，及舞会之情形也。

舞盘既为燕舞专用之器，必系特制之品。其质或以金属，或以木漆，非后世陶瓷薄脆之物，可想而知矣。此器不特与晋世流行之杯盘舞者不同，其舞法亦异。盖杯盘舞者，手托酒食所用之杯盘而舞，俯仰回旋而反复之，危

而不堕。或舞伎交互周旋进退之际，以杯盘遥相受授，似险而安。故后人识其苟安于酒食。知不及远，其器必薄脆易碎者。此伎后仍流行，如传歌扇，接舞巾者是。近世杂技亦有相类者，所谓"递间关于盘扇"是也。

汉鼓上舞见于山东武氏祠石画像者二例。盘舞以余之所知，前此尚无考古学上之实证。壁画伎乐图长袖舞师二人，其一扬裾若飞两足蹑二物，黑色椭圆，殆即木质黑漆之舞盘也。其形椭圆如卵者，盖盘体较薄又陈于地面，在画法上只有如此表现之道，汉画盘案构图多作鸟瞰平面者以此，亦汉画表现之特色也。

沈约所引记述盘舞四人中：张云"历而纵蹑"，王云"陈于广庭"，可知确履盘上而舞者。颜云"递于间关"，鲍云"起于长袖"，确为舞杯盘无疑。张王汉魏人，颜鲍刘宋人，可知盘舞之技，晋已不传，古墓画此，亦时代不在汉魏以后之证也。

4. 食案

几、俎、案同属而异用者也。几面长方有二足，多为升床登车凭腰之用，所谓车几、床几、凭几是也。俎形略同而为祭礼陈肉器，铜器俎面有四斜十字孔者，盖所以沥汁也。案有方圆二式，方或长方者四足，圆者名檈多三足。其用途有二：大形者用为书写读书，史文所谓"书案""奏案"是也。其形稍小而用为个人饮食者曰食案，其制则与今日多人食异不同。有无足者则称盘，其形式用法，则与今日木方盘茶盘相类。以日常生活所必备，故上自天子，下及民庶通用之。不过贵者镠金错玉，中者髹文绘采，贫者素漆白木为异耳。中世以来，席地之风变革，此具不传，释"举案齐眉"为椀者误也。按《说文》："案几属者"，又"檈圆案也"。

《记礼·考工记》玉人：

案十有二寸，枣栗十有二列。

可知食案有方圆二式，并可列陈干果，径在十二寸非碗甚明。史汉以下记者尤多，列其要者如下：

《楚汉春秋》：

> （张良答楚王使曰）汉王赐臣玉案之食，巨阙之剑，臣背之内愧于心。

《史记·田叔传》：

> 高祖过赵，赵王张敖自持案进食，礼甚恭。

《汉书·石奋传》：

> （万石君石奋）子孙有过失，不肖让为，便坐对案不食，然后诸子相责，因长老肉袒谢罪，改之乃许。

《汉书·贡禹传》：

> 元帝初即位，征禹为谏大夫。禹奏盲尝从之东宫，见赐杯案尽文画金银饰，非当所以赐臣下也。

《东观汉记》：

> （梁鸿）妻孟光为具食，不敢鸿前仰视，举案齐眉。

同书：

魏霸延平元年仕为光禄大夫，妻死长兄伯为娶妻，送至官舍

（略）即自入拜，其妻手奉案前跪，霸曰不敢相屈，妻愧求去。

食案之形式，进食之礼仪读之皆可一目了然矣。唯此等事物久已不见于吾国，而日人今仍用之，所谓礼失，求诸野也。日人日常起居仍行我国席地之古法，故食案亦仍存旧式。其式多方面有短垣，径约二尺以来，分有足无足两种，皆木质髹朱，有加金银五彩藻绘者。进食时罗列肴馔食器于案，膝行高举奉客。多加瓜果时别加大盘于案外。进酒添饭皆以漆盘承送之，礼极恭谨。古人每盘案连举，盖以此故，不得视为盘碗也。

见于汉代石刻画像者数例。武氏祠"专诸刺吴王图"为圆案有垣而三足，中列杯箸数事。同祠前室《莱子娱亲图》，亦有垣圆案而无足，中罗杯碗之属。同石室《燕飨乐舞图》一大有垣无足圆案，中列耳杯四，肴馔二器，案左右各加一盘。同祠左右室《乐舞图》为方案有垣而无足，中杯缶各一器，外附一大盘中有食物。

明器陶案出于我东北汉墓者尤多，只举二例以概其他。金县营城子第一号墓，圆形有缘无足案一，近缘有三孔，别无文彩，第二号墓（壁画墓）出土三案，一圆二长方，皆有垣无足，且皆有粉画花纹。方者四孔，圆者三孔，孔非实物所应有，盖表神明之器，非生人之物。经余发掘出土于沈阳市南湖公园第十五号汉墓者一例（报告尚未出版）。长方形无足，长约四十厘米，宽减三之一。有内圆外方边垣。垣内线画流云纹方框，中央画颠倒双鱼二尾，线条健丽豪快。中列耳杯瓦缶六七事（藏沈阳博物院古物馆）。皆可见案檊形式文彩及食器陈列之梗概。

实物出朝鲜我乐浪郡时期汉墓者，尤为有名，且皆有年款，王盱墓者二器皆圆而无足，周有短垣。朱漆彩画神仙奇兽纹，极为生动精巧，直径42厘米左右。背有后汉明帝永平十二年款。出他墓者，全效十余枚，款中大形者称饭盘，小者称果盘，单称盘者尤多。方案出大同江面（面为朝鲜乡屯组织名称之一，同我国之乡）汉墓者一例。后归日本东京根津嘉一郎之根津美术

馆。木质有足长方形，长约65厘米，宽约42厘米强。其制朱漆平面而起缘，下面横二带，还带有二支简化兽形短足，皆黑漆。全体无纹彩，一带上有后汉和帝永元十四年款。上三器为后汉盘案遗存产物之最精者，图像可参详日本京都梅原末治著《支那汉代纪年铭漆器图说》。

壁画燕饮图，宾主间一赤色方案，四角有足，下端外卷作兽足式。上一朱色圆筒形器腾气氤氲如云起状，盖满盛食物也。里一赤圆盘稍小中无一物。二器与朝鲜出土产物极类似，盖亦木漆制品也。其年代相去当亦不甚相远。

总之，案为陈列食具持以进食者，其用近乎我北方炕上短足木食桌。盘为持送酒饭果物者，其用与今日加菜之托盘方盘为近，非今肴馔之盘也。

5. 酒罍

宴饮图诸小吏均抱器趋奉，其器腹圆而高，上有管状长颈，与今之胆瓶相类，盖酒罍也。罍字亦作罃，故《说文》曰："罃备火长颈瓶也。"又："罍，甀也，甀小口罍也。"其器小口而颈长，为盛酒专用器，与口大之钟壶不同，与汲水器之瓶亦稍异。《汉书·赵广汉传》：

> 广汉为京兆尹，发长安吏自将，与具至霍禹第，突入其门，瘦索私屠酤，推破卢罍，斧斩门关而去。（注）师古曰：卢所以居罍，罍所以盛酒也。

《南雍州记》：

> 辛居士名宣仲，家贫，春季斸笋充筋酌，截竹为罍，用充盛置，人问其故，宣仲曰：我唯爱竹好酒，欲二物常相并耳。

可知罍之在汉，确为盛酒酌酒之具，后世酒注酒壶流行，此器不传，人亦少知其形者。汉代图文上亦少见其状，此新资料也。

六、结语

　　略记墓形及壁画之内容如上。此墓后经日本东京帝大文学部整理调查，出土资料尚未归还。壁画摹本虽经沈阳博物院古物馆接收，中经光复，略有散佚，殊为可惜。同墓北二里许又发现一墓，壁画较此尤佳，保存亦好，唯以种种原因，迄无调查之望，坐视破坏，实属痛心。北园一地以有三大土阜，故有三台子之俗称，除此墓外，尚有二阜，仍类古墓，果能发掘调查，或有更大发现，附记于此，以期来日。

　　综合本墓壁画内容，知其年代当在东汉中期或后期，至迟不能至晋。葬者之职官，当为武职，品秩似在二千石以上，与专命特使者尤近。死葬辽东，当系土著，坟封未坏。似与赤族之公孙氏无关。

　　由壁画所见礼仪制度一节，篇幅冗长，不欲附入，且与记略体例不符，唯以插图相关，全于阅读，故并为一节，付之印刷。

　　写稿时适值笔砚共首十年之益友上虞罗子期（福颐）五兄有北平之行，虽在百忙中，仍对汉代尺制符节、印鉴凡有关制度者，多所指示，前半并承校改一遍，又赠历代摹尺一份，以资使用，均为终生不敢忘者。由壁画所见礼仪制度一节，本无意写出，后经本院秘书阎述祖（文儒）先生数次策励，勉强完成，并多有指示。乡弟孙雨盦（作云）对内容排比、插图制作，亦多指正，均应附记以表谢意。

1947年7月末重录

（原载《国立沈阳博物院筹备委员会汇刊》第1期，1947年10月10日）

阜新契丹萧氏墓调查报告

1950年3月1日调查阜新县腰衙门村被发掘古墓，情形如下：

一、古墓位置：在该村东北平顶山下大草坡间，墓顶约低于坡面2尺，距村5里。

二、发现及开掘经过：1949年11月中旬，首由村民在坡上发现砖洞，遂聚众掀开，露出石壁，继由村农会主任及区干部等人率同村民动手挖掘，直至严冻时期，始行停止。在此次调查之前，辽西省政府已派人在该地复行发掘。

三、墓中状况：3月5日午后2时，偕该村主席副主席，抵达墓地，当见墓门已全毁，破砖乱土，杂陈墓旁，墓门拆净，羡道悉是烂泥，玄室内四周砖壁完全凿损，墓顶露天，顶周残土经风犹零星下坠，玄室中央置棺台拆毁，其下挖深5尺，满室砖石堆积。在此种一场糊涂状况下，景物全非，只能根据村人的说明和现有轮廓，以辨认此墓构造。

墓为一圆式，墓门南向，砖砌如牌楼。中间大门为香柏木制，上加尺余大锁。入内为羡道，约丈许，中间置石墓志铭，据铭文知为契丹耶律元之妻的葬所，道东西各一副室，各有小门，置葬物。经羡道直达玄室门，亦加大锁，入内为砖砌一大方台，此为置棺台，玄室直径约1.5丈，墓顶铺青板石数方，中央有孔，插一圆锥形大石塞之。总计全墓共有四门，一个玄室二个副室，各室均为穹隆式。按此构造，均与辽代墓制相合。

四、遗物问题：当墓被掘开时，究有何种出土物，此为调查所亟欲知道的。在与县、区、村各级政府负责人谈话中，都说，除一墓志铭（带盖）外，别无所有，棺骨均未见着。嗣经了解，据村人说发现破瓷器四件，门上铁锁已经随手抛弃（上有雕花银片包裹）。在区上调查时有人曾见一黑木板，上有不能识文字（疑为契丹文）。在农会内，有人说发现一些银质物，然立为旁人呵止。究竟此墓有多少出土物，据了解各方面所说很不一致。

根据从来辽墓发掘惯例，墓志铭底盖之间，应垫有银质的大钱，副葬物如瓷器等，亦当不只四件，妇女墓内，更应有装饰品，现在此等葬物全都不见，似属可疑。至于棺骨有无，因辽代葬仪多种（有以尸露陈玄室砖台者，有堆骨、灰于上者，有用小石棺盛灰者），还不成为问题。

五、接收物品及其价值：当调查人3月1日到县时，辽西省政府已派省图书馆馆长阎宝海等人，前二日到此地搜集物品，并进行复掘，将搜集得的物品，已送至车站，拟起运锦州。经告以东北人民政府和文化部的指示，交涉得允许移交。所有接收物品，计墓志铭（带盖）一方，墓砖二块，墓门残木一段，碎宋瓷片四段，照片三张（系阎等发掘时所照）。

据墓志铭序文所记，知为契丹耶律元之妻晋国夫人墓。墓志文字完整，其内容颇具历史价值约有两点：

1. 历晋国夫人萧氏谱系父母兄弟姊妹甚详，可以补辽史之不足。

2. 在地理上阜新县内平顶山地带，相沿认为属于辽懿州或徽州地，据此铭序，证实为辽显州地，可订正史载各州位置之错误，此实为史地上一个创获。其他各物既已破碎散乱，墓形葬仪不可复见，不能说明何种问题。千年古墓毁于乱掘，实为考古学上一大损失。

六、发现新墓：据墓志所记，此晋国夫人系"祔葬于太师先茔"，太师即指耶律元，或其左近尚有耶律元之坟在。经循坡勘察，果发现此墓东侧，坡脚下有砖露出地面，其下当亦是一古墓，或即耶律元之墓。发现此墓后，不禁为之色喜。此时地未开冻，开掘尚须少待，乃绘图以记其地。

调查至此，认为萧氏之墓既已全毁，无可进行工作，乃于6日返县，7日返沈阳。兹据此行所见提出如下意见：

1. 东北各地，地下历史材料甚多，土改以来，挖坟之风盛行，实为考古研究上最大妨害。政府以前虽曾有文物古迹保管办法之规定，然群众尚未能共喻，为目前救急计，宜亟行呈请政府通令各省市县保护古迹古墓，凡未经文化部许可者，一概严禁挖掘，其业经发现者迅即报告。如此可以戢乱发之风，杜侥幸之念，而后主管部门乃能从长计划进行发掘研究，此实学术工作中目前当务之急。

2. 阜新古墓左近之墓，已露出地面，如不加以看管，仍有被盗掘可能。又据辽西省派来阎馆长云：义县清河门地方，亦有一墓被群众掘毁，出土物经省府取去。该墓之旁也发现尚有一墓未开，现该省正派人调查准备开掘。以上两处是为新发现者，为避免发生此次萧氏墓之现象，应速请政府令饬辽西省府与阜新、义县两县府，对上述待发古墓，负责保管，一俟开冻之后，即由本处拟定详细计划，派遣专家前往发掘。

3. 阜新萧氏墓散佚之出土物，我们认为尚有追查必要，应请由阜新县政府动员群众献出，以免损失。

北票县大乌兰区莲花山村古墓情况

一、古墓所在地：热河省北票县大乌兰区莲花山山坡凹中，古墓若干处（数不清），墓向东南——山口，其他周围都是山。

二、经历：此墓是辽代"耶律"的墓。六十年前村民在山坡耕地，忽然犁铧下漏出窨窿，里面现出东西，耕地的农民当时未嚷，夜间暗着去挖，不几日群众知道了，邻近的人，都扛镐拿锹一群一群地不论黑夜白日去挖，十几天的工夫挖到总墓，有很多的金、银、财物已被群众分去。这个消息被黑城子"小王子"听到，即时派兵逮捕挖墓的人，并把挖出的东西要去了一部分，挖墓的人，还受了制裁，从此就放下了，再没人敢挖。1949年11月20日，有些群众说："古墓的东西，六十年前未挖完，还有很多。"

在这种种谈论下，莲花山村干部陈风岐、任宝章率领40多名村民，把原坑挖有5尺（深1.2丈，宽8尺椭圆形），除挖出70多个大白石头外，别的东西未挖出，就停止未继续挖了。

三、周围情况：距离莲花山东南40里，是辽西省义县清河门区河西村小圈山。在1949年11月间，河西、三家店两村（系义县清河门区）群众，挖掘小圈山子古墓，里面东西很多，据莲花山附近村庄群众说："两村的公粮满够。"挖的东西不详，据说有古瓷、柏木等，详细情况不明。此外离圈山子北8里，阜新县十三区大营子村北头有古墓一处，也是1949年11月间，有200多人挖十几天，结果未挖出东西来，据说是有东西的。

经这次到现地检查后，已责成当地区村政府负责保护。

（原载《文物参考资料》1951年第2卷第9期）

依兰倭肯哈达的洞穴

一、发现始末及调查经过

　　1950年黑龙江省（前松江省）依兰县亚麻工厂为了扩大生产，改建新厂房，在县城东郊倭肯河东岸的东山上采掘建筑用的石材。同年3月21日在采石工作中发现了很大一个充满乱石积土的石隙，从这个空隙中发现一架人骨及窝窝头形的石器和几个小石管，第二天继续向山里掘石，又发现另一架人骨及磨石斧、白玉佩璧、佩璜等。工人们觉得很奇怪，一方面分头把这几件东西收存着，一方面把这个消息报告了亚麻厂厂长刘庆林同志。他看见石斧以后，知道是古人遗留下来的石造工具，是很重要的历史材料，就停止了采石工作。第二天他亲自到采石场了解情况，即时报告了依兰县委会。县委会召集文化馆、中学校等文教工作者同往现场勘察，记录情况，摄成照片，认为是一种重要的遗迹，请省委转报东北局。

　　1950年4月22日接到东北文物保管委员会指示，要我们前往依兰县调查倭肯哈达新石器时代遗存。笔者和曲瑞琦同志遂于23日启程，24日到达哈尔滨，25日经佳木斯到达依兰县城。

我们先到了依兰县人民政府，得知出土遗骨遗物大部分已陈列在该县文化馆内。去到那里，听取了馆长曹溪林同志视察现场时的情况。后来会见了亚麻厂厂长刘庆林同志，他详细介绍了发现原委以及出土情况和遗迹被采石拆除部分的原状，又拿出几件陆续出土的遗物。又由当时在场采石工人述说了遗迹地未采掘前的原形、发现经过、人骨遗物出土的次序、位置、互相关系等。

26日开始调查工作，对洞穴的原状、被拆除部分的情况、发现的遗物等，都有一个比较正确的概念。然后开始清理洞口拆除部分地表所存已被搅乱的积土。结果在混搅土层下发现了洞穴中分为三层堆积的文化层。主要出土物有人骨、兽骨、鱼骨（有些是烧过的骨）等残块，篦纹陶器片两种，白玉系璧残片、黑石珠各1件，木炭层、烧灰等。

27日发掘洞穴的保存部分。在洞中发现第一号折叠葬人骨1架，兽牙1个，人工遗物有柱状白玉佩、管状黑色石珠各1件。继续向洞内开掘，因洞中较窄，光线不足，工作很慢，发现另一架人骨时，就天晚收工了。

28日继续发掘昨日已经露出的第二架人骨。这号人骨除了位置比第一号人骨稍高以外，埋葬的姿势大体相同。很多方形有孔骨片都围绕在躯干骨周围，在这些小骨片里面，出有薄板怪兽形玉佩1件、白玉佩璜1件。在洞穴南壁附近出土了另一人的下腭和小孩下腭骨各1件，但洞中并没有再发现成人和小孩躯干骨与头骨。洞内掘除干净，露出三面洞壁，再没有遗物出土。午后测绘遗迹，略测附近地形，在遗迹四周，又详细视察了一遍。这里我们把勘查这个洞穴遗迹和所获得的遗物，作为原始材料提出来。人骨的计测和其他动物骨的鉴定只好留待将来再作研究。这个遗迹及其所出的遗物，对于研究东北北部新石器时代，是有着一定意义的。

二、洞穴的环境及其构造

倭肯哈达新石器时代遗迹，在松江省依兰县东郊外、倭肯河东叫倭肯哈达的一个很陡的山坡上。

"依兰"，满洲语为"依兰哈拉"，意为"三姓"，在古代是东北北部很有名的一个地方。据文献所载，唐代是黑水靺鞨族的居地，女真人监禁北宋徽宗、钦宗父子的五国城相传也在此地。元代"呼尔哈万户府"、明初"三万卫"也设置在此。清末设三姓厅，后改依兰府，民国二年改为依兰县。位置在松花江下游中部南岸，牡丹江、倭肯河两水中间的依兰平原，是冲积土造成的一块长方形平地。西北一面靠松花江，东北一面靠倭肯河，西南一面靠牡丹江，独有东南一面是丘陵地带（图一）。牡丹江西岸是较高的丘陵，倭肯河东岸是一群较高的山脉，沿松花江向东北绵延到佳木斯一带，最高山峰不过海拔320米上下。县城西北距松花江埠头约5里，人家连接不断，中途有一个土城址。西门外紧靠牡丹江岸，东距倭肯河约5里。这四五里的空地上除了由县城北门通过倭肯河上大木桥的依佳公路而外，仅有和县城约略东西相对的亚麻工厂及其附近的一群建筑物。

倭肯哈达的含义，系指倭肯河东岸西与依兰县城遥遥相对的一些童山而言。本地人都呼作东山（倭肯哈达山）。沿河的一面全长约10里上下。若由县城东望，可以看见横排着4个高低不同的山峰。南端的两峰较高，约与县城东西平行；北端的两峰稍低，接近松花江岸的一峰更低，方位约略与县城北门外的古城址东西相对。这片山峰虽不很高，但接近倭肯河一面的山坡，外露的岩层都很陡峭。山脚最陡的地方，岩石向下崩落，造成了好多不能繁生植物的乱石地带。这四个山峰当中较低平的山谷，是依佳公路的通路口。谷口外倭肯河上有一座很大的木架的依兰桥。由此乔东头折向西北，沿河岸顺流下走500多米，就到达了遗迹地的小山脚下，这是由松花江岸向南数的第二个小山。这个小山块仅有东面一脉与群山相连。高出地面约200多米。

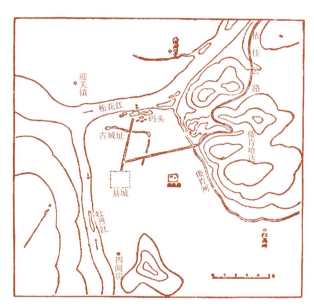

图一　黑龙江省依兰县附近略图

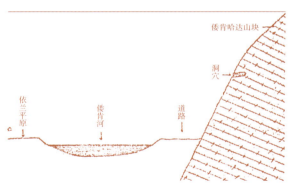

倭肯哈达山块

洞穴 →

依兰平原

倭肯河

道路

图二　上：北望倭肯哈达图　下：倭肯河谷断面略图

南山麓到北山麓直径约850米。遗迹地一面的山坡倾斜约为70°弱，由遗迹地下到山麓为86米。山麓到倭肯河岸最近的是14米，正对遗迹地的山麓到河岸约为70米（图二）。

倭肯河由东南来，从山脚下横过，河床宽约100多米。平素水面仅宽五六十米，深一二米，一到雨季水量就很大。河岸很低平，东岸尤甚，洪水期的水面直到山麓。

这个地方是倭肯河东群山中部向西最突出的山峰，沿山脊可通东面各山谷，下临倭肯河，北离松花江也很近，在古代是一个适宜于渔猎的好环境（图二）。

这个洞穴遗迹，当我们去调查清理时，已被打石工人拆掉了一部分。根据打石工人和曾去看过的人的口述，洞口外的拆除部分的原形是这样的：洞口一带及其南北是一层很突出的岩壁，北面露出的岩块更大，地势较高。以上的山坡稍平，有覆土，多草莽。以下的山坡很陡，聚有向下滚落的碎石。打石工人利用易于向下滚石的方便条件在此打石。洞口外面原来有不少乱堆的大石块，很容易地被石工滚下山去。接着在洞口附近又打出长约2米、宽约1.5米的大石4块。大石两面都比较方正，向洞里一边的石面上像有一层石灰，还挂着一层水珠状的东西。洞底满铺大板石，石面风化，容易剥落。洞口宽度可容两个人并肩出入，洞高可容人直身进入。两边是原有的天然石层，洞中石块是从上边陷进来的，这是根据石土之间有空洞和流水痕迹而推测的。由洞口打进一丈多深时，在底石上发现人骨，还得到几样东西（详遗物项下）。再向里打，洞里多是积土，约有五六尺深，又发现了一个人骨和一些东西。同时也出有鱼骨、兽骨、烧骨、烧灰、木炭等。

根据上述材料，又到现场详细观察后，进行了清理和发掘，对洞穴的构造就有了更明确的认识，同时也证明了石工们的话大部分是确实的。

洞穴是人工利用一面天然岩壁所造的方筒形的横穴。洞口到山下平地距离为86米，方向西偏北6°强。利用北壁和南壁之间的大岩隙（北壁平直完备，南壁低而不全），加以人工补筑，上下铺盖石块，才完成这个洞穴。洞底前低后高、约为10°的倾斜，洞穴全长以现在的南壁计算为10.2米，据工人说，南壁前头也被拆掉一块大约2米上下的石块，如果这样，那么全长当在12米以上。洞口宽1.5米，中部稍宽，后部较窄，最窄部分仅宽1.1米。因为盖石已移于南壁上，洞底所铺大石板也被拆掉，原来洞的高度无法知道，今依天然北壁的高度计算，约为2米强，洞后部最低处为1.5米。

天然北壁较平，直立，壁上也很平坦。南壁高度与北壁略同，除临近洞后部的一个大岩石而外，都是人工砌筑的。洞口附近上部拆除一小部分，其他都保存完好，只是上部有些向南歪斜。石块最大的长约2米多，厚约1米上下，也有较小些的，有的经过修整，砌筑的方法虽不太精熟，但大小石块的配置互相交错，都很牢固。洞后部的小横壁是在南北两大天然石壁中筑起的，因所用石块略大，未能作出90°角，现出了北角稍钝、南角较锐的横墙。这三面石壁的石面上，都挂有钟乳样的石皮。

洞穴地下所铺的板石，据石工说已被拆掉4块，每块的面积约2平方米上下。我们在洞后部地面上曾遇到了保存完好分成三层的土层：第一、第二土层中都夹有文化物；最下的第三层中没有一点文化物的痕迹，纯是夹小石块的黄土，比较坚硬。再就土层面的高度和倾斜来看，十之八九是洞底的原地面，这样就知道并不是全部铺石的。铺石部分被拆的大石板是如何铺法，石工们说得很模糊，今已无法确定。但后部残存的两块50厘米厚的铺石，却是里高外低，相差20厘米，铺成台阶式。洞前部的铺石也很可能是同样的铺法。

洞穴上的盖石残存的已移落于南壁顶上，近洞口的几块，因山坡较陡可能久已坠下山了。南移的原因可能是因洞穴北面山坡高，南面山坡低，加以北面是天然壁，变化较少；南面是人工壁，年久不免压低，因此盖石就顺势渐渐南移了（洞穴左前方）。现存盖石有6块，大体都是大石板，石板长约2.5米到3米不等，宽都在1.5米以上，厚约50～60厘米。每块大石板的下面，都挂有粟粒状的"石灰皮"，上一面风化得很厉害。这6块大盖石，现在的状态是后部4块，由后向前叠置，像鱼鳞似的一个压一个地排列着。方向和高低位置都似乎保存着原来的样子。前两块已脱节分开，最前一块不但方向已变，恐怕不久也要溜下山去了。以洞穴全长来估计，这样盖石应有9块或10块，它的盖法可能是先由洞口盖起，后石压前石，一片一片向后修盖的。盖石旁存有不少较小而又比较平整的石块。北壁上山坡土层厚1米。由这两种情况看，当时盖石上似乎又盖有较小石块和泥土（图三）。

我们在洞穴里的工作可分为两部分：对于业已搅乱部分的清理，和对于墓葬部分的发掘。

搅乱部分两架人骨和遗物出土的情形，据石工们说："头一天共打了4块大石头，两面都比较方正，每块长约6尺，宽约4尺，加上些小块石头，一共装运8车。当打进1丈多深时，发现有些鱼颈骨和不少（约十多个）像细旱烟袋黑亮的小东西，这些东西，一节一节的，短短的，用牙一咬就碎了。接着就在大板石上打出一个人骨头，首先看见脑骨，下巴骨相当大，牙齿很齐全，骨头棒子都扔掉了。在人骨稍南出了一个窝窝头形的石头，扔到山下以后，被别人打碎成三块了。再向里打，洞子里都是土，约打进五六尺，其中出了不少各样碎骨头，有的被火烧的'煳曲燎光'的，也有一些黑色像木炭的东西。接着又出了一个人骨头，是先看见大腿骨的。在人骨的北面出了那个黑色的石楔子，稍西出了两片弯曲玉片，又稍南出了2个玉环和1个管状石珠。人骨稍东又出玉环1个和1个半拉的，以后又被中学生捡去一个。这个人骨完整的都被县里一个医生拿去了，他说能对上，是个女的。以后就不往里打了。"

这段记录虽很简略，是出于三四个石工同志的综合说法，而且有的又是互不一致。但经过整理遗迹和搜集遗物以后，证实了他们的记忆大致是不错的。

洞口人骨出现之先，有一些鱼颈骨和十多个一节一节当中有眼、黑亮的小东西，这是东北各新石器时代墓葬所常见的装饰用的黑色管状小石饰和鱼骨珠。接着出现了一架牙齿齐全的人骨和窝窝头形石器（我们后来在山下寻到了重要部分），这是洞口人骨葬及其遗物的情况。

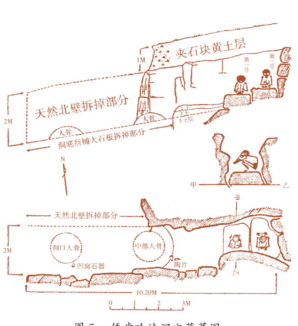

图三　倭肯哈达洞穴墓葬图

"中部人骨"出土时，可能和"洞口人骨"是同样的，但头骨略近北壁却是一致的说法。在人骨接近的北壁下发现黑色磨石斧，稍西出白玉佩璜2件，稍南出白玉系璧2件和管状石饰1个；人骨稍东出完整的白玉系璧1件，部分残缺的1件。当我们清理洞内搅动土层时，在"中部人骨"附近发现各色管状石饰5件，白玉系璧残片1片，是伴随中部人骨出土的白玉系璧残缺的部分，由此可知这几样东西也是"中部人骨"的随葬品了。

这是洞口和中部两架人骨及遗物的出土大略，墓葬项下就不再详加说明了。清理搅动土层部分的情形是这样：

洞内搅动土层的范围，由洞口向内计算约为6米，比已被拆掉的北壁伸进约1米。洞内未被掘动的原堆积层约4米多，最深的厚度约80厘米上下。搅动的浮土近洞口的已多沿山坡下流了，下层保存的也不太多，上面似乎又堆压了一层中部流来的浮土，因此就不可能弄清上层土中发现遗物的原来位置、状态和互相关系。下层土搅动较轻，但也不能肯定出土的遗物都在或近于原来位置，仅比上层好些罢了。在这里一般的出土物有人骨残片，多属肋骨、脊椎骨、手脚各部碎骨；也有兽骨，其中小兽骨更多；也有鸟、鱼骨。兽骨有不少是经过火烧或人工打碎的。在"中部人骨"附近，出土了各色管状石饰5颗，白玉系璧半片（可与石工捡得的合为1件）。在北壁脚发现烧灰和木炭。最下是夹小石片的生黄土，没有文化物，也没有踏硬了的地面层。石工们说这已到洞底铺石的下面了。

我们把这部分搅土清除以后，就正式向洞里开掘。

洞穴里堆满了大小石块和混杂积土，其中没有遗物。在将近洞穴地面时，发现了一段保存完好的三层堆积层，直到第一号人骨的铺石附近，长度约2米强。横剖面二、三两层的中部是依次向下弯曲的。最上的第一土层，厚约15厘米，近南北洞壁部分渐趋薄浅，土色灰黑，偶有散乱碎骨，数量很少。第二土层厚约20厘米，土色灰黄，包含有兽骨、鱼骨碎片、陶器片、炭灰等。最下的第三土层，不知厚度，土色灰黄，夹杂不少小石块，不见有机物质的痕迹；这一土层的情形完全和洞穴中前部分铺石下的土层是一致的，也就是这段没有铺石的洞底地面了。

这段三层土层掘完后，把所有的搅土清出洞外，洞穴上部堆积的石块不动，只沿南北石壁用横切式的方法向洞内挖掘。这时洞穴两壁距离较前边窄得多，见一不整齐的门形，内铺厚约50厘米、长约130厘米、宽约110厘米的大板石一方，大小形状和洞内面积相称。在这高出洞底地面50厘米的平石上，发现了保存原样的第一号人骨和遗物。四围的灰黄色积土，不夹较大石块，底部有少数鱼骨、兽骨片。由此可见，其为人为的埋葬是无可置疑的。

此一人骨的保存比较完好，虽头骨靠近湿土，未能完整地取出，但下腭还大体完好。埋葬的姿势属于蹲坐式的屈肢葬，面向北壁，背向南壁，蹲坐在大板石上。骨盆下距石面约10厘米，两股紧并，股膝两关节都作很大的折屈，股骨胫骨内角约为30°，足骨平踏石面。头在膝盖正上方18厘米上下，顶骨向上，颜面骨向前。下腭骨保持原位，都极为周正。脊椎骨也作很大的弯曲，唯颈、胸、腰各椎骨都没有游离凌乱。两上膊骨稍张，下膊骨两两横并于膝盖骨前方，两膊骨折屈内角约为40°上下。全部姿态是双臂抱膝蹲踞着的样子，这是在葬法上很不多见的例子。

殉葬遗物仅有柱状白玉佩和管状石饰两种。柱状玉佩出土位置较低，似在腰股之间；石管出于清理腿骨时的搅土中，同时并得一完整兽牙，虽没有加工，但也不像是无意夹杂的东西。

第二号人骨出土于比第一人骨铺石高30厘米的另一块大平石板上。这块石板长2.8米，宽1.25米，大小也与洞内空地相称，里边就是洞穴最深处的横壁了。人骨的位置恰在板石的中央，距第一号人骨约70厘米，较第一号人骨稍近北壁。埋葬姿势除了方向和第一号人骨相反以外，大致是相同的蹲坐屈肢葬，不过脊椎弯曲度较小，头骨不在膝上，而在股骨中央的上方而已。附近湿气较重，因受上面塌下来的一大盖石的压力，致使积土坚紧，挖掘极为困难，所以取出的腿、臂各骨多不完整，头骨仅有面骨及额骨完整，其他部分已多破碎，下腭骨也断为数段了。

殉葬遗物有白玉佩璜、白玉兽形佩、黑色管状石饰各1件，穿孔兽骨片大小30余片。兽骨片仅出土于腰腹周围，片片叠边，接连如鱼鳞状，做成折屈的大片段。两种玉佩和石饰是同出于鳞状骨片里面（向人骨的一面），几乎和骨片平行密接。

这一人骨的左前方，即洞穴的后左角较高的层位，出土了不属于这一人骨的另一下腭骨和小孩的下腭骨，当时曾以此为线索，寻找与这两个下腭骨有关的其他骨骼，结果一无所获。在这段积土里也没有其他任何文化遗存。

根据以上清理本遗迹搅动部分和发掘墓葬的粗略情况可作如下的概括说明：

这个人工洞穴营造的工程比较大，是需要相当劳力和时间的。这个洞穴最初一个时期似乎是居住用的，由于洞底层出土了鱼、鸟兽骨残片和灰、炭、烧骨和陶片，并且存有很明显的三层文化土层，可以说明这一点。后来改作了墓穴，埋葬了四个尸体。这四个尸体埋葬顺序似乎是先埋洞穴最深处的第二号人骨，依次到洞口人骨的。洞穴的塌坏自然为时更晚了。

三、洞穴和墓葬的文化遗存

这里所说的文化遗物，一部分是挖掘第一、第二两墓葬人骨的随葬品。另一部分是清理搅动土层的出土品和搜集回来的出土品。现在以出土位置为中心，一一加以说明。

1.洞口人骨附近出土品

窝窝头形石器　石质打破面作深灰色，多黑点，有不很平行的脉络多条。表面风化程度很高，作赭白色，见无数细小窝穴。黑点密集成线纹的地方小窝较少，而现高出于石面的石脉条纹。这是久埋土中氧化的结果。全形如窝窝头，体圆微高，下端平正，有经人工研磨而内陷的深窝。上端在发现时被石工打去了约三分之一，存高9厘米（全高约为11厘米），横径7.5厘米，渐上渐小，形成圆顶。下面内陷的圆形凹窝口径3.4厘米，深2厘米。全

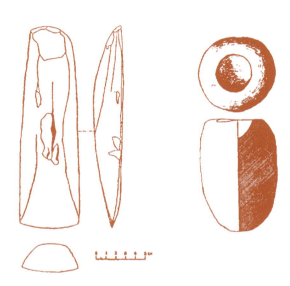

图四　遗物实测图（一）

体表面除石脉略现突起线条以外，大致平滑圆整，当是磨制而成的。底下的凹窝圆正平滑，似久经钻磨，很可能是钻帽，至少也与钻具有关（图版一：1；图四：右）。

2.中部人骨附近出土品

（1）磨制长身石斧　闪青绿的黑色岩石，可能是玄武岩的一种。刃部宽，头部窄，一面体平，一面稍窄，而中部较厚。这种磨制长身石斧是西伯利亚常见的形式。刃部微圆，两角不太匀称，但也不是斜刃斧。刃的斜度在平体一面的较大，相反的一面较小。头部轮廓不方正。全长20.8厘米，刃宽5.7厘米，头宽4.5厘米，腰部宽5.5厘米，厚2.9厘米。制作技术比较进步，体形匀称整齐，棱线面角各部，也都打磨工致，刃部研磨得更为精整。由斧身遗痕上看，制作可分三个步骤：甲. 打剥出粗略体形；乙. 把打剥的粗面敲打成较平的麻面；丙. 研磨光滑。斧身平面一方及两侧面全部研磨。体窄而中部渐厚的一面，仅近刃的半段研磨。上半段为敲打的麻面。刃部横磨痕迹显著而无光泽。其余磨光部分都极为光滑，似乎刃部是后加磨砺的（图版一：2；图四：左）。

（2）白玉系璧4件　色白而不纯，半透明，4件形式相同，外弧略作四方式的圆形。大小不一，通体整齐。其中1件中心圆孔不太周正，两件近孔部分有十分显著的机械磨痕。

第一个：通体最大直径6.3厘米，孔径2.2厘米，厚0.4厘米；

第二个：通体最大直径5.6厘米，孔径2厘米，厚0.3厘米；

第三个：通体最大直径5.2厘米，孔径2.3厘米，厚0.3厘米；

第四个：通体最大直径4.5厘米，孔径1.4厘米，厚0.3厘米。

这一组系璧和下项的两件玉璜本来同出于洞穴中部人骨附近，全数是5件，除这4件以外，有1件被人捡去。照现有4件的大小尺寸看，缺失的那个，很可能是第三、第四中间的一个，它的尺寸应小于第三个，大于第四个，应属于全组的第四个，现在的第四个在原组上应当是第五个。原组形式

150

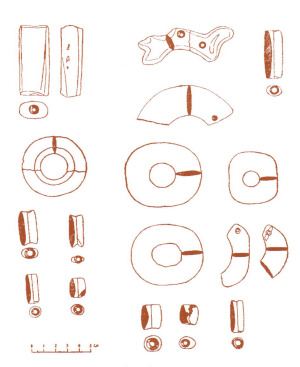

图五　遗物实测图（二）

很可能是大的在上、小的在下编成一串，最下缀上两片玉璜，挂在腰带上，垂于体侧（图版三：1、2；图五）

（3）白玉佩璜2件　玉质颜色和系璧相同，内外弧度大小也约略和第二个系璧相仿。磨制精整，上端各对穿一个不很周正的小孔以便连缀。璜本是玉佩下端的垂件，很可能和五个系璧为一组。一件全长5.5厘米，中部宽1.5厘米，厚0.3厘米。另一件下端残缺，存长4.6厘米，中部宽1.8厘米，厚0.3厘米。后一件上端近孔处两面各有与璜上直边平行的磨沟一道（图版四：1；图五）。

（4）管状玉、石饰7件　长短粗细虽都不同，但均对穿轴孔成扁管状（1个稍圆），是可以贯穿绳索的装饰品。玉质的3件：

第一个，青色玉质料很好，全长3.1厘米，管径1.5厘米，两头不齐（图版四：2-1）；

第二个，淡茶色玉稍有纹脉，全长2.9厘米，管径1.2厘米，两头不齐（图版四：2-2）；

第三个，苍青色玉稍有侵蚀，全长2.1厘米，管径1.6厘米，两头整齐（图版五：1-2）；

石质的3件，做法相同，唯因硬度较低，所以钻孔较细：

第一个，灰色石质，表面大部变白，全长2.5厘米，管径1厘米，两头整齐（图版四：2-3）；

第二个，与上一个质色变化全同，全长1.7厘米，管径1.3厘米，残缺一部分（图版五：1-1）；

第三个，全体变成石灰质，少半破碎，全长1.7厘米，管径1.6厘米，两头整齐（图版五：1-4）；

第四个，灰黄公，中部稍粗，全长2厘米，管径1.3厘米（图版五：1-3）。

3.第一号墓葬出土品

（1）轴孔扁柱状白玉佩　玉质较纯，一部作黄褐色。椭圆柱体，光素无纹。柱体中心有由两端向中心磨穿的轴孔，中部交透处稍细，柱体切磨得不圆整，上下端有两面磨切的遗痕。在制作技术上，是很原始的。它可能是穿绳系在腰间或其他部位的。全长6.1厘米，柱径2.5～1.8厘米（图版五：2；图五）。

（2）管状石　石质黑色，表面全变为白色，有的地方层层脱落。体形周正，磨制工整，对穿轴孔也中正不偏。一端略有缺损。全长2.5厘米，管径0.9厘米（图版六：1；图五）。

4.第二号墓葬出土品

（1）石佩璜　淡黄白色，硬度较玉为低，钢刀可以划破。外表颜色似乎是由于酸类侵蚀变化的，原来可能是淡绿色。磨制整齐光滑，上端有一对穿的小孔，穿孔技术原始拙劣，下端残缺一部分。当是穿绳佩带的。存长7.9厘米，中部宽2.6厘米，厚0.3厘米（图版六：2下）。

（2）奇形石佩璜　与上件共存。石质色彩全同。通体作半环形，首尾支出略似兽形。中部外缘对穿一孔，两面很不相对；一端又有一个由一面钻磨的穿孔，孔眼较大，并在穿孔前方磨出一道和兽首形式相称的浅沟花纹。这也是穿绳佩带的。全长8厘米，中部宽1.9厘米，厚0.4厘米，已中断为二（图版六：2上）。

（3）管状石饰　与上二品共存。石质黑色，上有灰白脉络，硬度很低。形式匀整，磨制工致，管体稍扁，对穿轴孔也很周正。全长3.9厘米，管径1.9厘米（图版七：1）。

这三种佩饰品出在人骨腰部，有孔兽骨片层的里面，可能是佩带在外衣之内、腰股中间的[1]。

---

[1]平凡社：《东洋考古学》第三章新石器时代并金石并用时代，二、西伯利亚。

这些玉石佩饰品，无论是环类的系璧，半环类的佩璜和管状珠，在东北新石器时代遗迹中是普遍分布着的①，不过有精粗之别而已。

（4）有孔长方骨板原有很多，都在人骨腰股一带，唯因土湿多朽成骨粉，很难取出。由骨板的形式和围绕腰腹的情形来看，可能是连缀在外衣上的骨质甲叶，魏晋时期东北民族曾有这种做法②。骨板长度相同，宽窄不一，宽的四角内各穿一孔，窄的两端各穿一孔，四边和两面磨制整齐光滑。全长12厘米上下，宽3.5～2.5～2.2厘米，厚0.8～0.5厘米（图版七：2、3）。

5.洞底堆积层出土品

（1）篦纹大陶钵片 胎土较细，含少量云母粉。表面黄褐色，胎内黑褐色。硬度较低，指甲可以划出沟道。器形虽不能全部复原，但由许多残片曲度及口边来看，可能是一个很大的陶钵或陶锅。根据口缘曲度推测，口径约为44.5厘米，口缘厚部宽3厘米，厚1.1厘米。有一片在口缘稍下存有0.1厘米的圆孔。腹部残片厚0.6厘米。未发现底部残片，可能就是锅式圆球底。看它的装饰花纹，使我们马上联想到西伯利亚、内蒙古各新石器时代遗迹出土的"北欧亚大陆"广泛分布着的篦纹陶器③。装饰构图和昂昂溪新石器时代墓葬陶罐相同④，面造型尤其是口缘部剖面又很和热河的彩陶钵相近⑤。没有轮制遗痕，可能是手制的，但器面打磨得却十分平滑。口边上面平齐，若加器盖当很严密。装饰花纹仅在较厚口缘部分的外面，其他部分没有花纹。花纹做法有两种；一种是用钝锥状工具在宽边上下戳成两行深孔；次一种是用齿

①安特生：《沙锅屯洞穴层》，梁思永：《昂昂溪史前遗址》（《史语所集刊》第四本第一分册）。滕田亮策：《延吉小营子调查报告》（伪满《古迹古物调查报告》第五编）。我们发掘"吉林西团山子新石器时代墓葬"也出土有翠玉和石质的管状珠。东亚考古学会刊：《赤峰红山后》。
②《三国志·魏书》卷四《陈留王涣》景元三年："四月辽东郡言肃慎国遣使重译入贡，献其国弓三十张，长三尺五寸，楛矢长一尺八寸，石砮三百枚，皮骨铁杂铠二十领，貂皮四百枚。"
③平凡社：《东洋考古学》第三章新石器时代并金石并用时代二、三项。
④梁思永：《昂昂溪史前遗址》文化遗存陶器项。
⑤平凡社：《东洋考古学》第三章：三、林西彩陶项。《赤峰红山后》第四章二节。

轮状工具内接两行深孔处纹轧出两条梳齿状平行纹，然后在当中用同法轧出复线的波状纹，最后在宽边之下，再轧平行纹三道。

（2）篦纹小陶罐片　胎土大体与前器相同，但云母粉含量较多，陶质比较坚致，硬度较高。手制技术很好，胎很薄，花纹也很精致。共得5片，可复原形。全高9.7厘米，口径约10.3厘米，底径6厘米，底厚0.4厘米。装饰花纹都在口缘外面，下到肩部，口缘外有突起弦线一道，线上有斜划枣核形点纹，再下有四条平行较大的斜点印纹，每两条之间又有小点纹两道，做成围绕器外面的装饰（图六）。

此外在清理搅动土层和洞底原堆积层中，挖出了不少鱼、鸟、兽骨残片，有的是被打碎的，有的是被火烧过的，都未经鉴定。但由大大小小的骨片看，种类很多，显然是洞穴主人食剩的残骨。这些资料足以说明他们生产和生活的一般情况。

四、初步的推论

1. 这个人工营造的大石洞穴，本是一家族作居住用的，后来改成墓穴。出土遗物和先后埋葬的人骨，具体地说明了居住在洞穴内的人数不会过多。这种洞穴墓制很可能是特例，而不是这个民族普遍的墓葬形式。

2. 蹲坐屈肢葬是新石器时代较古的葬法，东北发现了很多仰卧屈肢葬实例（延吉小营子、吉林西团山子），但这蹲坐式的葬法还是最初的出土例。

3. 由洞穴主人食余的残骨来看，他们过着渔捞和打猎的生活，附近河山之间没有一点平地，可能还没有农耕。

4. 出土的石器和陶器，都充足地表现了和西伯利亚以及内蒙古新石器时代文化相同的形象。伴随人骨出土的还有古代黄河流域汉民族专爱佩带的各式玉佩，说明了南北两种文化在松花江下游的影响及其相互关系。

5. 出土的经过人工琢磨的玉石，似为交换而来的商品。这里似可看出他们与汉族有为时较久的直接接触。

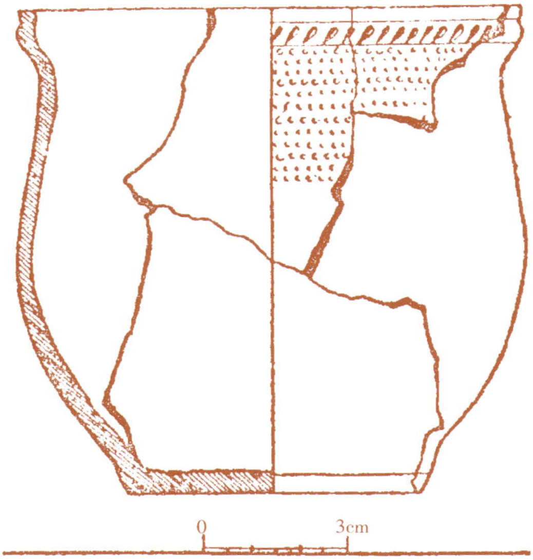

0   3cm

图六　遗物实测图

6. 绝对年代因为资料过少，很难确定。石器钻孔和制陶的技术很高，虽没有发现金属器和金属器物的一切遗痕，也只可看作是新石器时代晚期。

7. 穿用骨片作铠，据说是肃慎人（挹娄人）的习惯，魏晋之际曾把这类东西送到过中原。虽不能仅据文献就肯定说这个民族就是住在扶余族东方千里的肃慎族，但至少也显示了一点线索。

（原载《考古学报》第七册，1954年）

2.白玉系璧之四

1.有玉者星之三

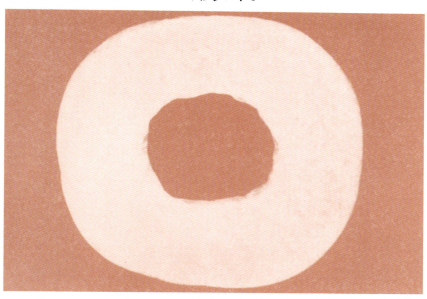

乙角无孢柔膜之二

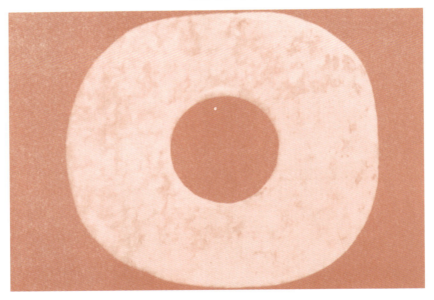

1. 白玉谷纹璧之一

图版二

2.斧头状石器

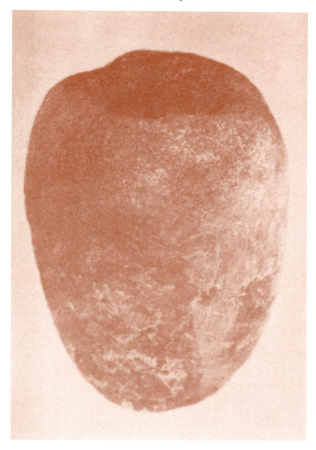

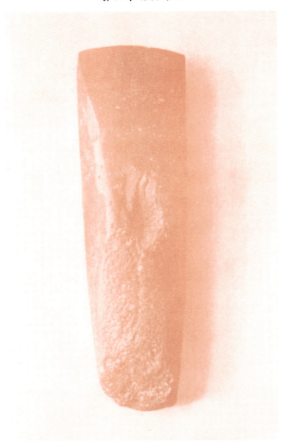

1. 磨制长春玉斧

图版四

1.白玉佩璜一、二

1   2   3

2.管状玉饰（一）

图版五

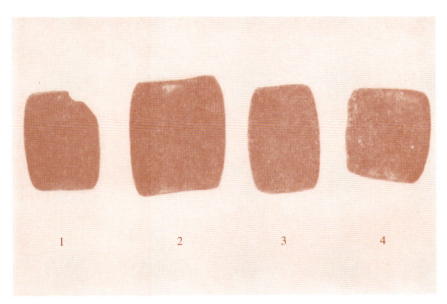

1.管状玉饰（二）

1   2   3   4

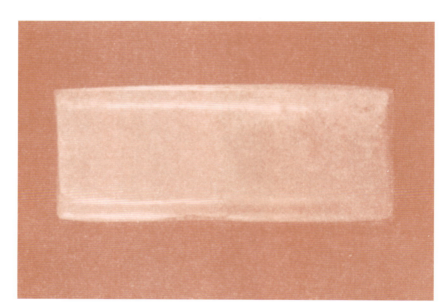

2.轴孔管柱状白玉佩

1.管状石饰

2.奇形石佩璜（上）

石佩璜（下）

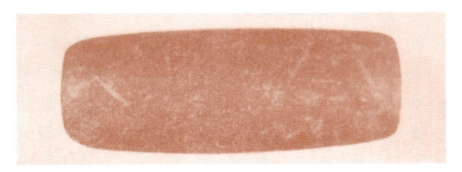

1.管状石饰

2.有孔长方骨板（一）

3.有孔长方骨板（二）

辽阳三道壕两座壁画墓的清理简报

一、清理经过

1955年5月4日，我馆文物工作队在辽阳市北三道壕窑业二厂采土场内发现了两座壁画古墓。墓室上的土层已被窑厂取尽，遂请示辽宁省文化局批准进行清理摹绘，完后复原封土，现地保存。经过两个月时间，这项工作全部结束（中有美术工作者在墓内摹绘壁画52天），于8月4日正式交辽阳市文化科负责保护。

两墓在发现时，墓内淤有50厘米的细土。清理的办法是：一方面清除墓内淤土，并将墓室结构及墓内遗物测量、记录、绘图、照相后取出保管。对全部壁画也请东北美术专科学校讲师二人进行摹画副本。清理完了将墓门按原样封固，墓上加盖封土，四周挖掘排水沟，免存积水，减少这两座壁画墓的天然破坏。

二、墓葬情况

两墓位置在辽阳城北2.5公里，三道壕村辽阳窑业工厂第二现场大窑西方采土区的一片汉代村落遗址上。两墓东西并列，墓室顶距地面均约1米上下。其稍东是1953年所发现有壁画和题字的令支令张某墓，和这二墓的位置恰巧东西横排成一地，中间距离约三四十米（图一）。西去五六十米地点，前后曾发现有"太康二年八月造"瓦当的小型晋代石椁墓五六座。两墓都用南芬页岩大石板支筑，石灰勾缝，建筑得很整齐牢固。墓门南向，墓内未经人为破坏。

（一）第1号壁画墓（位于东面）

墓室结构：规模较大，平面呈凸字形。纵深340厘米，横宽465厘米。门分四户，中间以三根方石柱支撑，柱头上置方形石块如柱斗，上、下、左、右有石条仿造木构建筑的楣、槛、门框各部分。外封大石板四块，石灰勾缝。门内为一窄长而地面稍低的横廊，左右端各接一小型长方室，后部并列四个棺室，为三堵壁间隔而成，左右两壁中部各留有窗式空洞，使二室可以通连，这种窗洞在辽阳壁画墓中是常见的。棺室中各置大石板尸床，前有稍高的石板档头。室顶和地面都用石板平铺，建筑极为精致（图二、图三）。

葬式和遗物：墓内共有人架三副，分葬于右起第一第三两棺室内，均保持原位。第二第四两棺室仅铺有苇席的大型砾石，余无他物。第一棺室出老年女性人架一副，头骨脚骨保存较好，是头北脚南的仰面伸展葬。头骨旁有石灰质元宝形枕一个，骨架上下都有残存的苇席片，左右有大型砾石两块，上下也粘有席片。根据这些情况来看，尸体放置在尸床上是头枕石灰枕，铺盖苇席残片一段，编织作人字纹（图四），和今日辽南使用的一样。两侧压以砾石，而不用木棺的。殉葬遗物不多：枕头后平置绢包着的直径16.8厘

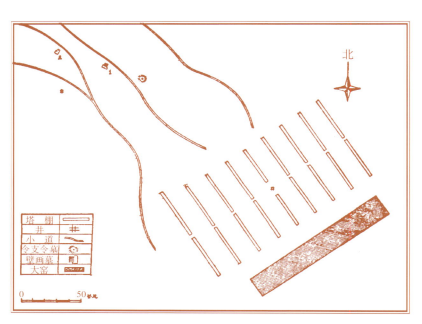

图一　辽阳三道壕壁画墓位置图

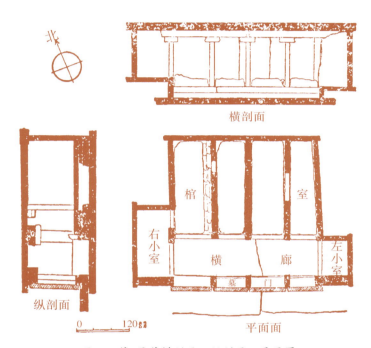

北

横剖面

棺　　　　　室

右小室　　横　　廊　　左小室

墓　门

纵剖面

0　　　120㎝

平面面

图二　第1号墓横剖面、纵剖面、平面图

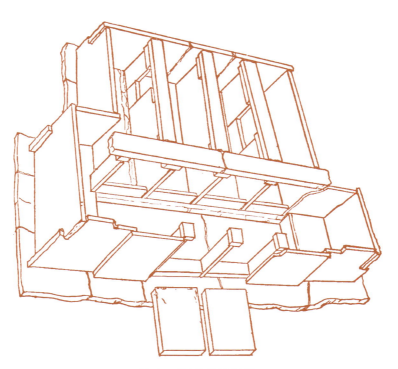

图三 第1号墓透视图

图四　苇席

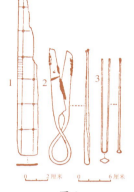

图六
1.骨尺　2.铁剪　3.银钗

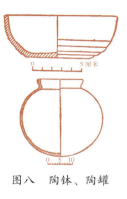

图八　陶钵、陶罐

图五　铜镜拓片

图九　手镯、指环、顶针

图七　五铢、货泉铜钱拓片

米锯齿宽边规矩鸟纹镜一面，铭文为"吾作大竟真是好，同出余州清且明兮"。铸文草率，八乳细小而尖（图五）。朱漆盒残片一件。左肩旁出长22厘米多的弹簧式铁剪刀一把（图六：2）。骨尺一根，虽有残缺，但寸分刻度分明，全长为一尺二寸（图六：1）。一尺恰合公尺24厘米，即今市尺七寸二分左右，较汉建初铜尺略大，而稍小于魏正始弩机尺。右胫骨旁出五铢钱55个（货泉两个），其中有剪轮及薄小的不少（图七）。随葬装饰品有：头骨下银钗一支（图六：3），长18厘米，当是簪帼使用的。左手腕部出银镯1副（图九：左），系两只并合戴用，指骨附近出黄金指环4，银指环2件（图九：中）；右手部出银顶针1件（图九：右），黄金指环6，指环都两两相叠，也当是并合戴用的。第三棺室葬二人，骨架保存完整。右方系三四十岁的男性骨，为头北足南的仰面伸展葬。左方系三四十岁的女性骨，由该骨殖放置错乱倒误来看，可能是捡骨葬。在女性头旁出簪状铁制品两支。而人架上都存有苇席残片，女骨左有大型砾石块，也当是用席铺盖尸体的。右小室出长25厘米、宽16厘米、厚9厘米的长方形石板一方。近旁出漆器残片10余片和木炭渣少许。前廊中部出灰白色圆底大陶罐一件（图八：下），灰色平底的大小陶钵两件（图八：上）。这三件陶器的位置似乎都已经水漂动过的。

壁画：壁画分画于左右两小室各壁及门柱的侧面和枋、柱的前面。画面虽然不算太多，但大部分都还清楚。画面系直接描画于石壁上，使用朱墨青黄赭白等色，勾勒涂色等技法都很明快自然，构图和线条虽有些草率，但却具备着民族绘画粗豪的优良传统和古典现实主义风格。右小室三壁描画的似乎是墓主人的生活，男女对坐饮食图，结构布局都大同小异。前壁高105厘米，宽80厘米。画二人对坐于小方榻上，前置短几（图版一）。一人黑帻，一个黄角巾，皆衣袖宽博，拱手对坐，中间似陈有物品，惜画面已模糊不清。右壁高同，宽140厘米。画男女二人对坐方榻上，男子微有髭须，黑帻淡青袍，白领袖，拱手坐。榻前置短几，上置有物，几左端似有侍者一人，但形象不太清楚。榻右地上置黑鞋一双（图版三）。对面方榻上坐一妇人，橙色花衣，下系白裙。头戴发帻，后加花饰（图版四）。榻前似有短几。二人中间地上置三足食器。上方有高悬的帷幕。后壁高同，宽80厘米。画面保存得较好。彩色也很鲜明。二人对坐于方榻上，前置短几，中间地上置食器，器口上露有长勺柄。女人头戴发帻，后插步摇，红衣花裙，白绿领袖。榻右地上放红鞋一双。男人戴黑帻，宽袖大袍，拱手端坐。榻左地上有黑鞋一双。男女鞋的样式和今日便鞋相似。二人中间似有侍者，但形象已很模糊。上部高悬赭红色帷幕（图版二）。这一室所画的三壁对坐人物，很可能是和四个棺室的族葬制相适应的。左小室三壁是表示墓主人优裕生活的庖厨及车马。前壁高95厘米、宽60厘米。近左画红黄色长方大灶一座，灶口火焰都很清晰，灶上似有一大甑，色彩有的地方已模糊不清。近右画黄色上有滑车的井栏一座，这两种东西出现于同一画面，不但和辽东一般汉墓出土陶井、灶说明它们的密切关系，而且器形也和后汉的极为近似。左壁高116厘米，宽90厘米。画分两层：下部画圆底灰白陶罐四个，横列为一行，有的瓮口沿有绳索，可能是盛油酒盐酱等物的。上部画横杆一根，分挂肉块、雉杂、野兔、心肺等食物。后壁110厘米，宽60厘米。向右画枣红马一匹，鞍勒俱全，有无骑者已模糊难辨。后画黄牛篷车一辆，除牛和车篷比较明显外，余多模糊不清。这可能是表示男骑马女坐车的出行情况的。墓门左柱右侧面上部画守门犬一双，颈系绳索，张口向外，姿态凶猛。此外当门方向的模枋立柱和柱头也都画有朱色云水图纹。

（二）第2号壁画墓（在1号墓西面）

墓室结构：规模稍小，形式约略和1号墓相同。纵深300厘米，横宽275厘米。建筑的材料、结构方法完全跟1号墓相同。墓门两洞，中有立柱，也都有柱头、门楣、门槛等。门内除横廊外，只有右边一个室，两个棺室。棺室间壁中部也留有一个洞窗。右棺室内有石板尸床（图十、图十一）。

葬式和遗物：右方棺室人架一副，性别不明，头北足南的仰面伸展葬。骨架上下也有苇席的痕迹。腰部左右出五铢钱102枚，也多有剪轮和薄小的

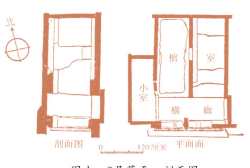

北

剖面图　　0　　120厘米　　平面面

棺室

小室

横廊

图十　2号墓平、剖面图

图十二　五铢钱拓片

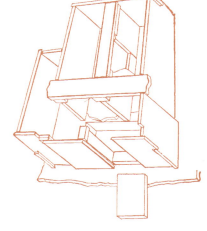

图十一　2号墓透视图

（图十二）。右小室有大陶盆1件，骨架足部左方有小陶盆2件，左棺室有大陶罐1件。这些陶器都比一般汉墓中出土的稍为粗厚。

壁画：壁画因墓室渗水，所以损坏得很厉害，仅右小室右壁存有一部分。壁高120厘米，宽180厘米。壁右方画男女对坐在方席上，男子颜面瘦长，微有髭须。红领绿黄上衣，但已很模糊了。女人花衣花裙，红黑领缘。颜面上部及头髻都已模糊。两人坐席左右及下方似画有朱红的柱及横栏，上方亦有帷幕，但彩色脱落不全，形象已不清楚。壁左方仅存朱红色牛一头，后方隐约有车篷痕迹。小室顶存朱红色太阳，此外还有些色彩斑片，大约是画日月流云的残遗部分。

两墓和令支令张某墓邻近，且形制相似，根据年代尺度发展的一般规律，和五铢钱的杂乱敝坏，以及陶器装饰品等的形制，初步估计两墓的时代可能是东汉末到西晋间的。通过这两座墓的发现，可能对当时经济文化和绘画艺术的某些方面的了解上，增加了一些新的材料。

（原载《文物参考资料》1955年第12期）

辽阳三道壕第1号墓右小室前壁壁画

辽阳三道壕第1号墓右小室后壁壁画

辽阳三道壕第1号墓右小室右壁壁画（之一）

184

辽阳三道壕第1号墓右小室右壁壁画（之二）

东北文物工作队一九五四年工作简报

一、基本情况

东北文物工作队是在1954年6月经中央文化部社会文化事业管理局批准成立的，在这以前，文物清理发掘工作是以原东北文化局由各省市抽调的13名考古工作干部组成的"鞍山地区古墓清理队"来进行的。1954年9月东北大行政区撤销后，东北文物工作队划归辽宁省文化局领导，现仅有队员11名，其中有8名业务干部，这些队员的文化水平不高，业务经验也较差，都在边做边学的阶段。为了保证按时完成文物清理任务和保持一定的科学发掘水平与质量，除将原由东北博物馆抽调的两名干部仍留队工作外，夏秋两季东北博物馆又增派两名干部参加工作。虽然作了最大的努力，但人员少、能力低、工作多、时间短的矛盾仍得不到很好地解决。

东北文物工作队的各项工作，是在原东北文化局、辽宁省文化局的具体指导下进行的。第一季度主要是在室内整理编写1953年"鞍山地区古墓清理发掘报告"，尚未完成定稿。

第二季度，在田野清理发掘工作开始以前，由3月上旬到5月下旬，东北文化局举办第二届博物馆干部训练班，大部分队员担任了教学工作和田野实习。中央文化部等举办"全国基本建设出土文物展览会"时，又派出一部分队员往各省市选运展出文物（闭会后又由北京运回）；并派队员4名至北京参加大会陈列工作（计由4月上旬到5月下旬，前后约两月，正式展出文物740余件）。

从4月中旬开始了田野发掘工作。

（一）鞍山市沙河区东地的工程中发现的一批汉墓，是4月中旬到5月上旬，配合东北区第二届考古博物馆干部训练班学员的田野发掘实习进行清理的。计24天，共清理了砖、石、土墓86座，出土明器等文物4157件。在这次墓葬清理中，使33名训练班学员都得到了实际的锻炼，提高了他们的工作能力，也增强了他们的事业信心，打下了文物保护清理工作的初步基础。

（二）辽阳市唐户屯的河堤工程范围内发现的汉墓，由于数量较大，用地期限急迫，人力又不足应付，以致有的部分工作流于粗枝大叶。计由5月上旬到6月末，共进行了51天，清理发掘了石椁墓、瓮棺墓192座，河上军事监视所址1处，出土文物6260件。

（三）鞍山市陶官屯金代农家遗址是7月间发现的。由8月3日开始发掘清理，10月14日完工，其间因夏、秋两季多雨，实际工作日数仅达1/2；清理了遗址面积2000余平方米，附带清理了汉墓2座，共出土考古资料1628件。

（四）辽阳市北郊三道壕发现的汉墓，因为已露出地面，极易破坏，所以抓紧时间把必要清理的优先清理。由10月16日至11月13日，共29天，清理了土、砖、石、瓮棺墓103座，出土文物2845件。其间发现了小型壁画残墓3座，因当时条件不够，尚待将来再行发掘。此外该地有一部分汉代墓葬，也尚未清理。

（五）辽阳市东南郊鹅房水渠工程中墓葬和古窑的发现，是正当我们要转入室内复原整理的时候，突然发现的紧急任务，因而不得不改变计划，在连天风雪中积极进行工作。计由11月15日到11月25日，共11天，清理了古墓21座、辽代瓦窑址2座，出土文物652件。已露出的两座墓葬因工程停止不便清理，就树立了标志略加盖土，以等将来再行清理。

总括这五处田野发掘工作，前后占用时间188天，实际工作日数约占2/3，共用6162工日，清理墓葬404座、古窑址2座、古遗址1处（2000平方米面积），出土文物15542件。

11月下旬田野工作结束，12月1日开始了室内修复实测、绘图整理工作，大约到年底可把辽阳市三道壕、鹅房两地墓葬出土品整理完。

二、缺点及存在问题

工作队在文化局的具体指导和地方机关与工程单位的帮助下，虽然基本上按计划完成了本年的任务，但存在的缺点也是很多的。

第一是计划性较差，工作不够主动。配合基本建设工程的文物清理工作，虽然主要是根据地下发现的情况，按轻重缓急原则进行，但我们对每一遗址地下情况的研究了解缺乏正确性，对季节天气的变化也估计不足，因此作出的全年各季度的工作计划往往不断地修改。例如鞍山市陶官屯遗址，初次勘察估计一个月可以完成，但到实际工作时，因多雨，竟把时间拖长了一倍多。对各地基建工程的规模和施工日期也缺少深入地了解，如辽阳鹅房水渠工程，事前竟一无所闻，致使临时出于被动，不能按原计划进行工作。

其次是田野发掘工作不够细致。在五处田野工作中，以限于业务能力，而清理任务又很急迫，因此在工作质量上还不够精细，还不符合科学发掘的要求。例如，在有的大群墓葬发掘清理过程中的记录不够完整，有的实测图做得还不齐备，最差的是发掘和文物的照相，由于没有专职干部，不能掌握住一定的技术水平，这些都给工作上造成了不少的缺陷。

我们仅能发掘清理，不能及时写出科学的研究报告也是一大缺憾。由于工作人员少，业务水平低，田野作业时间多，没有充分时间进行整理研究，致使考古材料长期积压，不能及时写出发掘报告。例如，1953年的发掘报告尚未完成，1954年的发掘作业也仅能做完初步的整理，尚无法写出全部报告。

三、发掘清理工作的收获

（一）陶官屯金农家遗址

鞍山市陶官屯工地在7月中旬敷设推土车小铁道时，遇到了一处烧土灰层，得到几件瓷器和铁器，就发现了这个遗址。它位于鞍山市西南郊陶官屯工地西北约500米的平地上，西距丰盛堡1.5公里，周围都是大田地，地层属于冲积平原，2米以下往往发现有不均匀的沙层和砾石层。遗址面积南北约40米，东西约50米，总计面积为2000平方米强，平均深入地下约1.2米（图一）。遗址的年代单纯，范围清楚，因而我们的发掘清理做得比较成功。

遗址的情况是：简单的农家房址一处，有较广的红烧土面积，含有很多砖屑、炭渣及草木禾秸烧灰，并夹有不少小麦粒。石筑房基一段，土墙址一道，院前流水沟两道，屋后垃圾两堆。附近出土铡草刀1口，铁铧犁上的"蹚头"1个，小石磨半盘，牛马骨少许，大缸1口（内盛瓷器多件），铁锁3把及木器烧残的炭块少许，有大量金元时期的瓷片和缸片。由瓷器和瓷片看，计有磁州窑系、东北地方黑绿釉窑系、钧州窑系、龙泉窑系多种（前两种数量较多）。还发现了琉璃花手锣2段，发簪1段，骨骰1枚。更重要的是发现了铜钱7种：五代时期的开元通宝，北宋祥符、天圣、熙宁、元丰、元祐各1枚，金正隆元宝1枚。附近继续出土了铁锅一口，铁铧、铁铲各四、五件，铜盆1件，黑釉兔毫斑大碗3件，瓷片多种（图二）。

虽然还没有进行全面的深入的详细研究，但从已发现的遗址和遗物来看，已可得出一个初步的估计：这是约当金元时期的一所农家住宅。他们住在一个部分用砖筑的土房子里，有牲口和车辆；从禾秸烧灰及垛叉的存在可

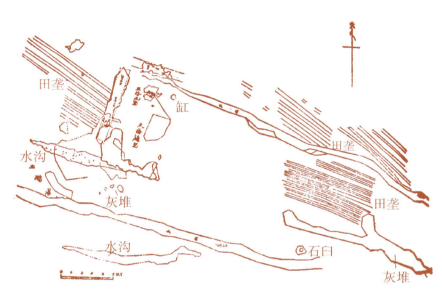

田垄

缸

田垄

水沟

田垄

灰堆

水沟

石臼

灰堆

图一 鞍山市陶官屯金农家遗址

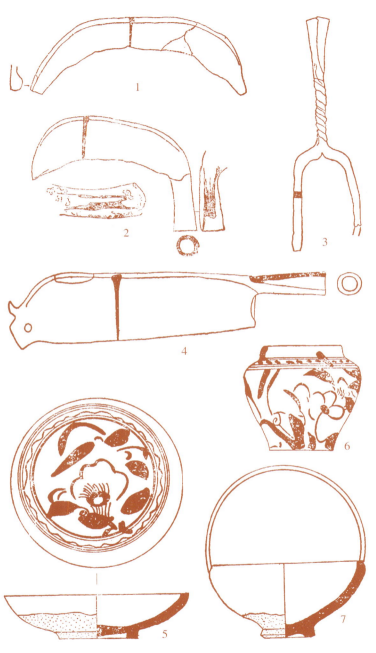

图二　陶官屯金元遗址出土器物

1、2.镰刀　3.垛叉　4.铁铡刀及刀轴　5.白釉黑花瓷盘

6.白釉铁花小罐　7.钧窑青瓷大碗

以看出他们种有禾本科矮粮和高粮；自种、自产、自收，以臼、磨加工自制食粮。生活用具中的瓷器种类很多，多是远地运来的商品。妇孺使用当时流行的琉璃装饰品；有时玩玩骰子。持有一定的货币，使用铁锁来保藏细软，并有防盗用的弓箭，他们的生活是比较富裕的。所有这些，清楚地刻画了中古辽河平原上一家小农经济的生产、生活面貌。

（二）鞍山市沙河东地汉墓

东地汉墓群位于鞍山市东北郊沙河区东地，1953年就在这一带清理过300座上下，1954年清理发掘的86座也是同一墓群的一部分。

86座汉墓中，除两座木棺墓（即所谓土墓）外，都是砖椁墓（图三），砖椁多单室，平面成长方形，长约2～4米，宽由1～2米强；最大的一例长为8.2米。砖多灰色，有绳纹，大小规格不等。墓多用长方砖和楔形砖两种，有的兼用少数石材，如门框、门梁、墓门扇等。椁室顶部构造有两种，一种为圆拱顶，另一种为四阿式顶。一般都有墓门、尸床、明器台。地表上没有保存原状的，仅在几座墓的墓室上发现有封土基础的石墙框，较墓室为大，略作长方形，推测这几座墓可能原来在地表上是有长方形封土坟头的。

墓中尸体的葬法，一般是双人葬和单人葬，作仰卧伸展姿势。特殊的有一墓埋葬五六个人骨的，也有附带小孩尸骨的。尸体多是直接放在尸床上（图十八），也有用木板和苇席铺垫的。使用薄板木棺的不到10%，但由于它的发现，证明了东北汉墓有用棺和不用棺的两种方法。

出土物以陶制生活用具模型为最多（图十九），"五铢""货泉"等钱币也很普遍，铜镜、装饰品等都比较少，和辽阳附近的汉墓相比，显然有城乡之别。

最突出的是这片密集400余座墓葬的大墓群中，多数墓位是有一定的群落，一定的方向，一定的横排，有的甚至距离也接近相等。这种情况说明此地在当时的村落、户数、人口是比较繁荣的，同时也反映出当时辽东农村集族而居、宗法组织势力是很强的。

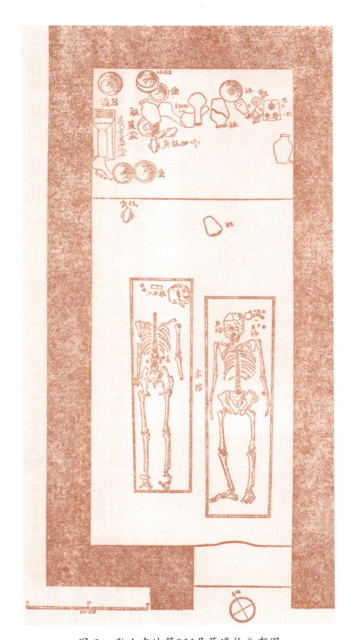

图三　鞍山东地第264号墓遗物分布图

193

（三）辽阳市唐户屯一带墓葬

唐户屯在辽阳市东10公里，面临太子河，东接房身、桑园子，1954年春在这一带修筑太子河堤防工程时发现了大批汉墓（图四）。为了不误工期，乃于5月10日开始清理，至6月29日完工，共计51天，清理了墓葬192座，大都是石椁墓，瓮棺较少，出土文物6200余件。

墓葬分布地带是东西北三面环山，南面太子河，一片由东南向西北延展的新月形冲积土平原。墓葬集中为唐户屯和桑园子两大群，有的分布很密，平均距离三四米，深度多在地下1～2米上下。

石椁墓的构造，主要是用石板支筑墓壁，前留墓门，上盖和地面都平铺石板，用石灰勾缝（图二十一）。单室墓平面多为长方形，复杂的有丁字形、工字形、十字形几种。一般椁室规模不大，平均长约2～3米，宽约1.5～2米右，三四米以上的占绝少数。方向多为南北向，或稍偏东西的南北向，椁内多有板石尸床，放置尸体。尸床的内部为高起的明器台，上放各种陶制明器（图六、图二十二）。墓门前方有斜达地面的斜坡墓道。椁室上方今多垦为田地，已不能判明有无封土，椁内埋葬的人骨以男女两体的为最多，单人葬较少，多至10余体为特例。一般都把尸体旋转放在尸床上，仅有极少的几墓有木棺，根据木板朽灰的痕迹推测，棺板厚约4厘米左右，不用金属棺钉。

遗物以陶制明器为主，多数是生活用具的模型，最常见的有：锅、灶、镂、甑、水井、汲器、瓶、罐、案、俎、杯、盘、奁、盒之类。随葬品有：银、铜指环、琉璃耳饰、玛瑙珠、手镯、骨珠等。金属器物有：铁镢、环头铁刀、铜带钩、铜顶针、小铜印两方，一方为白文篆书"韩口私印"，一方为朱文"公孙口"之印（图七），是这次较贵重的出土物。此外几乎每墓都有钱币，其中以汉"五铢"为最多，新莽"货泉""大泉五十""货布"较少，"小泉直一"仅见一枚。

综合这些墓葬出土的文物，它们的可靠年代大约是由西汉末到东汉，

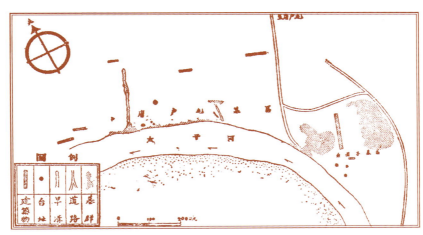

图四　辽阳唐户屯、桑园子古墓分布图

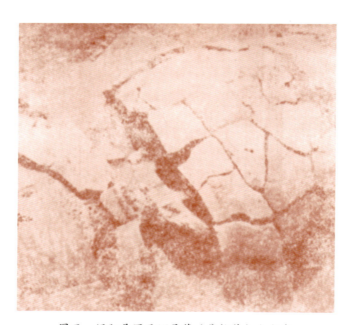

图五　辽阳桑园子15号墓（瓮棺墓）上文字

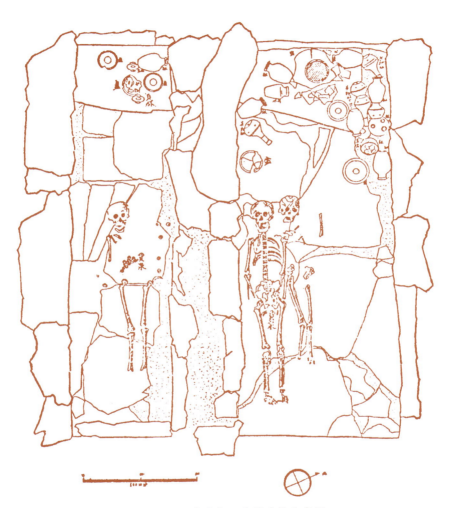

图六　辽阳唐户屯62号墓遗物分布图

图七　左：唐户屯M37号出土铜印　右：唐户屯M146号出土铜印

与辽阳墓葬相比，虽然在当时人民生活上显出有乡村和城市的不同，但大体都是一致的。此外在筑墓材料上有97％用石板，砖墓、木棺墓极少。附近山上现在还有和造墓石板相同的岩脉，可能当时是就地取材，后来这种筑墓方法逐渐发展，终于普遍通行于辽阳附近。这是研究辽阳石椁墓的重要参考资料。

瓮棺墓是专葬小孩的，也多成群地分布在大人墓群附近。构造很不一致，多用几个陶瓮相套接（图二十三），有的也用残破的陶盆、陶甑等来套接或补足。也有的瓮外加筑砖块和石板，成为小墓室。全长约由60厘米至1米上下，瓮径约40～50厘米。使用的陶瓮有两种：一种丹红色，质粗，胎软，有粗粒滑石屑和料，表面有粗绳纹；一种灰，陶质较细，胎薄，无任何花纹。

瓮棺内人骨保存完好的很少，有的只存部分骨头，根据骨头和棺身大小尺寸看，确是儿童墓葬。随葬器绝少，仅发现有环首铁刀、琉璃珠等。

在一个红色绳纹瓮棺口部外，发现有汉代通行的隶书"马甸"二字印文（图五），是决定辽鞍地区这种瓮棺墓葬的年代的有力资料。

（四）辽阳市三道壕汉墓

三道壕在辽阳市北3公里，是太子河左岸的一片平原地带。就在这一带的工地内发现了大批汉墓，经过一个月的时间，发掘清理了墓葬103座。

在103座墓葬中，砖椁墓最多，石椁墓次之，木棺墓和瓮棺墓仅占总数的5％。墓葬的位置杂乱，方向不一，可能是丛葬的"乱葬岗"。椁室的构造平面多为长方形，丁字形、工字形的较少。一般都具备墓门、尸床、明器台。埋葬方式多为单人和双人合葬，通例是头向内接近明器台，足近墓门，仰卧伸展。明器的陈列有的还保存着原有状态，使我们明确了不少器具的使用方法和相互关系（图八）。

出土文物以钱币为最普遍，数量也较多，有汉半两和所谓孔上一横、也有下半星的西汉"五铢"，有新莽的"货泉""货布"，也有四出、剪轮

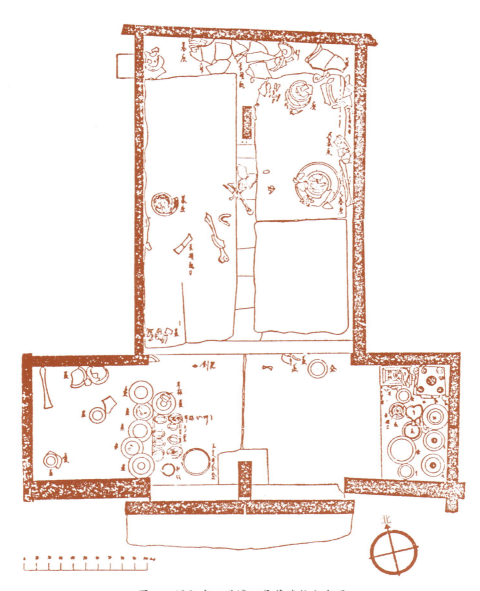

200

北

图八　辽阳市三道壕14号墓遗物分布图

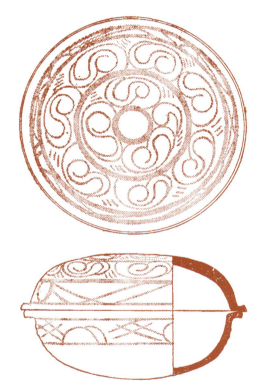

图九　三道壕（LSM）1号墓出土彩绘扣盒

图十 三道壕（LOM）1号墓出土彩绘盖壶

图十一　三道壕27号墓出土陶案年款拓片

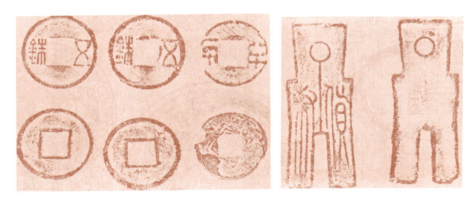

图十二　三道壕40号墓出土货币拓片

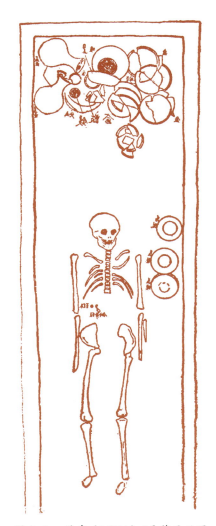

图十三　鹅房（LOM）6号墓平面图

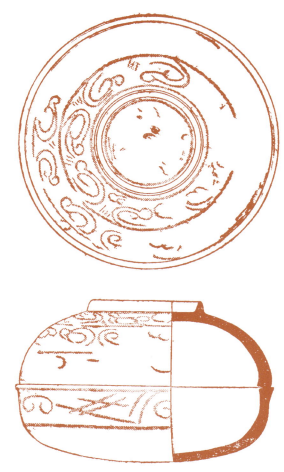

图十四　鹅房（LOM）13号墓彩绘陶盒

和薄小的东汉"五铢"（图十二）。陶明器多井、炉、屋舍和鼎、豆、盘、灶、盒等。其中朱绘陶器5件，花纹工整，尤可珍爱（图九、图十）。漆器数量很少，只存残朽的碎片和铜饰片。装饰品中以耳饰、指环较多，铜镜很少。铁制工具有铁镢1件，铁锸2件，铁刀1件，都是当时的实用品，也是比较重要的历史材料。

永元年款陶案的发现，是前所未有的新例。它出土于石椁墓中，在长方案中心鱼纹的左侧刻画着："永元十七年三月廿六日造作屯（此字可能是瓦字）案大吉常宜酒肉"20个字（图十一），永元是后汉和帝年号，十七年为公元105年，到现在已经1800余年。这一发现，对于鉴定辽鞍地区大批汉墓的年代，提供了出人意外的证据，是极为可喜的收获。

（五）辽阳市鹅房古墓和古窑址

辽阳市东南郊鹅房在挖掘大型灌溉水渠工程中发现了一群墓葬和两座古窑址。经过11天的发掘，清理出墓葬21座，古窑址两座，出土文物652件。

21座墓葬中，有金元时期夫妇合葬木棺墓两座，余为汉代墓葬，其中几座墓很可能是西汉初或更早期的。从建筑材料上分，有土墓、木椁墓、石板墓、砖墓、瓮棺墓五种。以年代论，土墓、木椁墓较早，石墓、砖墓较晚，瓮棺墓的年代因鉴定材料较少，现尚无力作出编年。

在这次的清理发掘工作中，在西汉土墓和东汉石墓下1米余的地层中，发现了更早的墓葬，它的葬法、墓室结构、明器种类和形式都与一般出有"五铢""货泉"等钱币的墓葬的出土品迥然有别。这一发现在鉴定辽鞍地区汉及先汉墓葬的年代上，有了地层上的科学根据。

木椁墓在东北很少发现，即使有，也多保存得不好，看不出详细情况。这次发现的双棺的木椁墓（图十三），外椁用木板，内置双棺，左棺明器放于棺左，右棺下面陈列明器，可能是椁中分上下两格，木棺是放在上格的。在这个墓中出土了明器随葬品等100余件，也是较为丰富的。

出土文物除陶器、货币等最普遍的东西以外，如带钩、铜鐏、朱画陶器

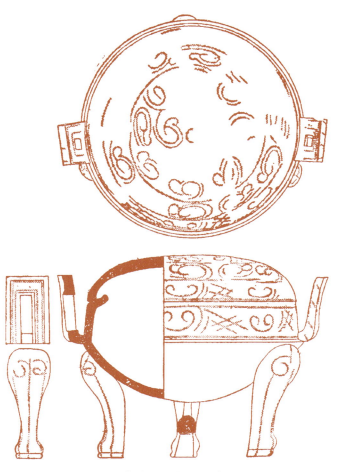

图十五　鹅房（LOM）13号墓彩绘陶鼎

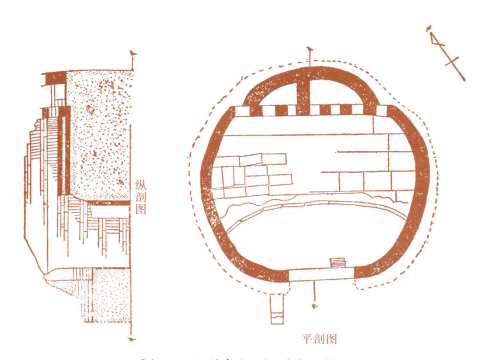

纵剖图

平剖图

209

图十六　辽阳鹅房（LO）1号窑址结构图

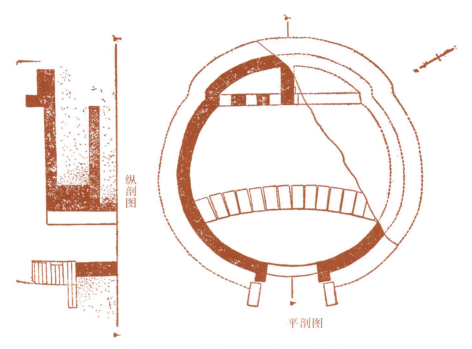

纵剖图

平剖图

图十七　辽阳鹅房（LO）2号窑址结构图

图十八　鞍山市沙河区东地第264号墓墓内人骨

图十九　鞍山市沙河区东地第264号墓砖台上的明器

图二十　辽阳市鹅房采集瓦当

图二十一　辽阳市唐户屯第62号墓墓室外貌

图二十二　辽阳市唐户屯第62号墓石台上的明器

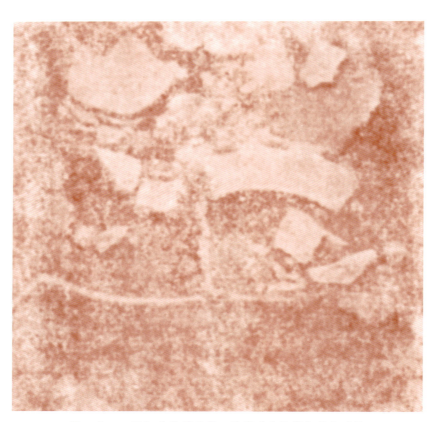

图二十三　辽阳市桑园子第15号墓（瓮棺墓）棺内遗物

（图十四、图十五）等都是比较少见的。附近出土的汉代"千秋万岁"瓦当一个（图二十），也很重要。

两座辽代瓦窑址，都是砖筑圆形，即后世所谓的马蹄式窑。窑门、火膛、窑床，烟道、风孔、烟突基部保存得很完整（图十六、图十七）。在窑址内外出土了不少板瓦和筒瓦，兽面纹瓦当和横带纹板瓦滴水都与辽永庆陵出土的形制、花纹一致，具备着辽代瓦当的普遍性和独特性。并出有五代时期的"开元通宝"钱1枚，白瓷器片3种，这个窑址对辽代窑业情况的了解提供了新资料。

由于这群墓葬和窑址都是分布在辽阳城外附近，而城内从未发现过墓葬，说明秦、汉、辽、金时期的城壁的位置，可能和现在城壁的位置相同或接近，这是考证辽阳城的历史沿革的一个有力的佐证。

（原载《文物参考资料》1955年第3期）

217

辽阳发现的三座壁画古墓

　　辽阳自战国以来就是我国东北地方的政治经济文化中心，汉代为辽东郡首府，是东通乐浪（朝鲜半岛北半部），西连中原的枢纽。几千年来勤劳的先民在这块土地上留下了很多血汗凝积的文化遗迹和遗物，其中较重要的要算汉魏时期的壁画古墓。这种古墓在东北很早就有发现，但在军阀、敌伪和国民党的反动统治下，不是任其自然破坏，就是被日本帝国主义者拆毁①或盗运他处②，国民党军队居然把保存完好的壁画墓当地堡③，来进行反人民的内战。他们破坏了古代人民创造的艺术成果，使先民的劳动遗迹遭到不可弥补的损失。

①辽阳市北园壁画汉墓被日本人拆毁，仅余一部分壁画墓本藏东北博物馆。详细情况见李文信：《辽阳北园汉墓壁画记略》，前沈阳博物院集刊第一期。

②辽阳迎水寺壁画古墓，被日本人拆运旅顺博物馆，壁画久已不存，详情见日本人八木奘三郎：《满洲考古学》。

③辽阳市南林子壁画古墓保存工程修得很好，墓画曾发表于日本杂志《宝云》。国民党军队把墓做了地堡，使其全部遭到了破坏。

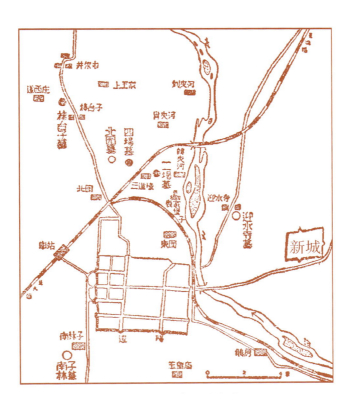

图一　辽阳市附近略图

中华人民共和国成立后，党和政府重视保护古代文物，人民群众对古迹古物也甚为重视和妥善地保护。在辽阳市郊，不但新发现的两座大型壁画古墓在工人们的爱护下保存下来，就是中华人民共和国成立前发现的并已受了一些损失的棒台子壁画汉墓，也都设法加以保护。这些古墓，现在都有专人负责看管，文化部社会文化事业管理局曾派专人指导进行保护工程的施工。下面把这三座壁画古墓的墓室结构、墓内情况、壁画内容等作以概略介绍。

一、棒台子屯壁画古墓

（一）位置

墓在辽阳市西北郊八里，棒台子屯北一里余的平地上（图一）。此地是一望无际的冲积平原，只有古墓封土异常高大，村民不知它是什么，就都称作"大青堆子"。1944年秋，村民在此取土露出石室，才知是古墓。当时不断有人入内观看，中华人民共和国成立后才把破口封闭，派人看管。距它一里多的东北、东和东南三方各有和它相似的大土丘，也很可能是古墓封土，所以一并加以保护，以待将来发掘调查。

（二）结构

这座墓的封土，略作钝方锥或截头方锥形，存高7米，底边每面长22米。墓门方向为东偏南10度上下。椁室用淡青色大块石灰质板岩支筑，石板打制方正，表面为打开裂面，极为光滑。墓门石柱4根，石扉3扇，封闭固灰极为严密。四周石板为壁，顶加石条横枋，上下也铺盖石板，都用石灰勾缝。椁室中央并排纵列石板组棺3口，外围回廊，左右后3方各有突出小室1间，筑造得很整齐牢固。计左右宽8米，前后深约6.6米。室内地面微有积土，上达盖石约1.4米，室盖高度约略与耕地平面相等。后左角盖石有一大破孔，进土很多，当是被盗的遗迹（图二）。

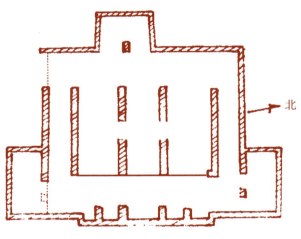

北

图二　棒台子壁画墓平面图

221

（三）壁画

石椁里面的主要壁面都有墨廓五彩壁画，内容有门卒、饮食、出行、宅第、庖厨各节。有的一壁表现一个主题内容，有的几壁连画一个内容，也有一壁的画面上下分属于两个主题的，还有几壁很好的壁面却没有画什么。

1. 门卒图　门卒二人分画于墓门中部两立柱的外面。门犬两双，画在两柱相对的里面。柱高1米余，左柱宽24厘米，右柱宽53厘米。两方门卒门犬的姿势、身段、动态以及服饰器物都约略相同。

门卒作武士装束，头戴红白帻，着朱红袍，深绿领袖。右手持长方形盾，左执环首长刀，刀环系有红缨。浓眉大眼，白齿朱唇，须眉直立，面外立，丰神极为威猛（图版一、图三）。守门双犬，黑线轮廓，粉白身躯，耳、目、口、鼻用朱红勾画。瘦身长腿，细颈竖耳，肌肉块块凸起，劲健有力。颈系红绳，张口向门外作嚎叫状，仿佛像听到它俩猖猖狂吠（图版二）。

2. 杂技图　杂技两图分画在墓门内左右两壁上，布局构图大致相同，表演的节目却不完全一样。这两壁杂技图在全部结构上看是与饮食图相配合的，即主人一面饮食，一面观赏杂技，所以两图中表演的艺人都面向着左右小室中床上高坐的主人。右壁高130厘米，壁面横长200厘米。画23人，都面向右方表演。

上段横列一席，面向右坐歌手五人，戴黑帻，穿杂色衣，二人手持短杖。第一人和第三人席前列圆案，各盛耳杯四件。席前端立红色鼓，下连木座，上树白盖，盖上立1鸟。次一席坐乐师四人，均黑帻长袍。三人分奏琵琶、洞箫和筝或琴瑟，另一人所持乐器已漫漶不清，席前三圆案，中盛杯箸。中段左起一妇人面右向坐方席上，顶梳高髻，裙带飞舞，左手执短杖作指挥状，前置杯案。次一人倒立前行，一人化装兽走，后竖长尾。双丫髻红衣女童五人协助表演。次一女童服饰相同，在黑漆朱彩细腰鼓腔式木台上作弓腰反立，衣带髻发都如随风飘动。次一短柱状木台，旁放草束，一人

图三　门卒

图四　门犬

图五　杂技图

图六　乐伎图

在台下袒背跪地，左腕系红带欲有表演。下段左起舞盘者一人，两细杆旋弄一大盘，盘中置耳杯一双。次舞轮舞跳丸者各一人（图版三、四），均黑帻襦衣。旁一露背人张手注意飞丸。这23人都有各自的表演动态和神情（图五）。

左壁高宽尺寸，画面布置大致与右壁略同，也画杂技一图，计26人都面向左方表演。

上段横列二席，前席跪坐女乐工五人，梳高髻穿杂色衣裙。弹琴、吹洞箫、奏琵琶的各一人，二人张手作势，前置内盛杯箸的圆案三件（图版五、图六）。次一席跪坐歌手五人，都头戴朱顶黑帻，朱色衣黑白领袖。席前置杯盘两件。席左端一树鼓，形式花饰和右壁的相同。鼓后一壮汉着短裤（犊鼻）腕系红带，欲有表演。中段右起一妇人坐方席上执杖指挥，前方表演兽走倒立的各一人，助演的丫髻红衣女童四人。次裸背男子二人相对弄红色圆形器，画面模糊。次一人形象不清。次丫髻红衣女童在细腰木台上做反弓表演。次一裸背壮汉面右半跪，右臂系红带，左手平托长铜链一条，似与鼓后壮汉相呼应。下段舞轮的一人，仰面上视飞轮。另二人正在表演，但舞弄的事物已模糊。两壁表演的节目虽相差无几，但姿态神情的描写却又都有不同。

3. 饮食图　饮食图两幅，分画于左右小室壁间，图像比较高大，都表现的是主人坐受饮食。右小室右壁高120厘米，长193厘米。共画四人：

壁中内一伟壮男子，黑帻红袍，黑绿领袖，白中单衣。面左坐床上，后有屏幛，前设短榻和方案食器。榻前依次跪进饮食三人，一人捧盘进耳杯，一进大盘，一执瓢勺；都黑帻长袍，态度谨肃。屏后侍立二人，仅露胸腹以上，均黑帻长袍。一人抱红色物似装弓的鞬盒（图七）。

左小室左壁的高宽尺寸和右小室略同，共画六人：

一男子黑帻红袍面左拱手傲然坐床上。短榻前一人跪陈食器，后有三人依次跪进食品，榻左一人执盘进耳杯。床屏后侍立三人，一拱手立，一抱弓鞬，一执团扇（图八）。这些进食和侍立的人，都头戴黑帻，穿灰黑色长

图七　饮食图

图八 饮食图

228

袍，形象较主人稍小。

这两壁图像中人物的眉目有些模糊。

4. 出行图　全图分画于右廊的左右后三壁及左廊左壁。壁高122厘米多，最长的为270厘米。除右廊后壁外，每壁都分上下两段横画，有的中加朱红粗线为界栏，所画车骑导从次第如下：

队前黑帻长袍骑吏七人，一在路中，六在两侧，次戴兜鍪穿铁甲骑执长旗的五人为横队。次黑帻长袍骑吏在路中。次约三四人模糊不清。次黑襦衣三尖帽作奔跑状的十八人，稍后二人装束相同。次黑帻长袍骑吏在路中。次戴兜鍪衣甲骑执长矛十人，执朱黑两色长旗的二人。次黄钺车一辆，车上树大斧，车后斜插棨戟二支。次鼓车一辆，车上立大鼓，上加圆盖，后出二长枝缀红缨为饰（图版六）；车后余插二物已模糊。次金钲车一辆，车上方架悬一钟，车后斜插棨戟（图九）。三车均各红马，一人坐，一人驾车，一人随行。次黑帻长袍骑吏五人，前三后二（图版七）。次执长兵甲骑士二人，徒步持物随从四人。次骑吏四人衣帽与前节同。次路侧两两相对骑士共四人，各执长矛。次黑盖车一辆，驾三马，二人坐一人驾车，车旁随行二人，车后骑从二人。次仪仗骑士三人为横排，右曲柄华盖，中黑幢，左朱色长旗。次执长矛骑士四人。次黑帻长袍骑吏七人，五人为横队，前后各一骑。次仗马一匹，身被鞍具，朱绳束尾，作奔驰状（图版八、图十）。次骑吏二人在路左右，白盖车一辆，一人坐一人驾车；后随骑从五人，前后两两相对，中一骑在路中央。次一车驾红马，仅存马腹及车轮。闪白盖车一辆，驾红马，一人坐一人驾车，左方人物像已模糊（图版九）。次红马白盖车一辆，坐二人均着黑帻。次黑盖有帷单耳车一辆，驾三马，坐一人，一人驾车（图十一）；车前右方一人已模糊，后左方骑马抱鞭随从一人。次骑士十六人，其中执曲盖及朱色长旗各一人。次骑士五人，前三后二。次黑盖车一辆，车夫在马右牵行（图十二）；左右随从二人，车后持物随从二人，一黑帽长袍束带，一红帽短衣。次从吏三骑在前，执红缨长矛骑士三人在后。次红帽骑士一人，次头戴红缨兜鍪执朱红长旗甲士四人。次骑士一人在前，

229

1.金钲车　　　　　　　2.鼓车　　　　　　3.黄钺车

图九　　出行图

图十　　仗马图

图十一　　帷车图

图十二　　黑盖车

图十三　　楼阁水井图

十二人横排在后。次一段画面模糊，仅见人马痕迹。根据明了画面统计全队：人173名，马127匹，车10辆，矛、戟、幢、盖、棨戟、旗帜等数目也不少。

5. 宅第图　画于后廊后左壁，壁高125厘米，北半部为积土侵损，所存部分的下半也较模糊。

庑殿式三层高楼一座，位于中央，黑盖红柱枋、白窗扇。楼下左向有石阶四五层，楼顶有白红黑色高大装饰物。楼左后方存屋舍一部分，灰盖红柱黑墙，还能辨认清楚。楼右前方存朱色井亭一座，两柱支亭盖，盖下有辘轳垂长绳，下部已模糊（图十三）。

6. 庖厨图　画于后小室的右、后、左三壁；壁高110厘米，各宽112～153厘米。

右壁画双釜长方灶一座，丫髻长袍女子双手取器于灶台上。左方庑殿式盖木橱一座，一丫髻女子正在开门，内露黑壶一部分；橱足旁有黑盆二。灶前四足大木方盘一，筒状圆器三，叠置四足方案四，四足圆案五，圆筐笼一，黑色铁镬二（图十四）。后壁上边画一横枋，枋上铁钩十一个，分悬龟、兽首、鹅、双雉、双鸟、猴、心肺、猪子、干鱼、鲜鱼等。下第一排从左起画一长袍人在方架上榨汁，架下以盆盛之，旁有铁镬。次一人面右坐，前置方案，旁一圆案，正在调理食物，对面坐女子二人也在操作。次二人对面坐，前各有方案及圆案，旁有四节长方盖盒，一人背后置黑盆。第二排左端一人在桌上取筐篮，身后一铁镬。次一人坐水桶旁洗一圆器，背后四足圆案一。次一人黑帻长袍坐方炉旁，双手持穿物铁棍烤炙食品，背后放一大木盘。第三排左一人坐地，次一人跪铁镬前以杵捣物。次一人席地坐，一人黑帻长袍正在圆盆中脱鸭毛，右侧笼中仍有活鸭三只，对面一人黑帻短衣双手捧物前来（图十五）。左壁右上角一黑帻短衣束带人，手持长刀肢解一兽。下一黑帻长袍束带人弯腰在俎上细切肠肉，左有方盘盛之，背后一人抱物前来。中央立一高竿，顶二横竿满挂肠胃肉块，一男子两手持长竿勾取，男子背后一狗踞地仰望架上肉，馋涎欲滴。次黑帻短衣男子双手握角牵一牛至大铁镬前，牛似驻足不前；镬右短足方案上置一肥猪，绳束四足；旁一短衣壮

图十四 庖厨图

图十五　庖厨图

233

图十六　庖厨图

汉斜持木杆，似在准备屠宰猪牛用具（图十六）。计庖厨中22人，包括屠宰、烹饪、清理整顿器什等一系列工作；食物种类，器具形式，处理和烹调方法等也都得到了很细致很具体的表现。

7. 云气装饰图　画于盖石、壁端、棺头及壁画边缘部分。

前廊藻井画日月云气。壁端画垂壁云气。色彩多种都极为鲜明，笔姿如云行水流，非常雅健。棺头在黑地上横画粗细线蟠虺式云纹，几和当时漆器纹饰相近，达到了高度的装饰目的（图版十、十一）。

二、三道壕窑业第四现场壁画古墓

（一）位置

此墓是1951年夏窑厂工人取土中发现的，不久文化部社会文化事业管理局派专人偕同地方有关机关封闭破孔，复原封土，并托人看管保护。墓在辽阳市北郊约6里窑厂第四现场取土场中。其东北45度方向约3里为萧夹河屯。北西约2里有过去已被日本人破坏的北园壁画汉墓，再西北3里许即前面所说的棒台子墓。东南50°角约500米为长大线铁路，路东不远有后记令支令张某墓。这一带是太子河左岸平原地带，地上散布着不少由战国到汉魏时期的陶器片和瓦片，瓦片中有花瓣卷须纹汉式瓦当。附近地下也发现有汉魏时期的砖石墓葬。

（二）结构

墓室四周土层均被取走，墓室上现存土厚180厘米，似乎比别处地面高一些，上面仍有漫圆痕迹，当是封土的残遗。墓门方向为南偏东15°上下。总计椁室左右宽413厘米，前后长336厘米，室内高120厘米。椁室用青色大块石灰岩石板支筑，石灰勾缝。内分为前廊一，左右小室二，棺室二；建筑得很匀称整齐，墓门在前壁中部，正中一方柱，分门为左右两洞，从外面用

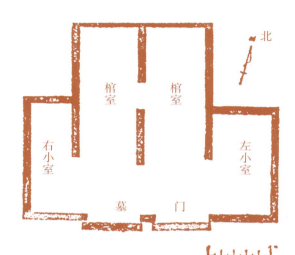

北

棺室　棺室

右小室　左小室

墓　门

图十七　辽阳三道壕窑业第四现场发现的壁画墓平面图

大石板封闭。前廊横宽236厘米，进深103厘米。前廊左右两端各连一小长方室；右室中加横石板，分为上下两层，宽81厘米，长194厘米；左室没有横板，宽96厘米，长192厘米。左右两小室之间为两个棺室，共横宽201厘米，纵长233厘米。中央纵立二大石板为壁，上加断面如柱斗状长方石条，负荷盖石。棺盖已部分破碎，由棺盖达墓室盖石为72厘米。一扇墓门上部破坏成一大孔，当是早已被盗的证明（图十七）。

（三）壁画

左右小室各壁及右棺室右壁和前廊藻井均有壁画，其余各壁虽然壁面宽大，但却都没有壁画，壁画用朱、赭、黄、绿、青、白、黄各色，都直接画于石板壁面上，有的很鲜明，也有模糊的部分。画面上下边都有红色粗线为界栏。

1. 家居饮食图 以左小室左壁为中心，向前后右三壁展开，完成这个主题。壁高120厘米，壁面全长474厘米。

左壁画男女二人，类似夫妇对坐饮食，堂上高悬朱色帷幕。男子黑帻长袍白中衣拱手坐方床上，前设短几，几上右端倒插毛笔一支。背后有屏障，后立侍者二人，均黑帻长袍，右捧黄包袱，左抱红色弓鞬。对面床上坐一妇人，头戴簪帼，红色耳饰，红花衣白素裙，前置圆案，中放食器多件。后设屏风，屏后一女侍高髻长袍，左手执团扇，似在打扇，下身形象模糊。二床间立一高髻长袍女侍，左手执盘向男主人送杯，扬右手面向女主人，似有所语（图十八）。男主人背后（小室前壁）另一男子也面向右，黑帻长袍，黑绿领袖，拱手端坐，后有屏风。面前一高髻长袍女侍，右手执器进食，下部画面已为积土所掩（图十九）。女主人背后（小室后壁）朱幕下一男子面向左方，黑帻长袍拱坐方床上，前设短几，上有圆案，盛耳杯多件，后围屏障，屏后高髻女侍二人，前一人正在打扇，后一人拱手立，二人下身画面渐模糊（图二十）。复次（小室右壁）高悬朱幕下，一高髻妇人衣巾坐方席上，前设圆案耳杯诸食器。后一女侍高髻长巾，左手举团扇（图二十一）。

图十八

图十九

图二十

图二十一

图二十二　庖厨图

图二十三

图二十四　　　　　　　　　　　　图二十五

图二十六　　　　　　　　　图二十七　载瓮车

图二十八　骑吏图

图二十九　车图

239

全部壁面画5男8女计13人。

2. 庖厨图　画于右小室右壁后半部及后壁全部，分上下二层，每层画面高约50厘米，右壁长约100厘米，后壁81厘米。

右壁上层画面分作两部：上部画一横木枋，有铁钩八双，依次挂猪头、豚肩、猪肚、双兔、双雉、干鱼、圆壶、鲜鱼。下部后方二人面向墓门立，均黑帻青衣，双手执物在圆器横板上操作（图二十二）。对面三人成一列，衣帽相同，均各持器物在劳动，唯下半身为横石板所掩。右壁下层画一长形有脚木架，架上横排圆底大陶瓮五件，瓮外有绳索或藤竹捆缚，下有圆垫。这些厨库中的陶瓮，当是盛藏油脂酱菜和酒浆盐豉用的。后壁上层画一男人只露腰部以下，黑帻淡青衣，正在劳作。下层画面分为三部分：左方一高髻绿袍女子在井上挽绳汲水，姿态动作熟练自然。黄色方形井栏，树双柱上建井亭，二柱间有细腰辘轳。绳系水桶尚在井栏上。右方地上放一黑色盛水器（图二十三）。中央上方画黑衣白裤女子二人，用有脚木架抬一大黑器，前方女子回头似有所语。下方一黑帻白衣人双手高举黄色风轮状物，似在操作，面前有黑色物品一堆（图二十四）。右方一黄色锅灶，上有黑色大蒸器一，小镀三件，二男子一在灶上操作，一伏地向灶口内架柴，均着黑缘短衣。稍下一黑器上置木架，架上放一黄色圆器，似在过滤食物（图二十五）。计全画男女十二人，食物八品，井灶各一，器什十五种。

3. 出行车马图　画于右小室前壁和右壁前半段及右棺室右壁。画面高38~60厘米，全长370厘米。

右小室前壁（墓门右壁）上段，人物车马面向左行。前黑帻导骑四人分在路两侧，前二骑右黄左紫马，后左黑右红马。次黑盖车一辆驾黄马，一人坐一人驾车（图二十六）。次二骑在路两侧，左白右黑马，骑吏皆黑帻白袍。次无盖小车一辆，御者黑帻白衣，驾黄马后载二瓮（图二十七）。次朱红马驾一车，黑轮黄车帷，车上载有圆形物，但已朱墨模糊难于辨认。右棺室右壁车马人物面向墓门。首骑吏二人皆平帻红衣白裤，左手持短杖状物，右红左白马，夹道前驱。次二骑左紫右黄马，骑吏皆红衣白裤，戴黑缨朱红帽，各执戟。次驾紫马黑盖车一辆，坐黑帻朱衣人一，一黑帻红衣人御，当是男主人车。次从骑二人在路两侧，右白马左紫红马，人皆黑帻黑衣，左手抱鞭从行（图二十八）。次黄牛黑轮红车一辆，一黑帽黑衣白裤人，在牛右持鞭御；右一人头戴黑色牛心帻，白襦紫裤，左一人黑牛心帻白襦紫裤，皆左手执杖夹毂从行（图二十九）。此当是女主人车。全画计人像二十，车乘五辆，马牛十七匹。

4.门卒及藻井装饰图　画于墓门右方壁及前廊藻井和柱头。

门卒作武士装束，像较高大，但上部为坍塌的石板所掩，下部被积土遮盖，形态不能全部明了。前廊藻井画日月云气图，色彩多脱淡。棺室中央壁上石枋头，上宽下窄如柱斗形，上画张口露齿的兽面一，极为生动。此种兽面图纹不但和一般常见的汉器上的兽面纹不同，与后世尤其是与高句丽的兽面瓦当图纹相近，而且出现于古墓壁画中也是新例。

三、三道壕窑业第二现场令支令张君墓

（一）位置

此墓是1953年7月间窑工取土时发现的。位置在辽阳市北郊约5里的三道壕屯辽阳窑厂第二现场取土场南部。西距长大铁路线约300余米，东到太子河岸约三里许。此地是太子河西的一片冲积平地，到处都是大田地，近年窑场取土，在附近已经发现了数量不多的砖墓和数以百计密集着的瓮棺墓群。地面上还散布不少由汉魏到辽金时期的陶器片和砖瓦片；在出土量的比重上，汉魏时期的较多，云纹瓦当尤惹人注意。由此地西北去过铁路不远就是第四现场壁画墓，再西北不远接连着就是北园和棒台子两壁画墓。

（二）结构

墓室顶上距耕地表面为180厘米，四围的泥土已被取走，因而不能判断墓上有无原来封土的遗存。墓门方向为北偏东12度。墓椁室系大块淡青石板支筑，石灰勾缝。室内分为前廊一，左廊一，右小室一，棺室二，建筑得很整齐；总计前后长344厘米，左右宽362厘米。墓门在前壁中部，正中方石柱顶有栌斗，上架门楣，下横门限，分门为二洞，两扇石板封闭严密。横宽的前廊，左端横向突出44厘米，右端突出63厘米，别成一小室，地面铺石较前廊铺石高29厘米。二棺室前端都立有高20厘米的石板，二棺室之间的石壁上部中段，留有方形空隙如一小窗，壁上加长石枋承托盖石。棺底铺石较前廊地面高16厘米。棺后头即以椁室后壁为壁，不另立石板。棺上不见有棺盖的遗存或可以搭盖棺盖的痕迹，如果无棺盖就只好称为尸床了。左廊宽窄形式与地面高度都和棺室相同，只是前端无立石，要据建筑全体情况推测，似乎当时也是计划作一棺室的（图三十）。

椁室勾缝石灰有些脱落漏水，因而墓内存有淤泥浮土，前廊土厚50厘米，右小室及棺室内土厚20~30厘米。二棺室都铺有石灰一层，厚约1厘米强。右棺有人骨二架，左棺一架，都头北足南作仰面伸展姿势。头骨附近置有大块石灰一块，作元宝形。为保存壁画清除接近壁画的淤土时，在前廊和右小室内发现有陶罐和陶鍑，右棺床上有铜带钩，都没有搅动，以备将来正式开掘时再行记录。

（三）壁画

右小室的前、右、后三壁和墓门左壁都有壁画。画用墨线为廓，填以朱、黄、赭、紫、粉红、淡黄各色，有的画面比较鲜明，有的已模糊不清。左廊左壁上仅存朱墨痕迹，图像多已不能辨认明白了。各壁图面上下都有朱色界栏，下线距墓室地面约10~20厘米不等。

1. 人马图　画于右小室前壁，壁高90厘米，宽75厘米。画分上中下层。

上层前端画鞍马一匹，马头上有方旗形物，背上似负巨囊；后随马夫一人，淡红帻、朱色短衣、粉红裤。次鞍马两匹，负有物品，随行黄衣马夫一人，回顾后方似有呼应。次红色大马一匹，鞍勒俱全，神形骏伟。次较小鞍

图三十　三道壕窑业二场墓平面、剖面图

马一匹，画面稍模糊。次鞍马两匹，姿态与前同。次有画已漫灭不清。依现存画面计算，共画鞍马六匹，马夫两名。

2. 家居图　画于右小室右壁及后壁。壁高85厘米，全长175厘米，画面高45厘米。

全壁画堂屋三间，中隔双柱。右柱上加大型栌斗，下有伏兽形柱础。每间都帷幕高悬，下垂结帷的朱带两三个不等。右间画一男子，浓眉巨目，略有髭须，戴黑色三梁冠，穿深红袍，黑绿领袖，面左坐方床上，当是男主人。前设短几，后围屏障。床右地上放黑鞋一双，床左立一小侍捧杯进饮食。背后有墨笔隶书题字两行，第一行四字，第二行三字，为"□令支令张□□"，第一字模糊不清，上存山头似巍字，张后二字仅存灰淡墨色。中间方床上与男子对面坐一妇人，头梳高髻，前加花饰，后插垂饰发簪，面貌清楚，衣巾已模糊。床前设短几，床左地上有红鞋一双，床右前角放一圆桶形食器（斛），上置一小红耳杯。旁一双髻女侍捧盘进食，面目衣服已模糊。背后柱上有墨笔隶书"□夫人"三字，第一字上半已模糊，下存木字极清楚，似是乐或柴字。柱后一女童，仅存面影。左间一妇人面右坐方床上，高髻插花，后有曲簪垂长饰。红中单，赭红上衣，白绿领袖；黄巾有花瓣状纹。前一丫髻女童，捧盘进饮食。后一执扇小侍仅存形迹。背后题墨笔隶书"公孙夫人"四字，点画极清楚。全画计画男主人一，二妇人，男女小侍五人（图三十一）。

3. 庖厨图　画于墓门左壁，壁高150厘米，宽130厘米，仅存一小部分。

上部一横枋，悬挂各种食物，仅存二鱼、二鸟、一不等边四边形物，不知是何食品。

四、年代的估计

这三座壁画古墓是什么时代的遗构？在尚未发掘清理研究以前，还不能作出答案。但是，我们根据古墓分布、椁室构造，壁画所表现的制度内容和

图三十一　家居图

技法风格，以及与各地发现时代明确的壁画古墓进行比较，约略的年代还是可以估计的。

首先从古墓分布上看，这三座墓都分布在辽阳市北郊，太子河左岸肥沃平原上，又都是在以北园壁画汉墓为中心的二三里以内，河东迎水寺早年发现的壁画古墓也应属于这个分布区。南郊几十年来也曾发现过为数不少的古墓，但壁画墓则仅有南林子壁画墓一座，与北郊成群分布的情况迥然不同。它们椁室结构规模虽有繁简大小的不同，但用材、构造和营造手法则可说是完全一致。如像都用淡青色石灰岩板、支筑、石灰勾缝、椁室平面略呈方形，都有相同的水平式盖顶和底石，都具备两洞墓门、前廊、附室、棺室等主要成分。从壁画全部构成的主题上看，都有家居饮食，出行车马，厨房宰割；不过有的椁室规模较大，壁画内容较多，增加了杂技、宅院和为数很多的仪仗车骑。这当是官阶地位不同的差异，怕不是时代先后的表征。由绘画技法上说，各墓相同的主题，多取相同的构图和表现法；家居饮食图都方床对坐，短几陈食，屏风曲列，帷幕高悬，童侍进食打扇；庖厨图都横枋钩悬海陆食品，宰割蒸炙，多人忙碌；出行车骑图都前导后从，童侍夹持。这些生活内容上表现的变革不大，标志着这三座古墓的年代距离不会是很远的。

棒台子墓的年代，可由壁画的内证来说明。墓画的车骑仪仗图中有金钲车、黄钺车，黄门鼓车各一辆，这是汉代封建统治皇帝和他的高级官吏将军们出行时，仪仗队中才能有的车辆[1]。家居饮食图中男主人和侍者都头戴黑帻而无冠，其他各图中的男子也都如此，据汉人文献记载[2]，这种在冠下韬裹乱发的帻，由西汉中期开始流行，新莽时正式完成，东汉末期，人喜简易，又多单戴帻而不加冠了。从壁画人物冠服神情和线条色调上看，特别是

①见《后汉书·舆服志》五二卷《景丹传》南繿战李贤注引《续汉书》。
②见东汉蔡邕《独断》。
③壁画摹本在北京历史博物馆陈列过；详细情况见姚鉴：《河北望都县汉墓的墓室结构和壁画》，《文物参考资料》1954年第12期。

门卒和门犬，和河北省望都县发现可能是后汉浮阳侯孙程墓③的壁画极为近似。由墓画内的楼阁、杂伎、车骑、仪仗、冠服、器什上看，又与南二里余北园发现题有汉代字样的古墓壁画有些不同，而此墓壁画在技法上则较为进步。如像楼阁、方形器物、人物像等构图，已不像前墓，只描绘对象单纯的侧影，而采取了更进步的与描写物面成种种角度，能很正确地表示出远近深度的画法了。这些情况都证明这座墓葬的年代当在东汉晚期，也可能再稍晚一些，但不会晚得很远。

三道壕窑业第四现场墓规模虽小，但壁画从内容到形式以及所反映的文物制度，大致是和棒台子墓的年代极为接近的；虽然我们还不能肯定它们谁先谁后或在同时。两墓壁画在服装上：男子头帻相同，妇女发髻近似，衣着也都近乎一致；在仪式上：都有童侍执扇、抱鞯、棨戟导引；在生活资料上：井亭建筑结构一致，锅灶器皿造型多同；这都是两墓时代接近的有力证据。此外有此墓壁画中独有而别墓不见的两事：一为驾牛的圆篷车，一为妇女头髻上的发帼；这也正是汉代流行的事物①。墓地上出土不少汉代铁器、陶瓦片和花瓣卷须纹瓦当，可知墓葬是埋在汉代的居住遗址上，也足以证明墓葬是汉代晚期的。

三道壕窑业第二现场令支令张某墓，墓室规模和建筑手法结构等都和四场墓仿佛，但壁画画面和内容较少。在画法上墨线粗豪，色彩简单，与前两墓的壁画风格不同；男主人戴三梁冠，两夫人发髻前都有大型花饰，后插曲头簪连垂长饰；都显然与前二墓壁画中表现的男女服饰有些不同。男女对坐间木柱下有兽形础，汉代墓葬建筑中曾发现过这种法式②。题字隶书点画方劲，略近楷法，代表着书法上隶楷过渡期的风格。公孙氏是辽东大族，曾做过由东汉到三国时期辽东地方最高统治者③，墓主人可能与这一统治集团有

247

---

①见汉刘熙《释名》的释车和释首饰。
②四川德阳县黄许镇汉墓，实测图见《文物参考资料》1954年第3期。
③见《三国志·魏志》卷八《公孙度传》。

关。令支令上一字似巍，以巍作魏是汉魏人书迹中常见的事，如果这个推测不错，那么这位令支县县官毫无疑问算是魏人；但他死葬时期，即坟墓营建时期也有稍晚的可能。

这些年代的估计，是从形式上观察，是根据部分偶同的类比，所得结论是不能很正确的，只算一个初步的推测。

五、壁画的文化价值

过去研究汉代社会生活和绘画史的人，所用材料除文献外，通常不外乎：石阙、享堂、墓室的画像石刻，各地古墓出土的画砖、花纹瓦和造像砖、彩画漆器和彩画陶器，绫锦、刺绣残片等。这些材料虽然具体，但不全面，有的在性质上又和绘画迥不相同，算得上绘画的不是太小就是大部模糊。较好的材料是辽宁旅大市营城子古墓壁画①，但又简略不着色，内容很单纯，不能更多地表现汉画作风，也未较多地反映当时社会生活，但辽阳发现的这些古墓壁画恰能弥补这缺点。

这三座古墓的壁画是汉魏封建社会一部分统治阶级的生活写照，它另一方面也表现了一些人民群众的劳动形象；增加了探讨汉魏时代社会生活、文物制度的具体而又丰富的材料；这些无名的人民画家的创作，给上古绘画史的研究提供了前所未有的知识。

通过这些壁画内容，可以了解当时贵族豪门在"宫室、舆马、衣服、器械、丧祭、食饮、声色、玩好"②各方面穷奢极侈的生活情况。看！他们的宅第是："饰宫室，增台榭、梓匠斫巨为小，以圆为方，上成云气，下成山林"③；出行车马是："连车列骑，骖贰辎軿，慎耳银镊鞥，黄金琅勒，

①见日本东亚考古学会：《营城子》。
②汉桓宽：《盐铁论·散不足篇》。
③同上注《通有篇》。
④同上注《散不足篇》。

阘绣弇汗，垂珥胡鲜"④；服饰是："绤绣罗纨，素绨锦水，皮衣朱貉，繁露环珮"①；器用是："补绣帷幄，涂屏错踦，银口黄耳，金罍玉钟"②；饮食是："羔豚杀胎，扁皮黄口，春鹅秋雏，冬葵温韭"③；声色玩好的享受是："铜鼓五乐，歌儿数曹，鸣竽调瑟，郑仵赵讴"④；他们死后的墓中是："绣墙题凑，梓宫楩椁，厚资多藏，器物如生人，偶车橹轮，桐人衣纨绨"⑤；墓上又："积土成山，列树成林，台榭连阁，集观增楼"⑥。他们这种："目修于五色，耳营于五音，体极轻薄，口极甘脆，功积于无用，财尽于不急"⑦的大量浪费和消耗，迫使百姓陷于贫困，越发形成了"富者田连阡陌，贫者亡立锥之地"⑧，"厨有肥肉，国有饥民，厩有肥马，路有馁人"⑨的贫富对立。贫不聊生的人民不得不起而斗争，就形成了"富贵奢侈，贫贱篡杀⑩"，用当时统治者的口吻说来是："有大路龙旗，羽盖垂绥，结驷连骑，则必有穿窬拊楗，柏墓逾备之奸"⑪，最后引起农民起义是可以理解的。这几座封土高大，建筑雄伟，壁画富丽的坟墓，它的形象记载岂不是比文献记录更细致，更有声有色，更为可贵。

三墓壁画都是连壁大作，它丰富的内容，复杂的构图，多样的彩色，十分生动而具体地反映了当时一些生活和事物。举凡起居饮食、出行车骑、仪卫乐舞、屋舍建筑以及庖厨器什、装束服饰无不应有尽有。如家居饮食图：朱幕高悬，画屏曲列，男女对坐，婢仆传食，再加上耳杯、瓢勺、毛笔、团扇、盘、案等日用器物，逼真地传出了当时贵族家庭生活气氛；也为研究

①汉桓宽：《盐铁论·散不足篇》。
②同上注《散不足篇》。
③同上注《散不足篇》。
④同上注《散不足篇》。
⑤同上注《散不足篇》。
⑥同上注《散不足篇》。
⑦同上注《散不足篇》。
⑧《汉书》卷二十四上《食货志》董仲舒语。
⑨汉桓宽：《盐铁论·园池篇》。
⑩前书《国病篇》。
⑪汉刘安：《淮南子·齐俗训》。

当时生活习惯和器物学提供了资料。出行的车骑图：包括了高车、轺车、轩车、金钲车、黄钺车、鼓车和搬运东西的辎车；车前伍伯，夹毂童侍，车后骑奴，以及飞轮、扇汗、叉毛、繁尾等车马上的装饰。也有步盾、环刀、棨戟、大樂、华盖、长旗、兜鍪、铁衣等武器和仪仗。这种连骑结队，喧阗道路的气势，真像一幅统治帝王出行的卤簿图，又仿佛像是刘昭后汉舆服志里的插画。杂伎图：可以考见当时管弦乐队的组织和箫琴、琵琶、树鼓等乐器的形制；而旋盘、舞轮、跳丸、倒立、兽走、反弓等表演节目，是我国杂技史上卓越成就的具体形象。这些壁画保存了不少装束服饰上的研究材料：男子的冠帻长袍，宽袖大带；妇人的花衣长裙、巾帼、耳珰、步摇；苍头的牛心帻、短襦衣；以及舞女丫髻低垂，乐人彩衣拂地；无不形色逼真地反映了当时的有关制度。至于庖厨中的鱼、肉、雉、兔等鲜猎食物；宰猪、锥牛、解兽、褪鸭，切肉、炙燔、舂粉、沥汁、汲水、加薪、涤器等动作；井、灶、锅、镬、甑、盆、笼、篮、壶、盒刀、俎等割烹工具，无不具备，画出了历代画家所未有或不敢表现的题材，构成了汉魏社会生活细节上最生动的一段小景。

　　毫无疑问，这些壁画对上古文化史的研究是很有益处的。

　　这三座古墓壁画的艺术价值也是很高的，可说是古典现实主义的杰出作品。这些无名画家们用极简练精确的手法，极真实的形象，概括有力地把墓主人重要生活部分表现出来。从壁画的布局和结构上说，它既有变化而又紧密统一，有的几壁连成一个主题，有的一壁分画两层，还有的一壁包括两个内容的；虽然如此，却丝毫无损于主题的完整性和明确性。他们善于处理大群人像和多样事物，也掌握了每个人的感情和特征，而且恰如其分地给以形象；各种动态的描写和互相呼应的精神表现，在巨大的画面上造成了一个极富韵律的乐章。如车马在行进中的奔驰腾骧，舞轮旋盘的紧张，堂上主人的严静，厨夫们的繁忙，门卒守犬的刚猛，以至长旗飘举，舞带当风，都是动静相乘，得心应手。在创作技法上，画家们灵活地运用了大笔涂刷如后世水墨写意画法，先设色然后勾勒的画法，设色而不加绘轮廓的没骨法和白描法等四种方法。用墨有浓有淡，线条有粗有细，刚劲柔婉的情致也都不同，显然，画家创作时是针对不同的描写对象而选择了一种最适宜的方法的。至于色彩的使用，有的平涂，有的作适度的浓淡渲染，更有的在暗面外廓内画一道淡线表示反影，都已很好地把握了色彩学上"对比"与"调和"的原则。这样，色彩变化复杂，形象生动逼真，就给人以精炼豪健的感觉。总之，这是极为高明的写实手法。这种以人物为主的题材，其中着重的描写和不必要部分的剪裁，都表现着古典现实主义精神。云气图纹的描写，用简洁的线条，鲜明的色调，画出了大气磅礴，烟火变幻，波水激荡的神情，这表明着秦汉人对自然现象最富变化的云，体认的是十分深刻了①。我们看到这一千七八百年前的伟大绘画作品，就不能不以祖国古代艺术的高度成就而自豪，也不难了解，魏晋南北朝以来我国绘画的多方面发展，自有它的雄厚的基础。

文中所附壁画插图，是我在勘察当时仓率之间草草勾摹的，限于绘画能力，形态大小都不准确，更不用说人物表情和线条；所以只能看看大致情况和显示些内容布局，不能借它们来了解原画的艺术价值，这是需要声明的。

（原载《文物参考资料》1955年第5期）

---

① 《吕氏春秋·应用篇》："山云草木，水云鱼鳞，旱云烟火，雨云水波，无不皆类其所生以示人"。《淮南子·览冥训》略同。

图版一

252

棒台子墓壁画——门卒头像（摹本）

图版二

门犬（摹本）

杂技图——旋盘、舞轮（摹本）

杂技图——跳丸、反弓（摹本）

乐伎（摹本）

鼓车（摹本）

骑吏（摹本）

仗马（摹本）

白盖车（摹本）

260

图版十

云气（摹本）

棒台子墓室内云气装饰（原壁画照相）

畜业四场古墓上的封土

窑业四场古墓壁画——骑吏（摹本）

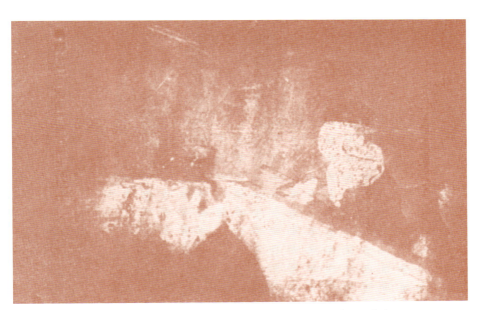

窑业四场古墓壁画——家居饮食图（部分，原壁画照相）

266

窑业四场古墓壁画——出行车马图（部分，原壁画照相）

辽宁省辽阳市三道壕清理了一处西汉村落遗址

　　据东北文物工作队符松子报道：东北文物工作队在今年[1]5月到9月4个月中，清理了辽阳市北郊距城5里三道壕附近的一处西汉时代的村落遗址。遗址是在太子河左岸一片冲积黄土平原，面积约4平方里。因当地的窑厂连年做坯取土，已将一部分遗址掘露，并使它受到一定程度的破坏。清理发掘的中心地点在三道壕村东，是这个遗址的东面部分。发掘清理面积共约1万多平方米，掘出土方约1.5万立方米左右。计共清理出居住遗址6处，水井11眼，砖窑址7座、铺石车道2段，出土文化遗物及陶瓦片等共19万余件。这些出土物现在进行整理研究中。

　　清理的6处居住遗址都是农家宅院，虽都或多或少地遭受了破坏，但还清楚地保存着当时农民从事生产及生活的必要联系和生活习惯上的一般规律。每处宅院址都有房屋、炉灶、土窖、水井、厕所、畜圈、垃圾堆等，概括起来可以得出这样一个情况：宅院都向南或偏东西开门，各个互不连接，

①推测应指1955年。——编者注

排列得也没有次序。院与院之间的距离，近的15米，远的30多米不等，当然也有更远的。在这些错杂分散的宅院中间和四旁，分布着砖窑、水井、炉灶和石路。

每个宅院的规模都不大，一般都具备一个黄土台上的房屋址，上面散乱着础石、瓦片、陶片和炉灶。房址左方或右方都有用方木柱围筑成各种方形牛马栏或猪圈。圈栏的后面或旁边往往有一个长方形深土坑，若上架木板就可成为一座简单厕所。这种把人畜粪尿堆积到一起的积肥方法，在今日东北农村中还普遍流行着。每家都有二三个土窖，位置多在房屋的四边。它是一种直筒式圆穴，多直壁平底，直径和深度多在2米以内，用来储藏什么东西现在还不能肯定。

水井的构造有两种：一种是从地面到井底都有一节一节的陶管接筑的陶管井。陶管都是灰色，有绳席纹，每节高约25~29厘米，直径90厘米上下。全井深在5~6米上下，管外填有砾石和砂土；有的在井底大陶管内套以较小陶管，大小陶管之间满填砾石和细砂。这种设备不但可使水源充足，并可很好地起过滤作用，是饮水卫生上极为进步的建筑方法。另一种是土窖井。它是一个圆筒式土窖，一般直径和深度都在2米多，在窖底再筑一眼水井。建筑形式绝大多数用较薄木板做成每边60~90厘米的方井干，井底也铺有木板。个别的井干则用长方砖围筑成多角形井口，下部接筑多节陶井管。这种窖井很宽大，井中水源很旺，当是为了用水目的建筑的，有的一家一窖两井，有的一家三井。除了供给生活和生产用水以外，可能还有其他用途。

七座砖窑（还有暂不需清理的）从出土物来看，不但都是前后时期差不了多久的遗存，而且是农民宅院、铺石车路等也都是同一时期的。它是一种规模不大、半建在地下的方形窑，有窑门、火膛、窑床、烟道和烟囱，门外有柴场。窑室全高约3米多，长宽也多在3米上下。烧造的产品都是青灰色绳纹长方砖。用这种方砖筑的汉墓，在辽阳市郊考古发掘中曾有大批发现，但还没有见到用它来建筑房屋的。

铺石子的大车路在遗址北边，发掘清理的两段全长为190米。路面宽为

6~7米。铺石厚的四层，厚达35厘米。路面中央微高，保存有十分明显的宽为1.14米的辙迹，一般都是两排大车往来，辙沟很深。可以想见当时这条畅行无阻的大路上车马往来得频繁，同时也可知道车的载重也已不小了。

出土遗物以农业生产工具为最多，重要的计有：铁铧4、铁镬26、铁铲4、铁锸4、铁锄28、铁镰34、铚刀1、铁车辖（车轴承）22、车𫔶3件。木工工具：铁锛3、铁斧1、铁凿3、曲刃凿1（古名𠜱）、曲刃刀2（古名剞）、三尖铁钻头2件。一般日用金属工具有：铜镞17、铜剑镡1、铜带钩8、铜镜片3种、各式（主要是环首）铁刀47、铁锥18，其他杂器及铁器片约400余片。货币有：刀钱4、一刀圆钱8、大型半两钱6、小型半两钱134、西汉五铢钱118、大泉五十钱8、大布黄千1、货泉钱1。装饰品有：琉璃耳珰22、琉璃珠46、铜指环5、铜笄2、骨笄1、骨觿1件。陶器绝大多数都是残器，以细灰泥陶为主，一部分是淡红色含滑石粒的粗陶。除少数陶砧、陶榨圈、陶纺轮等工具以外，主要都是陶容器。容器中以陶罐、陶盆、陶钵、陶壶、陶甑、陶豆等数量为最多。一般多有绳纹、弦纹，个别的有斜方格雷纹或水波纹。极少的有印章方式的小篆印字。各种瓦片为数最多，并出土了带"千秋万岁"和云纹的圆的及半圆的瓦当多种。

根据出土遗物（主要是货币和生产工具）初步估计，这个遗址延续年限约为250年。绝对年代约为公元前230年—公元20年。

这次发掘清理出的遗址和遗物，使我们有可能在研究当时人民群众——物质财富直接生产者历史的某些方面获得若干实证，如农业、砖窑手工业、交通运输业发展情况等。若从生产工具、生产技术、劳动分工和副业经营等方面进行分析，那么对当时人民群众的生活和社会发展情况可能会提出一些有益的参考材料。

（原载《文物参考资料》1955年第12期）

辽宁省新发现两座石棚

　　1955年10月，东北博物馆文物工作队部分队员利用假日勘察辽归州城故址（盖平县熊岳镇归州村前）时，在盖平县仰山村和复县榆树房村发现两座石棚。

　　这种石棚的基本形式是，下围四块立壁，上盖一块巨大石板，像一张长方桌，所以欧洲人叫它石桌，辽宁地方人都叫石棚。它在辽宁南部的金县、庄河、复县、盖平、海城等地早已发现过8座。根据过去了解的情况看来，它是属于新石器时代晚期和金石过渡时期，建筑在地中的一种巨石墓葬遗构。吉林省永吉县骚达沟山顶大石室墓，仍属这种巨石墓葬系统；同省集安县的早期高句丽墓，延边朝鲜族自治州和龙县西古城村一带的早期渤海墓葬，也还有保存着这样建筑形式的，不过规模较小罢了。关于辽南石棚在什么时候出土，《三国志·魏书》公孙度传中曾有过记载——"冠石之祥"。

　　这次两座石棚的发现，是根据地方群众流传的一种石棚神话为线索找到的。辽南凡有石棚地方的人民，对这种不是一般寻常劳动力所能修建的惊人的巨石建筑物，流传着各种神话，如像海城县姑嫂石村流传着姑嫂二人分建

辽宁盖平县仰山村发现的石棚（正视）

辽宁盖平县仰山村发现的石棚（侧视）

石棚升天的神话，就是很有名的一例。

盖平县熊岳南石棚山一带流传着这样一段神话：

在说不清多少千万年前的时候，这一带地方住着三位名叫三霄女的神女。一天她们互相约定：在同一个夜里，三人分别到三个地点修建石棚，谁先修好，谁就能登云升天，谁如修不起石棚，谁就沦落人世，永不得再回天界。在一个静悄悄的黑夜里，她们都按照约定的条件，发挥精诚和神力来修建石棚。石棚山上的神女，心地纯洁善良，在鸡鸣前已将石棚修好。登时飞升天界。榆树房和仰山村的两位神女，心地不够纯洁善良，虽把大石立了又立，但到天色大亮，还没修建起来，就含恨化作了一种小鸟，至今还常在这块地方凄冷地鸣叫着。现在石棚山上的大石棚端端正正立在那里，榆树房和仰山村的两座石棚卧在那里，就是这个缘故。

根据这个神话，对榆树房和仰山村的两座石棚进行了初步了解。

榆树房石棚已塌倒。位于复县界龙口河南小山岗上，东去中长路许家屯车站约十几里，距石棚山约6里。其西不远的龙脖子村曾发现过新石器时代的磨制石斧。因时间关系，对它没去作详细调查。

仰山村石棚也已裂塌。位于盖平县界龙口河东方山谷中，北距归州村五里，东到石棚山约20余里。石棚在村后一片平平的大田地中。它西北一里多的地方，有久已破坏的汉代砖墓，也散布着不少的汉代灰陶片。

石棚方向为南偏西20度。石质为细粒花岗岩。制作打磨得极为整齐光滑，建造得也很平直方正。盖石虽已裂为三块，左壁断缺，但完全可以恢复原形。各部实测尺寸如下：

盖石宽4.5米，长4.6米，厚0.43米；前壁宽2.15米，高1.65米，厚0.26米；右壁宽2.10米，高1.63米，厚0.25米；左壁宽2.10米，仅存根部，厚0.25米；后壁宽度不全，高1.60米，厚0.30米。

两座石棚的发现，给东北巨石建筑的综合研究增加了新资料。仰山石棚建筑在平地上，是前所未有的，更值得注意。

（原载《考古通讯》1956年第2期，署名"符松子"）

金马令史墓壁画

　　770多年前的古墓壁画（1184年，金大定二十四年描画的），是在我省朝阳市一座坟墓内发现的，已由辽宁省博物馆文物工作队作了摹写（详情见本报1月21日鸭绿江副刊，如有不一致的地方，以此文为准）。壁画是画在砖壁石灰墙面上，虽然因年代久远有些剥落，但墨色形象还都比较清晰。内容由"备膳""出行""男仆""女侍"四部分组成。这几幅壁画的内容都互有联系，又具有一定的故事性，它生动如实地反映了金代官僚们那种使奴唤婢的生活面貌。

　　"备膳图"：画面作一大敞厅，帘幕高悬，幔脚垂结在两旁。厅上斜放高桌两张，短几一个，七个人正在繁忙备膳。正面一人，年在三十上下，眉目清秀；头戴方巾，身穿黑色窄袖长袍，白色皮靴，左手持布巾，正在桌旁指挥布置。高桌左右各一人，都微有髭鬚，软巾长袍，筒裤白皮靴，手中各执碗盘。左前方二人：一人装束同前，拱手注视。相对一人，高鼻秃顶，脑后短发结辫下垂；穿窄袖长袍，长筒白皮靴，腰缠大带，下悬黑色皮囊，作契丹人打扮。二人眼光相接，正在对揖交谈。高足方桌上陈列着酒壶碗盘；

备膳图

酒碗十余只，扣置桌边。内一桌微现一角，桌上也摆有碗盘酒壶。短几上模列酒壶，旁二人上身不存，但双手捧送食物的姿态仍十分清楚。这个画面巧妙地描画了一场宴席前的忙碌情景，很形象地表现了"朱门酒肉臭"的金代官僚生活。

"出行图"：右方面一敞厅，帐脚束结在两柱，上部帘幕不存。堂中方桌后二人，都黑布长袍；桌右一人袍襟前短后长。三人都注视桌前。桌前二人，拱手对话，一人头着黑巾，身穿长袍腰带，筒裤白皮靴，另一人着灰色袍，都体格魁伟，神情爽朗。堂下骏马两匹，一红一灰，都长鬃结尾，颈下悬大棰，鞍镫齐备。马夫二人，一前一后，轻装短衣，等待男女主人出发。这种场面，既表现古代南船北马的交通特点，也可间接看出金代妇女骑马习惯的流行。

"男仆"二人，门右面一中年男子。头戴黑色有折方巾，穿窄袖直领袍，前短后长，腰侧有积折。下着直筒裤，白皮靴有系带。操手恭立。背后上方题有"马合得马来"墨字。门左一像，自腰以上皆不存。身着短衣，长仅及膝，腰两侧有积折下垂。下着束脚裤，白皮靴有折皱。由装束上估计，可能是一个青年仆人像。门右所题"马合得"，"马来"应该就是他们二人的名字。

"女侍"二人，分画在墓室后壁左右。右画面幔角垂结于两柱，中有女侍一人，胸颈以上不存。着窄袖衣，腰多积折，襟下有横栏，长及两脚。双手捧水盘。左面画一女侍，年约十七八。着灰色直领窄袖衣，衣襟向左掩结，腰下多折如长裙，双足外露，后襟很长。眉目清秀，双手捧净巾，二人衣饰整洁，姿容谨慎，表现着低声下气唯恐出错的情态。

金代绘画传世的很少，像这样由人物组成的连幅大作，又是描写当时人事生活的古典现实主义作品，更是很可宝贵。其中人物进退动作，顾盼笑语的姿态，达到了形神兼备的地步；物象远近大小的比例，器具前后左右的位置，都合乎绘画技法上的科学要求；再加上墨笔勾勒的雕颈线条和红、绿、灰三色淡雅的渲染；充分表明了金代无名画家高超的绘画艺术。

金代人们的生活习惯，特别是女帽装束如何，既没有留下来的实物，文字记载也不多见，这个壁画给我们提供了形象的材料。

（原载《辽宁日报》1962年3月4日，署"辽宁省博物馆文物工作队"）

辽宁喀左县辽王悦墓

　　墓地属坤都营子公社钱杖子村，在喀喇沁左翼蒙古族自治县县城（大城子镇）西15公里。地势是一个东西狭长的山谷，周围山岭相连，西北即海拔700米的双尖山，山北有从凌源来的大凌河向东流过。钱杖子村东南距坤都营子5公里，东距排头杖子村约1.5公里，西距小房身村1公里许。墓在钱杖子村西北2公里许的双尖山南麓下。

　　1958年春发现该墓，至同年9月在墓门内发现墓志铭一合，当即取出，1959年将墓志运县保存。1961年11月，辽宁省博物馆韩宝兴、李庆发会同该县文教局刘新民同志，前往进行了发掘。

（一）墓室结构

　　墓为砖筑圆形券顶单室墓。门向214°。墓室平面是北壁稍直的圆形，直径4.5米。墓顶虽已坍塌，但西壁还保存部分券顶，从券砖上面覆盖的大石块来看，原来墓顶上是有石块包封的。墓室墙壁用长33厘米、宽14厘米、厚5厘米的灰色长方砖纵横平砌。壁厚仅有一层长砖；壁高由保存最高的西壁

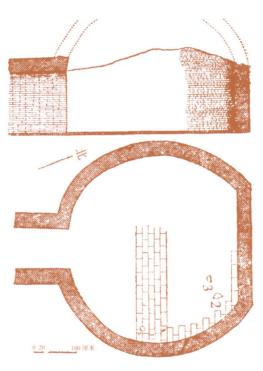

图一　墓葬平、剖面图

看，约为2米，再上就逐层收敛封顶。东壁仅存基部。据原发现人说，墓门是砖拱式，高约1米多，宽80厘米上下。墓室地面用单层砖东西顺长横铺，大部分已被拆露出原岩石面。原来在沿砖壁发现朽余的木板条，估计墓室曾镶有护墙板（图一）。

（二）葬式葬具

墓室中满积填土，又经过扰乱，原来布置情况已不能明确。但从墓室东部砖地上保存的柏木板痕迹和填土中多数碎乱木条及50余根锈有木质的铁钉看，原来墓室里除有护墙板和木门以外，似乎还有板床和木棺。在填土中还发现人头骨残片和一段上腿骨。

（三）出土遗物

墓内随葬品及其组合关系，因过去被盗掘已不能明确。现存遗物仅11件，且多为残器。以陶器为主，瓷器仅见1件。最重要的是墓志铭一合，志盖原平置于志石上。现分述于下：

白瓷大碗　敞口，圈足。胎色米黄。瓷质坚硬，釉乳白色，碗面釉不到底，但很整齐划一。内底有渣垫痕迹3个。口径20.3厘米，高75厘米。此碗胎质纯细，光亮均匀，技工熟练，是辽代白瓷精品（图二：2）。

灰陶盆　轮制，器形不大规整。大侈口，卷唇，小平底，外面腹部有凸起的指压纹一周。口径24.5厘米，高9厘米，底径11厘米（图二：1）。

三足双耳灰陶盘　轮制，胎质较厚，双耳在口缘上，器体较浅，平底，下有三足（均已残缺）。口径19.5厘米，底宽16.5厘米（图二：3）。

灰陶器　轮制，胎较厚，足底侧有刀削痕迹，器形可能与鸡腿坛相似。现存高12厘米，底径7厘米。

灰陶罐　2件。二者形式相同，大罐已破碎。小罐轮制，胎较厚，小口大腹，平底。足侧有刀削痕，肩部有一圆孔。口径5.4厘米，高7.7厘米，底径7.3厘米（图二：4）。

鎏金铜带卡，平面呈如意头形，中有活动卡针，背面后部有固着皮带用的小钉足，周围存有皮革残朽痕迹。长4.2厘米，宽3厘米，厚0.8厘米。

铁带卡　卡环部分已残缺，固钉带体部分，是用长条铁回折做成的。两面均留有布纹，估计应是一种大带卡。

铁钉　共50余枚，有方锥形和圆帽钉两种。方锥形的全长6.5厘米。圆帽钉的帽径2.7厘米，钉身长4.2厘米，尾部折回，可推定所钉木板厚约3厘米。这些钉身均附有朽木痕迹，估计可能是用在护壁板、木门扇或尸床、木棺上的。

墓志铭　据原发现人说，墓志是平放在墓门内砖地上的。石质为砂岩，志盖为盝顶式，上面刻楷书"故太原郡王墓志铭"2行8字。盖志通高67厘米，宽62厘米，志石厚18厘米。盖四斜面线刻十二生肖，上是子鼠，下是午马，每面三人，均着长服，拱手捧笏。四角各刻牡丹一朵。志文四侧有线刻的简单回纹带，中刻楷书志文33行，计1004字。文中记载墓主人家系、官职和死葬年月处所等。现抄附志文于后并加考释。

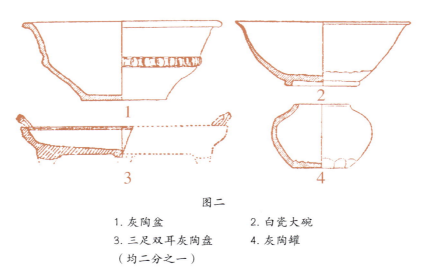

图二

1. 灰陶盆　　　　2. 白瓷大碗

3. 三足双耳灰陶盘　4. 灰陶罐

（均二分之一）

辽王悦墓志铭

前宁远军节度副使、银青崇禄大夫、检校太子宾客兼监察御史、武骑尉、太原公墓志铭并序，讲法花上生经文章赐紫沙门志诠撰。殷王子比干，为纣所害，子孙以王者之后，因而称氏。或忠良霸汉，或骁勇兴唐。白马到庭，传阴德于盖古；紫毫染翰。彰奇异以备今。曾祖讳北平王，英出万人，位荣一字。器大倚天剑，柱壮不周山。运合昌时，门钟间气。祖讳明殿左相、义武军节度、易定祁等州观察处置等使、开府仪同三司、检校太师、守司空、同政事门下平章事、使持节定州诸军事、行定州刺史、太原郡开国公、食邑一千五百户，出征入辅，纬武经文、爱静爱清，美矣盛矣。父讳延阮，左千牛卫大将军、检校司空，天产人杰，世挺国祯。玄女兵谋，深沉独晓。公讳悦，即大将军之次子也。箕裘袭庆，钟鼎联华。潜蹑父风，是膺天眷。立年方近，就日将期。敕充辽兴军节度衙内都指挥使，欲趋禁掖，预佐藩垣。既负干勤，遂隆渥泽。人为严胜龙卫兵马都部署、银青崇禄大夫、检校太子宾客、兼监察御史、武骑尉，俾承朝奖，效报帝恩。解围射戟之臣，功疑接武；飞骑控弦之士，艺愧连镳。出为飞狐招安副使，衔兹纶命，镇彼塞垣。不起烽烟，屡更星岁。回奉宣充祁沟兵马都监，揄扬韬略，宁谧关河。因抱良能，转加选用。又为燕京西南面巡检使，阿私不入，奸蠹旋除。白刃雕弧，神惮鬼慑。复充行宫市场巡检使，泊于守职，惊若循墙。损贫奉富之俦，都然屏迹。进授长宁军节度副使，布贰车之新政，且利于民；参六条之旧章，不犯非礼。罢任南征，为诸宫院兵马副都部署，共驱虎旅，同助圣谋。遣寇庭百战之师，畏骁将六钧之艺。自南征北，归马回戈。复授宁远军节度副使，一种衔恩，独能戮力，黔首仰之如父母，狱讼赖以若神明。复受命为上京兵马部署，遂押军戎，又当征役。方临桑水，忽起薤音。以统和二十三年五月十三日薨于本宅，享年五十有三，以其年十一月十六日，葬于利州西三十里尖山南焉，礼也。公娶室天水郡赵氏，保静军节度使太保匡尧之长女。兰芳蕙茂，仪静体闲。将贞顺以成风，拟河洲而叶咏。有三子：孟曰莹，厢都指挥使；次男凝，次男福哥。皆千里骥子，九包凤雏。明敏天生，琢磨人宝。有二女：长适金州防御使国内诸处置使第近武之次男曰行为妻；次女姐哥，玉肌珠胫，螓首蛾眉。以礼自持，其仪不忒。缙，公兄守干州望部县令，未侵暮景，遽奄下泉。次辽兴军节度山河使，早亡。次弟式，涿州刺史检校司徒。次夫，守秘书省校书郎，早亡。次弟制，西头供奉官。次小沟儿，纶绂受命，干洁立身。俱扬鸳鸯之音，共守鹡鸰之义。公忠信有厚，温和无玷。臣节奉于两朝，霈皇泽近于三纪。既明且哲，许国忘家。日逝人寰，衰年未逼；星沉鱼笥，急景难留。嗟无兆于鸠金，痛长埋于虹玉。嗣子情哀陟岵，志切为陵。铭志未修，函题见托。乃援其笔，为勒词云：昌期偶运，哲人佐时。韩白妙略，岳湛奇姿。艺精弧矢，德厚廉慈。朝奖有位，公清无私。福穷于彼，命谢于兹。牛眠卜宅，鹤吊伤思。声名不朽，魂魄何之？呜呼哀哉！存殁如斯。

（四）考证

王悦不见辽史记载，官阶不高，其曾祖两代不书名字，志文简略不详；但参证诸书，对校志文，仍发现有不少史事足以补证《辽史》的。

第一，王悦系唐义武军（定州）节度使处直曾孙，辽同政事门下干章事郁孙，可补《辽史·王郁传》的疏略。理由如次：

志称其先世"或骁勇兴唐"，按唐定州节度使王处直父"宗自军校累至检校司空，金吾大将军，左街使，遥领兴元节度"（《旧唐书》卷一百八十二《王处直传》），是悦高祖在唐确以武职起家。此证一。

志称"曾祖讳北平王，英出万人，位荣一字"，按唐光化三年梁兵攻定州，王处直逐其侄部，自为义武节度使，"太祖即位。封处置北平王（北平为定州属县）"（《新五代史》卷三十九《王处直传》，《旧唐书》卷一百八十二《王处存传》略同），是悦曾祖确为处直，此证二。

志称"曾祖运合昌时，门钟间气"。这"运合昌时"四字，实际就是处直父子投靠契丹的美化代辞，也即子孙为父祖讳的意思，按处直受朱梁封爵后，"晋军钦讨张文礼，乃阴使子郁北招契丹以牵制晋兵，且许召郁为嗣"（《新五代史》卷三十九《王处直传》，《资治通鉴》后梁龙德元年纪略同）；郁于"神册六年，奉表送款，举室来降"（《辽史》卷七十五《王郁传》）。可知王处直是和子郁同降契丹。不过郁引契丹到定州时，处直养子郜已因处直取代了他的统治权，定州才"坚壁不出，契丹掠居民而还"（《新五代史》卷七十二《四夷附录》，《辽史》卷七十五《王郁传》）而已。此证三。

爵用族望，当时虽已成故事，但家用某郡，子孙相承，必有依据。王氏古有二十余望。其中太原、琅邪两望尤为普遍。此志盖题"故太原郡王墓志铭"（按正规应作"太原郡王公墓志铭"）题称"太原公"，文称"祖太原郡开国公"。按王处直"与汴军修盟，天祐元年封太原郡王"（《旧唐书》卷一百八十二《王处存传》，《新五代史》本传略同），又《新唐书·王处存传》亦云"处直天复初太原郡王"。是悦与处直郡望同出太原。此证四。

志称"祖讳明殿左相、义武军节度、易定祁等州观察处置等使、开府仪同三司、检校太师、守司空、同政事门下平章事、使持节定州诸军事行定州刺史、太原郡开国公、食邑一千五百户"。其中"义武军"是唐定州军号，"易定祁"三州，当时不属契丹，在契丹中有资格遥领此官的人，只有处直许为子，而且几次领契丹兵去接收定州的王郁为合。至于"明殿左相"不见《辽史·王郁传》，"政事令"不见此志，却只记载了"同政事门下平章事"，这是志传互有详略，不能作为不是一人的理由。此证五。

志载说"以统和二十三年五月十三日薨于本宅，享年五十有三"，由辽统和二十三年（1005）上推至王郁由定州奔晋时的唐光化三年（900）为105年，再加上郁奔晋时20岁上下的年数，总计为120多年。以通例父子世代相承，每世平均30年推算。由悦、延阮上至郁，定为祖孙三代，在时间上也是合适的。此证六。

由此六证，确知王悦曾祖是处直，祖父是郁，可详列王氏族系如下：

第二，足补《辽史·百官志》缺略诸事。

（一）明殿左相　明殿是祖陵上的影殿，内奉阿保机御容（《辽史·地

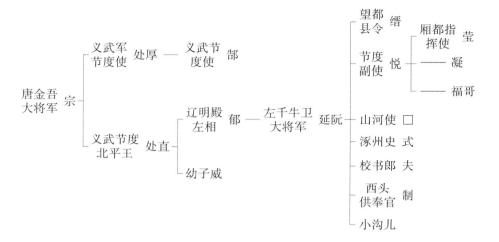

理志》上京祖州和《太宗纪》天显五年五月丁巳条）。其他各陵也有这种制度；穆宗怀陵的名凤凰殿（《辽史·地理志》怀州）；景宗乾陵的名玉殿，除景宗像外，还画有功臣像（《辽史·圣宗纪》统和二年二月）；庆陵的名金殿（《辽史·道宗纪》清宁二年五月）等。契丹这种陵殿制度，是基于传统习惯建立起来的，在契丹人政治生活中，很被重视；但《辽史》缺乏这种记载，《百官志》也没有陵寝官的记录，详细情况，很难了解，墓志"明殿左相"的记载，实在是个重要发现。辽代史传中往往记有，杀酋长或近幸于皇帝陵墓，为皇后传语于先帝，或以近臣为殉，给新皇帝和皇太后到皇帝陵墓去送信的记载；也有每当国有大事死皇帝赐给皇帝书诏的记载，诏书常曰"报儿皇帝"云云。这种书诏就是由各陵影殿的官司掌管发出的。《新五代史·契丹附录》仅记载："明殿学士一人，掌答书诏，每国有大庆吊，学士以先君之命为书以赐国君。"这次墓志"明殿左相"的出现，既足补《辽史·百官志》的疏略，也为研究辽代这种特殊制度提供了史料。至于明殿左相，地位很高，当是辽太祖陵寝上最高的掌权职官。

（二）不见于《辽史·百官志》的职官。严胜龙卫兵马都部置（应作署），不见《百官志》诸部署和诸卫职名中。监察御史，不见《百官志》御史台下，仅《仪卫志》汉仗卤簿仪伏中一见。祁沟兵马都监，不见《百官志》南京边防官诸司中。此外，如燕京西南面巡检使，行宫市场巡检使，国内处置使，山河使（辽宁省博物馆藏统和二十四年王邻墓志有"第操武定军山河指挥使"，当是一官），都不见《辽史·百官志》，可补史缺。又西头供俸官，当是《百官志》西头承奉官的旧称。秘书省校书郎，当是秘书监校书郎的误写，应以史志为是，志不足据。又关于阶、勋，散官、检校官，爵、封等整套官僚待遇制度，《辽史·百官志》都没有记载，也是应该提及的。

第三，可补《辽史·地理志》诸事。

（一）利州的建置年代 《辽史·地理志》载，利州统和二十六年置，此志二十三年就有"葬于利州西三十里"的话，可纠正地志的错误。《武经总要·北蕃地理》说"利州，承天太后所建"，按承天后在统和初代圣宗听政，说州是那时所建，当有一定根据。

（二）金州防御使 金州，《辽史·地理志》不载，纪表志传未见著录，宋人著述中也少谈及；但辽宁省博物馆藏重熙八年济州刺史张思忠墓志有："男妇四人，一金州防御使大守节女。"两志均记金州为防御州，而统和重熙年代相近，可知辽代确有金州，可能是一时建置，后有改称或并革，史志失记，此条可补缺略。

（三）祁沟关 志称"充祁沟关兵马都监，揄扬叨略，宁谧关河"。祁沟关名，亦作歧沟，是契丹南略防宋最重要的关口，常驻重兵防守；但《辽史·地理志》既不著录此关，而《百官志》南面边防中也未提及此官，实为漏略。按祁沟一称，当起源于涿州祁沟河，但地志涿州下除著录河名外，却没有任何有关记载。宋《武经总要·北蕃地理》涿州条有："祁沟关，东北至涿州四十里，西北至易州六十里。"祁字或固形近误写，或用同音字替代，必系一地，可无疑问。元胡三省云："祁沟关在涿州南，易州拒马河之北。自关而西至易州六十里拒马河，东至新城四十里。"（《通鉴》后梁乾化二年正月祁沟关注）注释的位置，也完全相符。祁沟关当时属涿州新城县，新城南四十里白沟驿旁的白沟河（即拒马河下游，宋人也有直称白沟拒马河的），是宋辽国境（宋路振、王曾《使辽行程录》《宣和奉使行程录》，作三十里，当是误记）。祁沟关是辽防宋首要军城，与飞狐并称要隘，筑有可容数万人的高大城堡（《辽史》圣宗统和四年纪）。这些都是有补于《辽史·地理志》的。

（四）利州遗址位置　过去考定利州故址，都间接引用金元碑刻为证，今志载"葬于利州西三十里尖山南"，可说是证明喀左县大城子街东大土城，即辽利州遗址最早最明确的证据。悦墓正在今大城子镇西5公里许的双尖山前，山名仍未改变，碑志有益考史，这也是一例。

志文为和尚志诠撰，行文生涩，书法拙劣，不按规格书写，错别字尤多，有的字竟不可认识。如：易定作"易"、国桢作"祯"、都部署作"置"、帝恩衔恩作"思"、连镳作"镳"、韬略作"叨"、子孟曰"莹"当是莹、俱扬作"杨"、鱼笱作"笏"、霸作"霸"、墙作"墙"等都是。这种简陋是辽代墓志通有的情况。又志称：悦"娶保静军节度使赵匡尧女"，按《辽史·圣宗纪》统和三年四月壬午"以凤州刺史赵匡符为保静军节度使"的记载，年代、官职都相合，唯尧、符二字不同，不知是史有误记，还是别为一人，抑或是兄弟行，现已无法强定。

（与朱贵、李庆发合写，原载《考古》1962年第9期）

辽阳市棒台子二号墓壁画

这座墓是1956年辽宁博物馆发掘清理的。位于辽阳市西北郊4公里的棒台子屯东平地上，封土久已不存。其西北约1公里有一号墓，正南有北园汉墓，东南2公里有魏令支令张氏墓及汉魏晋壁画墓多座。二号墓用青色页岩巨大石板支筑。平面作工字形，纵深4.66米，宽5.96米，内高1.9米。石板修治平整，石灰勾缝，构成墓门、前廊、左右二小室、棺室、后室各部分。建筑十分精致，这是因"材"制宜创造的一种地方筑墓特色，是其他地区罕见的。

墓室内主要壁画都是彩色壁画，直接画在淡青色的石壁上。壁高1.4米，壁画有长有短，有的两壁接画一个内容，有的一壁分画两种场面。主题内容有：门卒、宴饮、椽属（主簿、议曹椽）、车骑、楼宅、流云、日月等图。分画于左右小室、后室各壁及门柱、门楣、栌斗、棺室壁上。从墓室构造、礼仪制度、出土文物、壁画内容、题署字体来看，此墓当是汉魏之际的遗迹。

这里刊登的是《车骑图》。此图画于左小室左、右两壁，壁画相同。

全画共有车前先驱三人，辂车一辆，车后骑从一人。是壁画中保存最好的一部分。大红辂车一辆，漫圆顶篷，红帷石绿厢，墨轮圆毂长辕。双辕微翘，辕端鸟啄立短干，顶饰羽葆。驾一土红黑斑马，顶饰防钇（马头饰），竖颈扬头，四蹄翻腾，奔驰前进。御者形象模糊，车后骑从一人，黑平帻，石绿衣，红领缘，土黄裤，骑土红黑斑马，鞍勒整齐。右手挽缰，左手抱红囊紧随车后。天空有白日高悬。此虽仅见一车一骑，也可概见当时官僚豪强出行时，连骑结队，喧阗道路的专横气势了。

从绘画发展史来观察，此墓壁画的艺术价值是很高的，堪称杰作。这些无名画家用极精确简练的手法，对于不同的人物，都按其身份作了恰如其分的描绘，神情动态，达到一定的高度。构图上也超出了前代横列描写侧影或个个正面画像的旧法，而采取了多种角度来描绘物象。在表现技法上，线条勾勒、彩色渲染以及色度浓淡、调和与对比规律运用上，都随物应用得很好。所以虽只有赤、黄、绿、白、赭、黑墨等几色，但在画面上却觉五彩缤纷，古艳动人。不觉使我们想到传世名作《女史箴》《洛神赋》图等的源远流长，传统有自了。

（原载《艺苑掇英》1978年第3期）

发掘报告

吉林龙潭山遗迹报告

　　龙潭山原名尼什罕山，位于京图铁路（长春至图们段）龙潭山站东，为记述方便计，故在该站附近发现之遗迹，名之曰"龙潭山遗迹"。

　　龙潭山为吉林市近郊名胜之区，形势雄绝，风致尤佳。笔者当1921年，就读吉林，暇必往游焉。优游乎幽林断叠间，见土壁隆然，山城遗迹固其大也。阡陌中残砖断瓦，触目皆是，而瓦器破片尤多。知为一大遗迹，惜无学力、财力从事研究，仅徘徊于寒烟荒草中，怅然凭吊而已。后数年吉敦路兴工（今长图路中吉林至敦化一段），偶由工人手中得玛瑙珠十余枚、宋代泉币数事，而研究心渐起，趣味亦渐浓；因之其南东团山子、帽儿山等遗迹，亦相继发现。此时身任教职，资力虽可，而时间反感艰贵，虽欲加以科学系统的研究，更不可能。唯于耕田及溪岸中所得遗物既多，而采集探查之学益繁。复于1934年春，铁路局取土于龙潭山车站西侧。工人百七八十名，掘土范围既宽，坑又颇深；笔者得此千载难遇之良机，日必朝夕两往，假日则凌晨趋至，戴月归来。冒风雨，荷炎日。

　　本遗迹地，出土遗物异常丰富，但多遭损坏，故出土遗物之状态层位，

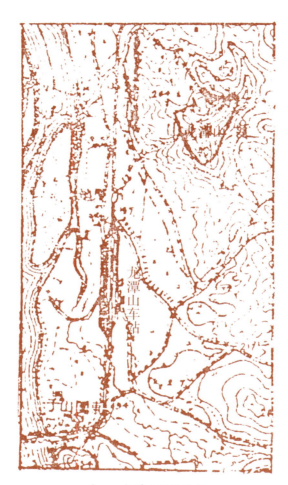

图一　龙潭山附近地图

以及伴出情形，多不明了。复加笔者对考古学之知识技术十分幼稚，故摄影制图等，不能如意。况遗迹地幅员宽大，时代悠久，遗物层位杂乱。求无遗憾，不可得也。今将数年辛苦所得，毫不粉饰，依在情形，报告于同好之前，略为抛砖之引，若云贡献则曷敢！至于笔者个人之意见推断，当容来日，不敢恣意武断，为学术之病也。

一、遗迹遗物概况

本遗迹也包含四小区域，既龙潭山、龙潭山站附近、帽儿山、东团山子是也。统计南北长七八里，北端东西约一里，南端东西约三里余，呈长三角形（图一）。分述于下：

（一）龙潭山

山脉东南来，蜿蜒北走，峙立江左。西方斗绝多石壁，东方有长岭如臂，北向环抱，故全山似仰盂，而独缺其北一小口，今日登山盘路处也。就山岭筑土城，周数里，壁颇高厚。中有石筑蓄水池，径80余米，深数丈，四季不涸，俗名龙潭，盖山名之所由起也。池西北侧有展台，高数丈，登之则高山远野，大江林麓，一目无遗。城南隅有石筑物如枯井状，径30米许，深27米；中多腐物乱石，非原底也。壁石皆打制长方形，层层堆砌，工程伟大。传为囚房之所，故俗名旱牢。山城入口处，乱石纵横，别无遗物，仅有少量赤色绳纹瓦片，夹土层中，可作考证资料耳。

（二）龙潭山站附近

山西麓为车站，乃左山右江之一小平原也。土质下为黄土，中多冲积土，灰土层亦呈波状杂其中，上为腐质层甚厚。该处取土坑三，今以北中南表之于下（图二）。

294

图二　龙潭山站及坑

1.中坑

此坑遗物最富,地表多无文灰色细质瓦器片,观其种类,似甚复杂。深50厘米处多铁器如马具、铁镢、鸣镝、铁斧、石臼,以及几何形、波状形之押花花纹瓦器片。深70厘米左右,多豆灯瓦器、汉五铢钱、汉式铜镜片,白玉有孔牙状品等。瓦器花纹复杂,质地坚细,其中有用汉五铢及新莽货泉钱押印饰文者,为最有趣味,亦最有意义之发现也。再下一米上下,同有灶场数群,每群七八个、十数个不等。灶以石块七八枚围砌成基,周涂黏土,内有芦草形迹。有数灶内发现有纹瓦器片甚多。其旁多家畜、野兽、禽、鱼骨、殖角类。同层发现手制原始式之瓦罐三,一罐藏鹿头骨(带角)一段。尚有长约20米之石列数行,每列十余石,石与石平均距八九十厘米,不知其用。同层出土谷化石二枚,亦为稀有之例也。

2.北坑

此坑瓦器片甚多。50厘米至80厘米之间,多有押印各式花纹者。兽、禽骨亦多。土灶三四处,因土层变乱,不可得其详。尚出土底内部附有鼻形把手之小皿二,鼻可系索。灰土中甲字状骨器一、加工鹿角三、小形黑色磨石斧一。

3.南坑

位于嘎呀河下游之北岸,为冲积层。出土物较北坑、中坑贫乏。除与中、北二坑遗物相同者外,以骨壶为特异。骨壶多埋于深80厘米至1.2米之土层中。壶,瓦制,小口大腹,间有器表印方块花纹者。旁附把手二,口上覆以石板,亦有特制壶盖者,特少数耳。内蓄骨灰少许,绝无他物。间有以石块、木炭、兽骨等围于壶外者,尤为少数。有一骨壶外,出瓦豆二,是否副葬品,殊不敢定也。

（三）东团山子

当地人又呼为"高丽城"。四无连脉，孤立于松花江左岸，长图路松花江铁桥东端之南。山西玄武岩石壁高数十米，足入江中，斗绝非常，故江流为之一曲。沿山麓筑土为城，城东一门，复壁绕之。人工筑造四阶段于山腹，顶平坦容数百人。山麓东北部起筑土壁东走百五六十米，又南折约300米，复西行，过山南达江流而止。此城壁东北隅有蓄水池一，方30余米，深数米，今虽辟为田亩，而形迹显然，一望可知也。山南循山沿江南行300米处，复有土壁高七八米，东走北绕达于前记蓄水池之东壁。今虽田畴纵横，垣壁凌夷，而南壁尚高，其原形固远望可得也（图三）。山城中遗物不多，唯山顶南部深30厘米之土层中，包含赤色绳纹瓦片甚多，不杂他种。瓦分俯、仰二种，均甚长大。建筑用之石材，亦木少。山东第二道土壁中，为石器出土地。鬲足、豆、台之属尤多。唯此等遗物多散在地表，殊不可解释，或丘陵上必有之结果欤？蓄水池西方约50米处，为古代建筑物之基。掘土五六十厘米，则瓦片垒垒。瓦有数种，形状复杂。一种灰色，有仰、俯二种：仰瓦绝大多数前端有用指与用木板类押印之缺刻；俯瓦稍窄，尾有接榫。又一种质软而薄小，作灰褐色，亦俯、仰二种，与前述者颇不相类。复有菊花状及葡萄蔓状花纹瓦当二种，色灰褐，制作稍粗。第三道城垣内之田中，多瓦器片、砥石等。石器不多见。此区之特奇者，厥为石箱形棺。田畔溪侧，往往而是。曾于山城南江岸断壁中，发掘一处，棺以灰色泥片岩板石组成。长约80厘米，宽40厘米，高35厘米上下。上有盖，下无敷石。石板虽略加人工，然筑造技术，非常低劣。棺内底部先敷黄土数厘米，上为骨灰，有副葬品瓦小皿一，余无他物。山北铁路北断崖中，因春水消化，土层崩坏，发现该式石棺二，形状大小虽异，其建造埋葬方法，与在山南发现者无异。仅于一棺中出土玉质石斧一，余无他物可见矣。

图三　东团山子全貌

（四）帽儿山

距东团山子1公里余之东方，山形圆整，故名帽儿山（图四）。东有嘎呀河绕之，南为一带起伏不定之黄土丘陵。山西腹部有古坟，南偏西腹部有同式古坟一；而后者似已被盗掘。山西北嘎呀河北岸，又有同形之古坟四。以上古坟，封土多颓夷，唯巨石成列，故坟形尚可仿佛也。山南田中，雨季往往得金具、金铜人面、铜金饰等，而以玛瑙珠为最多。马具、兵器亦时有发现者。土人云某年筑室得刀形钱二，已卖与吉林市某古董商，吾往问之，出售一年矣，惜哉！又葛姓耕地，由二板石中得铁剑一，腐不堪用，断为炉上火铸，今已不能观其真面矣。

以上为遗迹、遗物大致情形，虽层位上、形式上、伴出状态，未能详明真确；然观三小区虽地相毗连，其出土物则各为一类，不相扰杂。据是则某处为若何性质之遗迹？若何民族所遗？为若何时代所有？以及其人类文化程度、生活形式、礼俗交通，与历史文献上之关联诸问题，依下列遗物，或能推得其概貌，未可知也！

二、遗物

本遗迹地出土物颇多，为保持出土物原群原态起见，故以各小区出土物各为一群，以便读者推论考证，免除笔者擅分种类、武断时代之嫌。再他人在此遗迹采得遗物，尽笔者所知，附于每类之末，笔者采集品转赠他处者，亦加注说明。兹仍按三区列后：

（一）东团山子出土物

1.石器类（图四—图六）

（1）石斧

磨制8件、打制5件、不完整者30余件。其中有薄形者、圆柱形者，有刨

图四　帽儿山全貌

刃及蛤刃者。最长者长20厘米，宽7.1厘米，最小者长5厘米，宽2.4厘米。其余非完品不便窥其全形，故从略。

（2）石刀

6件，非完品。以黑色页岩及玄武岩磨制。有作俯半月形、仰半月形、长方形者。多有二圆孔。其中打制而只磨刃者一枚。残存部最长6.5厘米，孔至背最长4厘米，孔与孔之间最宽4.5厘米，最厚1厘米。

（3）石环

2件，非完品。一用黑岩磨制，形偏周缘有利刃。有圆孔，径2.5厘米，体径11厘米，厚1.9厘米。一用灰色熔岩磨制，中有孔，形如圆柱。体高6.2厘米，径7.2厘米，孔径最细部2.3厘米。

（4）石剑

1件，残片，黑色泥片岩磨制。体形薄，脊上两面各有浅沟一道。

（5）石弹

6枚，完全品。此物出土甚多，大小形质亦不一致。大体为圆形，一面微有平凹，恰如吾国麦面馒头状。亦有两面略呈偏平者。大者径8厘米，厚5.8厘米。小者径6.5厘米。观其制作精美，或系玩具。但据其出土之多，似属武器。

（6）奇形器

1件。以赭色火山熔岩制成，体大，不明其用。器呈二段：上段圆柱形，下段长方形。圆柱部分高8厘米，径8厘米，下部长方形，高10厘米，长18厘米，宽14厘米。

（7）砥石

2枚。质为铁石英岩磨砺它物自然形成者。体略偏圆，表多平面如结晶状。直径8厘米，高5厘米。硬度甚高，以之磨砻玻璃、瓷类，虽轻微一过，则表皮立破。其如此威力似为磨砺石器及玉类所用者。

（8）玉品

1件。体偏平如半月状。色青碧，磨制滑润。似就玉器（疑玉斧）残部

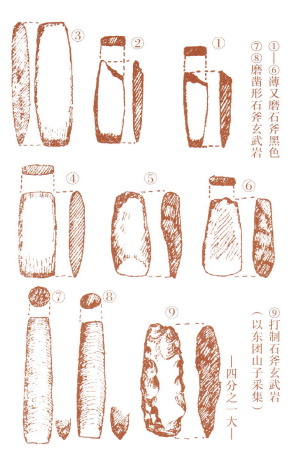

①—⑥薄又磨石斧黑色
⑦⑧磨凿形石斧玄武岩

⑨打制石斧玄武岩
（以东团山子采集）

—四分之一大—

图五　东团山子采集遗物

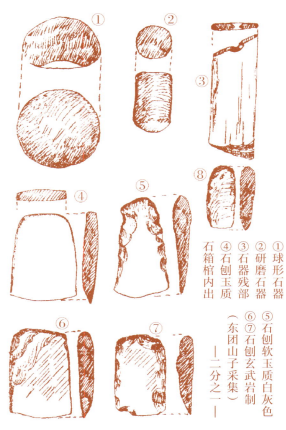

①球形石器
②研磨石器
③石器残部
④石刨玉质
石箱棺内出
⑤石刨软玉质白灰色
⑥⑦石刨玄武岩制
（东团山子采集）
——二分之一——

图六　东团山子采集遗物

改制而成者。长7厘米，阔3厘米，厚1.7厘米。

2.瓦器（无完整器）

（1）鬲

为腹部下附三足如鼎状之瓦器。其足部呈圆锥形（亦有多角锥形者），附腹部者亦间有之。色赤褐，土质粗硬，中含多量石英小粒。田中道侧，触目皆是。

（2）灯

为上下呈瓢形、中支圆柱之瓦器。其支柱粗细高低，与瓢形之大小深浅，恒不一致，且支柱有中实、中空之异。又有无支柱，只二瓢形俯仰相接成器者。则后世有底之碗杯等，或其演进也。支柱最高者20厘米，圆径8厘米。瓢形大小无完品，不能知矣。

（3）豆

本与灯器相类，几不能分；但因其制作形式与前器迥然不同，故暂名之曰豆。其器为上呈仰瓢形，下为上细、下部微细之支柱，柱不中空，下亦无瓢状物。上面是否有盖，今不可知矣。观其手技之古拙以及土质色彩等，似与灯器同时，唯其量较少，器多粗大为异耳。

（4）把手器

亦甚多，唯无完全者。其把手呈蔓状，多在肩部。间阔形平偏者亦有之（以上为瓦器特殊，易于识别者。其余瓦器残片尚多，即城壁中亦有之；唯难推其原形，但有纹者绝少，则显然之事实也，亦为应注之点也）。

3.砖瓦

（1）有纹饰

砖两种。一种体小呈长矩形，印有几何形纹样，色赤质细，甚可爱。宽9厘米左右，残存部长17厘米，厚2.5厘米。又一种体大质粗，色灰褐。花纹呈唐草式，且多数砖完成一段花纹者。残存部长33厘米，宽17厘米，厚5.5厘米（图七）。

（2）绳纹瓦

出土城址内山巅土中，色赤质重，表有绳纹，有粗布纹。体颇大无完全者，俯瓦幅小，仰瓦幅大，见俯瓦表无绳纹。仰瓦表面又有方格花纹者，极少数也。再此瓦只在山巅出土，他处未见，肯亦不与他瓦同群，殊可注意也。

（3）缺刻瓦

出水池西。色灰质硬度极大，分俯、仰二种。俯瓦有接榫，长部（残存部）长22厘米，宽28厘米，尾6.5厘米。仰瓦前缘上边有用手指或他物斜押之缺刻。瓦无全品，其残存最长部35厘米，宽32厘米。

（4）瓦当

两种。褐色质坚，与前瓦同时同地出土。直径20厘米左右，厚3厘米余。一种菊形花纹，一种蕨手花纹，后者花纹均可爱，唯多不完整，为可惜也。

再当前瓦出土时，曾有方孔钱一枚出土，惜工作不慎，未能整理即失去；然泥迹印瓦上，乃唐后之小孔钱，则赫然无疑矣。又地表得一瓦，表印押钱文一枚，文为"□□元宝"，虽尚未考知何代物，但据其形式、铸法、大小等，亦为考证之好资料也。

4.青铜品

青铜剑

残片1枚，为剑身一部，一面平，一面起脊，刃锋利。出土山城南。以上为东团山子遗物也。

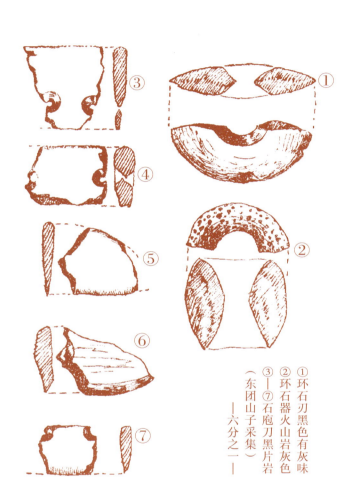

① 环石刃黑色有灰味
② 环石器火山岩灰色
③—⑦ 石庖刀黑片岩
（东团山子采集）
—六分之一—

图七　东团山子采集遗物

305

（二）龙潭山出土物

1.石器

（1）石斧

2枚，一火山岩质，残余部长9厘米，厚1.8厘米，阔9.1厘米。一黑页岩质，长10厘米，厚1.8厘米，阔4.5厘米。均为磨制，上端虽微断折，而形式整美，似属后期之物。

（2）石刨

南坑与豆土器同出土。光润如玉，色青灰似大理石。长8厘米，阔7厘米，厚1.2厘米。完整可爱。

2.骨、角器

（1）骨器

A　甲子形骨器一。长15厘米，宽5.5厘米，厚0.5厘米。与鹿角、兽骨、鱼、鸟骨等同群出土。

B　骨鸣镝一。形如枣核，中空围腹部有小孔三。前端一细孔，似为加镞之用。长4.6厘米，体径2.5厘米。与五铢泉同群出土。

C　骨器残部一。为方形骨板之一段。长8.6厘米，宽2.1厘米，厚0.6厘米。原形作用不明。与加工角器一同出土。

（2）角器

A　加工鹿角四枚。在一枚尖端已呈光滑状。一枚根部有锯断痕甚深。

B　柱状角器二枚。均为角之根部，长约16厘米，粗3厘米。当柱之二分一处，横贯一孔。制作精美，二枚同地出土。唯用途不明。其他角骨尚多，或为当时所遗者。

3.铜器

（1）古钱

A　五铢钱12枚。内无郭者2枚，薄小者2枚，余者以古泉学之见地考证之，似属后汉物。与白铜镜残部同区出土。

B　北宋钱数10枚。年号颇多，唯全为北宋后半期物。且模文颇新，似未经久用者。与铁镞、骨壶同出土于铁路线东方，约1米之地层中。

（2）白铜镜残部

乳孔部分，体不甚薄，花纹全体不明。唯据其质地纹样做法观之，其为汉镜无疑，惜不得窥其全形耳。

4.玉器

牙状玉器

器为白玉制成，长4厘米，体如兽齿而稍薄。下端尖锐，上端一孔，润泽可爱。

5.瓦器

（1）粗拙瓦器

本类瓦器，多罐、杯、钵等。全用手指制作，不用陶钧。形式较拙笨。质含大量石英，呈灰红色。底部厚重，有稍呈圆底者。有纹饰者少，完整器亦不多。常在灶迹处发现。完品仅瓦罐3个，中1枚出土时，尚存兽骨、鹿角及鹿头盖骨少量。稍完整之瓦缶2个，底之内部附有环鼻，制作奇特，今人难推其用法。

（2）纹饰瓦器

种类繁多，色彩复杂。器表每用篦状物押印或围面各式花纹，其中花纹最发达者为波状纹。又有用汉新莽之货泉及后汉五铢为纹样者，此等瓦器片不特饶有趣味，实亦吾人应注意者（图八）。

图八　花纹砖

图九　龙潭山出土瓦器片拓片

（3）色画瓦器

破片数枚，用黑色画于灰色器上，色彩对比不甚显明。纹多纲目形，或呈横缓水波纹状。且前者器内部亦有纲状纹。类量虽少，殊足引起吾人之注意也。

6.铁器

（1）铁镞

四枚，同环镫等一地层出土。柳叶式者二，一残品长10厘米，原形全长不明。一完品较小，长8厘米。体圆尖现舌状者一，长16厘米。方锥形者一枚，长12厘米。

（2）马镫

2枚，形如圆环，底部稍平，复分为二股；环上直柱甚长，上端开横孔，盖为系韦绳之属者。

（3）铁斧

出土于中坑西部，形如今世之铲，两肩微阔，上有圆裤，中以装柄。腐坏过甚，残部长13厘米，幅8厘米。

（三）帽儿山出土物

1.铜器

（1）金铜面具

山前田中出土。青铜范制，表涂黄金。面形微长，顶上椎髻及左耳已残。张口露齿，口上下微笑有髭须，鼻高目细，额上现刻纹三道，神气狞恶。里面有环鼻，可系绳索。长13.8厘米，宽9.3厘米。

（2）铜饰物

出土地同上。计十数枚，大小不一，可分二类，一种如蛋壳纵切之一面，中空于切口处有二横柱或一横柱，似便连缀者。一种形式微大而二枚连比，二壳间连一横板，其用当与第一种之横柱同。表露涂金，与铜面制作质地，出土地全同，或为同时之物。第一种最长者长2.5厘米，第二种最长者长4厘米。

（3）铜扣

一枚出土地同上。青铜造，如笠子状。中空连二环。体径宽3.5厘米，环端至笠顶长2.6厘米弱。

（4）铜环

一枚，形小不能容一指。体内扁外圆；色青绿，滑润苍碧如玉。

2.玉珠

（1）玛瑙珠

种类甚多，大小亦不一。色多赤绀，制作拙劣。计有白玉、管玉、竹节玉、算子玉、圆珠玉、枣核玉、栀花玉，纽扣形之类。大者长3.4厘米，小者不及1厘米。

（2）琥珀珠

量甚少，色白黄，如脑状。以上玉珠多与金饰物一同出土。

3.铁器

（1）铁辔

残坏颇甚，仅数环相连，一端附活环，环之他端开一横孔，备系皮索，全长22厘米。一望之下，任何人皆可知其为马辔也。

（2）铁斧

刃部腐坏，全形不明。上端有矩形裤，备装木柄。裤之上端围起线纹三道为饰。长10厘米强，阔7厘米强，裤深4.5厘米。

（3）铁毂

体如圆柱，一端微粗，粗端横贯一孔。两端外各饰线纹三道。长7.5厘米，粗端径6.5厘米，他端4厘米。中空之两端各3.5厘米。

又据该山土民云：耕地常得刀、剑、古铁、铜像之属，惜未及见，故不列。再石斧一枚、瓦豆等数事，虽皆述者手采，但非本区主要遗物，亦不详述。

以上为龙潭山遗迹遗物之大体情形，就述者所见外貌，拉杂记之，挂漏单简，势难避免。又加照片画图不甚正确充分，读者实不精确明白。凡吾同志如能实地调查，理为吾国文化之幸，如示以指正，则正为述者所殷望者矣。

对此遗物之主人，究为若何之民族？文化如何？亦即此遗迹之相对年代及绝对年代如何？个人意见当另文发表。唯对此文化宝藏之今后，有应唤起注意者数事列后，幸吾同志留意焉。

一、对此遗迹应加保护，以免文化史迹之毁灭。

二、吾吉林市教育者，以乡土史重要的见地，应唤起学生及市民对此遗迹爱护研究之趣味及注意。

三、同好研究家对此遗迹视查后，应发表意见，早得学术上合理真实之结论。

四、本遗迹与吉林仅隔一江，交通便利，风致尤美，如划为公园，则古迹名胜兼而有之，不独可保遗迹之不灭，于吾古都吉林之都市文化上亦增光不少。

[原载《满洲史学》第1卷（1937年）第2、3号，第2卷（1938年）第2号]

辽李进墓发掘报告

一、发现经过

1949年6月24日，沈阳市小西边门北新新三厂，在修筑烟囱地身工事中，发现深土内露出砖墙与一石棺。数日后以电话通知本处，乃于7月8日去人查勘，9日进行发掘，12日工作完毕。

二、墓室构造

墓顶距地约1.4米，已为维修工人挖乱下陷，经正式发掘后，认出墓室圆形，直径约3米，门南向，宽0.7米，棺后方残存砖墙高约1米，墓室地面铺砖多已残缺，后部有横长方砖筑棺台，石棺头西尾东，横陈台上。

三、墓中遗物

石棺一座，石质为板状石灰岩，棺身和盖，前宽后窄，长、宽、高度各以中部平均计算，长为1.4米，宽、高各为0.7米，4个半肉雕，为前——朱雀、后——玄武、左——青龙、右——白虎之四兽像，各托以云纹莲实花纹。棺盖上花纹多腐蚀剥落，其前端绘刻铭文为"开泰四年岁次乙卯五月三日壬午亡故沈州李进寿棺长男口奴"5行26字，又上横行为"统□□监"4字。

棺内盛火骨灰及开元通宝钱5枚，棺外土中得到陶瓶1件，残陶罐1件（可复原），石俑残段2件，砖熨斗1件。

四、遗物价值

（1）石棺仅盖部断裂，通体雕刻精整，最为难得，可视作辽代石制品的代表。

（2）1930年沈阳市大东边门外，曾经出土辽开泰七年孙允中石棺，与此棺同式，雕工也相仿佛，均为大头小尾之中国木棺形式（与其他辽墓中之石函式不同），且用为火葬，可以看到辽代葬仪的一种特点。

（3）石棺铭文因有剥落处，不知李进为何如人，但以孙允中棺铭为例证，孙系辽时承奉郎守贵德州观察判官，而李进的棺铭中有"统□□监"四字，或即辽代统军都监的官职，也未可知，两人用同样石棺埋葬，也可推知李进是和孙允中有着相似身份的一个官员。

（4）石俑形为头椎髻，身着长窄袖袍，外套马褂，手执帨巾，似一侍女装束，这是考证辽人服饰的最好资料。又砖制熨斗，雕工粗拙，辽人常以此纳入墓中（他处出土有铁制品或雕砖），这是当时很流行的一种殉葬风尚。

（原载《文物参考资料》1951年第2卷第9期）

辽西省义县清河门西山村
"辽佐移离毕萧相公"族墓发掘工作报告

（一）发现经过

1949年8月下旬，因大雨山水暴发，义县西山村西山沟岸崩裂，露出砖筑营造物一小部分，为牧牛小孩所发现，村民认为是王坟，必有财宝，当作"救灾生产"，于8月28日开始挖掘。开掘时用炸药包爆破墓门及前室一部，放出7尺深的积水，取出所有副葬品，把其中重3两余的纯金镯1副，纯金耳钳1只（另一只为村民某事后拾得），银制面具1件，卖钱均分，下余遗物，分散在村民手中。这种情形为辽西省政府闻知以后，1950年3月派人赴现地搜集分散遗物，并指示保护附近继续发现的另一古墓（此项遗物已由该省移交本处）。为免史迹文物再受损失，5月9日由文物管理处派李文信等前往发掘，发现"辽佐移离毕萧相公"墓志，并在该墓附近继续发现二墓，另外还发现了水泉沟屯一墓，知此处为萧氏之族墓。

（二）古墓群位置

属辽西省义县北72里清河门街（区政府所在地）西北8里的西山村，古墓群位于村西北约2里的大山东南坡。

清河门一带是义县北方南北窄长的一小平原，东有细河，西有清河，两河汇合后注入大凌河。平原东方是医巫闾山脉北部高山，西方相对是大青山山脉，墓群所在的高山是大青山东南脉的一支，海拔高约350米。墓地是东南向，后靠山坡，坡分两小山岗，在墓群左右伸展如双臂，前方约150米有孤立圆形小山，极为秀丽。

由此向东南眺望，不但清河细河流域的村落道路了如指掌，就是四五十里的闾山各峰，也一目在望。

古墓地周围史迹很多：正南至辽宜州（义县城）72里，东南至显州（北镇附近）90里，东北至懿州（彰武县南四方城屯）260里，至晋国夫人萧氏墓（阜新县腰衙门村）80里，至兰陵那萧公（德温）墓（阜新大坝北翁山村）110里，正北至成州（阜新西红帽子村）80里，西北至宜民县（阜新里城子）90里，西南至兴中府（朝阳县城）240里，至白川州（朝阳四角板村）170里，南10里水泉沟，东北12里艾灵桥，北38里莲花山，均有古墓。

（三）墓室构造及遗物

此次发掘的辽墓，主要为西山村4座，水泉沟屯1座，不但规模大小、繁简不同，就在构造上、材料上也不一致，辽物则多经翻破坏，兹分记于后：

第一号墓〔佐移离毕萧相公（萧慎微父）墓〕

甲. 构造：

墓室微向东南，全部为长方砖胶泥筑造，地上坟头封土上用自然石块包砌，墓门封砖前也用自然石块堆积，主室为直径4米的圆室，上起旋顶（这些部分多陷坏了），地铺平纹长方砖，近后壁中央筑高起雨层平砖，宽2.5米、长1.5米的长方形尸床。

墓隧道长5米，宽1米，中央左右各有1米见方的突出小室，把隧道形成一个"十"字形前室，主室有柏木门，左右立柱，周壁用輖状柏木方镶造如井干状，但这些木质构造大多朽坏，仅存下层部分，或倒坏在墓室中。

乙. 遗物：

墓内遗物经人捣毁零乱满地，墓志铭亦被击成数块，且失去其记载姓名年月之重要部分，似是死者身后以何罪戾，被掘墓戮尸所致，此墓主要遗物如次：

1. 人骨2具（残缺）。

2. 墓志铭1合（志盖完好，志文残缺）。

3. 琥珀钱形小佩1件。

4. 琥珀串珠2件。

5. 水晶鱼佩1件。

6. 白瓷鸡冠壶1件。

7. 白瓷长颈瓶1件。

8. 白瓷唾壶1件。

9. 白定瓷盖罐1件。

10. 饶州影青瓷莲式碗4件。

（以上瓷器均碎，但可复原）

第二号墓（契丹图书墓志铭）

甲. 构造：

墓室东南向，墓门隧室，左右小室，主室地表，尸床，主要均用方砖石灰筑造。墓室自然石筑成八方形，每面长1.7米上下，二面间直径4米，室上自然石旋顶，上有人工造径1米方石的三块，馒头形高1米许墓顶圆石一块，均陷落墓室中。地铺长方砖，下有石造排水沟，近后方用方砖筑宽2.5米、长1.6米、高0.32米的尸床一，床前壁嵌雕边中画设色牡丹花的装饰砖六块。墓门前为横墙，上起重檐，下设斗拱三座，两侧的下接方柱，中央的下为圆形墓门，门外缘有兽面，缠枝菊牡丹雕纹砖装饰，斗拱上画有红青彩色，门内为隧道室，长2.7米、宽1.45米、高0.3，隧室左右各为一小长方室，门宽0.7米、长0.4米，木质构造，在门壁上有木柱沟槽，知有木门已朽烂不存。主室除正面为墓门，两侧有门柱，地面横有柏木方门限以外，各面都用柏木围造，下部的保存较好。

　　壁画有三部分：墓门前左右土壁上有石灰壁面，右侧石灰不存，左侧近门部分一骑士画像，高约1.2米，上部保存不佳，为马腹鞍韂以下，墨廓红色都很清楚。隧室拱门内壁石灰壁面画有墨廓设色牡丹花，面积有2平方米上下。尸床前壁嵌雕边砖六方，各画墨廓设色牡丹一枝。

　　乙．遗物：

　　墓经人破坏（似与前墓原因同），遗物散乱不全，主要有：

　　1. 人骨。

　　2. 契丹字墓铭1合（盖志均缺）。

　　3. 镀金银器残片2件。

　　4. 铜制透雕带具2件。

　　5. 铜丝手套残部6块。

　　6. 铁边穗2件。

　　7. 铜、铁钉22件。

　　8. 水晶串珠2件。

　　9. 穿孔小贝壳2件。

　　10. 朱红漆器残片30件。

　　11. 饶州影青瓷台盏1件（完好）。

　　12. 饶州影青小碗1件。

　　13. 饶州影青小碗1件。

　　14. 白瓷划花洗脸盆1件。

　　15. 白定瓷花式大盆1件。

　　16. 白定瓷盖罐1件。

　　17. 白瓷印花方碟1件。

　　18. 绿釉鸡冠壶2件。

　　19. 绿釉盖罐2件。

　　（以上瓷器均破碎，但可复原）

第三号墓（小玉佩墓）

甲. 构造：

墓东南向，在第一号墓后方，第二号墓右方，三墓距离约略均为30米上下。墓门长方砖胶泥筑造，简素无花纹。道门宽1米，地面至拱门最高部1.55米、深1.75米，主室为自然石砌造，直径为2.6米的非正角六方形，每面平均长约1.6米，上部及旋顶陷落室中。墓门两侧有柏木立柱，中有倒坏朽木及铁钉，可能原有木门室内壁面均用柏木围镶，仅存下部，地面横长纹平铺大长方砖，别无尸床。

乙. 遗物：

出土人工遗物较少：

1. 人骨2具（残缺）。

2. 有孔碧玉珠1件。

3. 白玉小环1件。

4. 白玉牡丹花佩件1件。

5. 白玉银锭形佩件1件。

6. 铜雕钟形佩件2件。

7. 有纹镀金铜饰片1件。

第四号墓（嵩德宫铜铫墓）即去年村人第一次所发掘者，诸墓中唯此墓完好未毁。

甲. 构造：

墓东南向，位于第一号墓左方，第二号墓前方，距离也约略相等，为长方砖石灰筑造。墓门前横墙大部炸毁，仅存左方一小部，上檐斗拱立柱，略与第二号墓门墙同。隧道室宽2.4米，深3米，高2.4米，主室隧道室间的过道门宽1.15米，主室圆形，直径5.25米，高与直径等，地表上无土痕迹。

乙. 遗物：

均为事后搜集所得，分布位置，也均由原发掘人口述，做一记录，主要遗物有：

1. 铜镜2件（一件残缺）。

2. 铜铫1件（有嵩德宫造重一斤款）。

3. 铜马镫1副。

4. 铜铃9件。

5. 玛瑙碗1件。

6. 小玛瑙盅1件。

7. 汝窑碟2件。

8. 冬青划花大碗1件。

9. 白定大碗2件（锦市图书馆古物室陈列2件）。

10. 马牙1件。

11. 琥珀刀柄1件。

12. 玉佩件5件。

13. 密腊腰佩7件。

14. 白瓷划花瓶盖2件。

15. 各种串珠24件。

16. 残玉分发簪及小玉器把2件。

17. 白釉鸡冠壶2件。

18. 白釉大瓶1件（锦市图书馆古物室陈列1件）。

19. 黑釉大瓶1件（同前）。

水泉沟古墓第一号

甲. 构造：

水泉沟距西山村正南10里，属义县十区台子山村。地势后方有砬子山脉。墓在山脚下廊漫坡上，旁有水沟，岸崩露出砖石，才被发现。5月18日会去视查，拟回处报告，听候处理，不意于25日闻人言，该屯居民已擅行开掘，当即去人制止，已被掘开大部，仅剩主室后部积土未除，当即一面令其停止，一面将发现的遗物收回。

此墓构造是长方砖石灰筑造，墓门前为横墙，隧道拱门宽1.5米，深0.7

米，墓门前斜达地表有长6米的斜道，亦有砖筑一门，主室为八方形，每面长约1.2米，直径约3米，地面铺宽0.35米方砖，旋顶陷落墓室中。

乙. 遗物：

因被村民挖掘，收回之遗物是否为出土之全部，尚不可知，经我们发掘主室后部所得，主要有下列各物：

1. 人骨残断1部。

2. 人骨上衣服残片附着铜丝网数片。

3. 琉璃带銙全具。

4. 铜制革带镀具1件。

5. 铜环残片1片。

6. 铁镞1件。

（四）目前对萧氏族墓遗存文化价值的估计

这次出土遗物，尚未及时进行研究，仅就印象所得，约可作如下估计：

1. 萧相公汉字墓志，虽属缺失年号，但其次子慎微于重熙十二年出使高丽（见高丽史），使此墓年代约略可定，为研究此次遗存的年代基础。

2. 契丹人体质研究资料，从来少有发现，此次出土六具人骨，虽有的腐烂不全，但大体可供给计测、研究。

3. 过去辽墓多为单独的发现，偶有二三邻近的发现例，也无法证明为一家族墓。这次发掘的墓群，在地形上、位置上、方向上、距离上、墓志上，都证明秩序井然，辈行分明，是一族墓地，在研究契丹人墓制上是有益的新发现。

4. 契丹国书字，因当时书禁的限制，绝少传世。石刻除"道宗帝后哀册"外，从所未见。这些出土契丹字墓志残石，一方面增加了研究新材料，另方面也是契丹字石刻在考古学上最初出土例。

5. 银叶面具，留有留骨的铜丝手套残部，骨外类似皮衣上的铜丝网，都证明契丹人的奇异埋葬习俗。

6. 第二号、第四号墓建筑精致，二号墓留有壁画，是研究当时建筑、绘画的正确材料。

7. 出土器物有：金、银、铜、铁、玉、琥珀、玛瑙、腊黄、水晶、琉璃、绿松石、青金石、贝壳、陶瓷、漆器等多种多式，可作当时工艺技术较全面的比较研究。其中瓷器，如：中原产的定州白瓷、饶州影青、汴京东青、汝州青瓷，都说明了宋代瓷业的发达进步，生产量和分布区的广大，以及汉民族文化在契丹的地位。

8. 此墓的发现与前已发现阜新翁山村萧德温墓，去年发现同县腰衙门村晋国夫人萧氏墓，作成分布的重要一环，可考知辽代后族萧氏家族的根据地，足补史文的缺略。

（原载《文物参考资料》1951年第2卷第9期）

义县奉国寺调查报告

1950年5月11日到奉国寺作现状调查，其情况简述于下：

1. 位置：辽代木造建筑奉国寺在义县城内东街路北，左右为民宅，寺前空场很大，寺基筑造得很高，周有砖墙，成一独立院落。

2. 现状：临街门无建筑物，仅一巷口，左右有雕刻石狮二座，虽微有残损，但在法式上仍为辽代石狮代表作。过空场到寺前，门左右有明代石狮二座，山门一间，左右各一便门。次为木柱瓦盖牌坊三楹，次弥勒殿单屋五间规模较小，以上三种建筑物年代都较晚。弥勒殿后一甬路，通连大月台，台后部即为辽代建筑大雄殿。殿前宽48米，深25米余，高7丈，广大为45楹。上盖为四注式，前开三门，后设一门。梁柱、斗拱、窗门、案座等，都是辽代原式。殿中横列七大坐佛，背光高五丈许，正中者最大，左右递次差小。每佛左右各有侍立菩萨。四壁彩画佛教故事，虹梁栌斗也画有天人宝花等装饰。殿后门外，地址很窄，别无屋舍。院中柏树十余棵，西面院墙有便门，可通西侧别院，院中砖正房僧房五间，极为整齐。寺为辽开泰建筑，金、元、明、清历加修葺。现存有金明昌至宁、元大德、明嘉靖万历、清康熙以下重修碑十余座，破坏的情形不很严重。现在寺前作了军属合作社经营的粮米市场，院内作破乱估衣行，有时也滥入大雄殿内。柏树拴驴马，致多啃去树皮。摊贩的布棚席障，木椿绳索，纵横杂乱。大雄殿在1949年曾经于寺后邻为小学生作教室，占用三个多月，致殿内塑像壁画多次受了损失（佛臂、手指、莲座、侍佛多有破损；壁画多划有沟痕和粉笔字画等等），又有人把七大佛的四尊掐破了胸腹。殿上盖西坡曾受炮伤，炸成二丈余一方孔，东面亦破丈余，幸内部无甚损坏。垣墙一部青砖拆修了完小校舍，大石条拆修了大凌河防水堤。辽西省人民政府今已饬令县政府出示保护，筹划迁出市场并修复大殿破损处。所应注意各点：

（1）大殿破孔及院墙门窗缺破处，均应从速修补复旧，以免扩大。

（2）暂可利用原有住持僧先行看管。

（3）修补时应有古建筑专家指导，以免走样。

（原载《文物参考资料》第2卷第9期，1951年）

义县清河门辽墓发掘报告

一、序言

　　这个报告书所报告的是发掘辽宁省义县清河门西山村辽萧慎微祖墓群的一切记载。这个墓群在1949年发现，1950年调查发掘。兹先说明下列几点：

（一）清河门的地理情况及古墓位置

　　清河门是辽宁省义县第十区人民政府所在地，南距义县36公里，镇北门外就是阜新县界。地势是一南北窄长的小平原。平原东方是医巫闾山脉北部，西方是大青山的南脉，在明代，这正是由义州北通东蒙的关门之一。西山村在清河门西北约3公里，地势较高，有一条向东流注的小山溪，聚居着三四十家农民。

　　西山村沿山溪西去约1公里，稍北进入一座高山东南面的浸蚀沟坎，沟坎上头正是大山东支的前怀，也就是辽萧慎微一族墓园的所在地。

墓地和西山村附近不仅分布有辽代陶瓷砖瓦片，并且也发现了新石器时代的磨石斧、有孔石刀、打制石核、陶器片等（图一；图版一：1）。

（二）阜新和义县内辽代遗迹及古墓

阜新县及其邻接地区多有辽代契丹外戚萧氏的头下州故址和墓葬。以清河门为中心说，正南到辽宜州（义县城）36公里。东南到显州（北镇县城）45公里。北到成州（初名睦州，阜新西红帽子屯土城）45公里。西北到徽州（北票县黑城子城址）47.5公里。西南到白川州（朝阳县四杰板村古城址）85公里。东北到壕州（阜新大坝古城址）50公里。东北到懿州（彰武县四方城址）130公里。到原州（阜新塔山古城址）100公里。到福州（同县白城子古城址）110公里。这些军州和头下州多数是和后族萧氏有关系的。

在阜新县境内已发现的辽墓有两处：一、距清河门东北40公里的腰衙门村，发现"晋国夫人墓"，夫人是辽圣宗（耶律隆绪）钦哀（爱）皇后的妹妹，嫁给耶律元；二、距清河门东北55公里的大坝北翁山村，发现"兰陵郡萧德温墓"，德温是萧阿刺子国舅大丞相萧孝穆孙。此外西南4公里水泉沟有辽墓一座；西南2.5公里双山屯有辽墓群一处；东北6公里艾灵皋屯有在解放前已遭破坏的辽墓二座。北20公里莲花山有已发现的辽墓数座，这些墓葬和遗物对辽史的研究上已提供了许多宝贵材料，对萧慎微这一墓园的研究也是极有帮助的。清代末年在义县北医巫闾山中的盘道岭北山下发现了"太和宫副使耶律弘益妻萧氏墓"，萧氏是辽圣宗孙女因八公主之女，也是与萧氏有关的古墓之一。

（三）萧氏族墓的发现及清理

1949年8月下旬，因大雨山水暴发，西山村的西沟里沟岸崩裂，露出"砖筑小庙形"的地下建筑物一小部分，村民认为是"王坟"（蒙古地方俗称古墓为王坟），乃于8月28日开始挖掘，并用开矿的炸药爆破墓门及前室一部分，放出2.3米深的积水，拣取完整的随葬品。其中重约三两多的纯金手

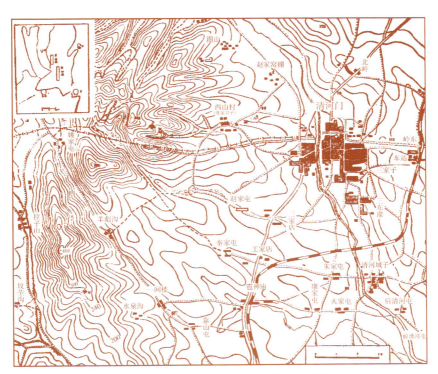

图一　清河门附近地图（附古墓平面图）

镯一副、纯金耳钳一个（另一个为村民某事后拾得）、纯银制面具一件，均被变卖；其余遗物除破坏散失的以外，也都分散在各处。原辽西省人民政府闻知后，于1950年3月派人赴现地搜集分散的遗物，并指示保护附近继续发现的另一古墓。为避免古迹遗物再受损失。1950年5月9日东北人民政府文化部文物处就指派李文信、曲瑞琦、孙守道、于世杰等前去发掘清理，又继续发现了二墓，一共发掘了三座古墓，同时也清理了村民挖掘过的那一座，共为四墓，于同月27日工作完了。由于汉文墓志的出土，才知道是辽萧慎微的祖墓。

（四）墓群状态

墓群的方向是东偏南6°多，位置在海拔345米高的一座山脉东支的前怀里，后为高山，左右两条山岗如双臂伸展。墓地高旷平敞，前方是向东南延伸的一片谷地，正前方约150米是一座孤立突起的小丘；远望可见曲折的清河和重重叠叠的闾山。由墓地形势上看，可以说明辽人也迷信风水。地面上除了小丘前方有一砖瓦建筑古址可能与墓地有关，此外再也找不到其他标志的痕迹。此为原辽西省1949年8月就已发现了的村民挖掘的墓和我们发掘的第1号墓，另外那两座位置较高而更近山坡的墓，尚未明显地露出来。这四座古墓中除村民挖掘的一座外，那三座都在很久以前遭到了人为的破坏（图版一：2）。

二、第一号墓（佐移离毕萧相公墓）

（一）位置及外形

此墓在墓群中的位置以方向说，是四墓中前右方的一个，地势也较低。左距第4号即嵩德宫铜铫墓（村民挖掘的）约22米，后距第3号即白玉冠饰墓约30米。是村民挖掘第4号墓以后，沟岸因雨颓塌而发现的。我们首先发掘它，就编为第1号；因出有汉文"佐移离毕萧相公墓志铭"，所以又称佐移离毕萧相公墓。它深埋1.1米含砾石的黄土层底下，砖墓室券顶大部久已坍塌。从地表上看，是非常平坦的黄土地面，不仅没有封土堆石等坟头的痕迹，就是黄土层里也没有当时封土的高堆迹象，可知这层黄土是坟顶塌坏以后，由上坡逐渐堆积起来的。墓地上和发现过的辽代陵墓一样，没有石造人兽和碑碣，也没有辽墓常见的石经幢等地上标志一类的东西。如果不是沟岸崩塌，就不可能知道这也是一座古墓了。在墓室的前左方和右后方有两道很深的沟坎，岸土在雨季中常一大片一大片地向沟下颓塌，墓门部分的砖石已随土下沉，变了原形；墓室也已露出了一小部分砖块来。这墓的破坏很显然地分为两次：第一次应在墓室完好可以进入时期，这是人为的破坏；墓志和遗物缺少一部分就是明证。第二次时期稍晚，墓顶坍塌，上面积存着很厚的黄土；前室又渐渐下陷，这是天然的破坏。

（二）坟墓构造

本墓室全部，是用黄灰色长方砖、夹着胶泥建筑的。墓室的顶和封土坟头虽都塌陷破坏，但各部的构造还是可以看明白的。

墓门方向为东偏南6.5°。原地面上有封土坟丘，但因前面墓顶下塌，致原有高度无从知道。现仅说明残存的后面一部分，砖筑圆形主室顶壁上面被着一层很坚硬的红黄色土，在这层土馒头的表面，筑了一层平均大约40厘米长方或近方的自然石块。垒砌的方法是较大的石面向内，较小的石面外露。很难单块取出，营造得十分牢固。依这个封土及护石最下层的曲度推算，坟头直径约在4.5米以上；所存未变原样的封石共有四层，高约1.2~1.4米。至于再上部的一些石块，已经依次塌向墓室中去了，推测其原有高度约在2米左右。封石外面存着一层很厚的腐殖黑色土，表明着这个护石的土馒头当时确在地面上，由此可证契丹人的坟墓也有馒头形封土的。

墓室可分两部分，一为主室，正圆形直径4.1米，壁高1.6米，下五层长短卧砖，上每一层横立砖，间隔一层卧砖，各为七层，再上则为每层向内收

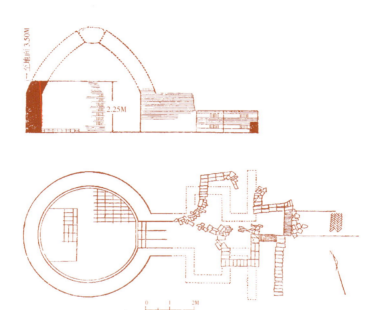

图二　第1号墓实测图

缩约5厘米的卧砖旋顶。顶部塌坏，推测最高当在4.5米左右。墓门宽1.1米。室壁内面用车辋状柏木厚板围镶，板厚约5~7厘米，宽约10~18厘米，长约80~120厘米。墓门两侧植柏木柱，安有木门扉。壁上的柏板和木门多已腐朽脱落，倒于墓内，仅可看出原来位置和形状。旋顶部分的装点已无形迹可寻，但大概是用软质材料如布、纸之类所造，久已腐朽。地面上干铺直纹长方砖，极为整齐。接近主室后壁筑造两层卧砖横长方形的尸床，床横长2.2米，左右边各宽约1.25米，高13厘米。主室门列墓门间的隧道部分，全长为4.8米，宽与主室门相等，为1.1米，在中部稍前方左右各有1米见方的突出小室，把隧道形成一个十字形前室，这是辽墓中常见的前室附有左右小室的简化形式。墓门用向左向右间层斜卧的横砖筑塞，外堆很多石块；门外左右筑以横墙，当时恐怕也是旋筑拱门，起有檐枋装饰，今已不存了（图二；图版三：1）。

（三）遗物分布状态

　　全部遗物异常纷乱，并且多碎成小块，又大多数缺失不全，原来形状推测不出的也有几件，因此就不可能借遗物原来的位置形式等来考察葬制了。遗物在出土层位上说，距墓室地面上约70厘米以下，就陆续出有瓷器残片来看，可知搅乱的期间很长；笨重坚固的墓志碎为很多小块，又缺失了大半，破坏之烈，可以想见。人骨两架，大部分都远离尸床，仅有一个头骨和两个下腭尚在尸床左端，但也都方向混乱，不是原来的样子，另一头骨单独在远离尸床左前方的砖壁下。但这并不足表明尸体原来是头左足右横放在尸床上，因有三支股骨也是一支在尸床左端、二支在东壁下的。此外另一股骨在尸床右端不远的前方和骨盆片相近接，也是方位凌乱，远离尸床的。尸床右部没有人骨，中部斜放墓志盖，下面也没有人骨；表明此墓遭人为的破坏，墓志盖移放尸床时，尸床上大部已经没有人骨了。因此，仅仅知道这号墓曾埋葬了两个尸体，至于尸体处理的形式就无法知道了。

　　遗物的情形也是这样，唯一的完整品是墓志盖，但它却与墓室方向呈

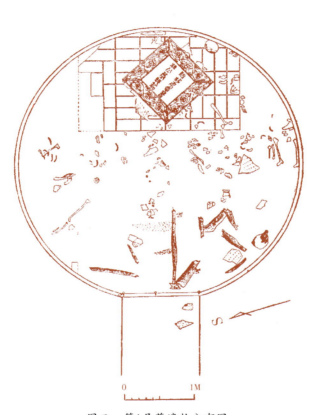

0   1M

图三　第1号墓遗物分布图

对角地平放在尸床上。墓志铭又碎成了10多块，分散在尸床、墓室、墓室门外，当然也看不出它的原来位置。瓷器共有9件，虽然也同样凌乱，层位又深浅不同，在地面上聚集一器残片较多的地方，就可能是它原来或接近原来的位置。但其中却有显然不是放瓷器或不能放瓷器的地方，像尸床里边的青白瓷莲式碗，墓门当道的白定瓷罐，自然都不是原来的位置了。其现在出现的位置而可能和原来位置接近的是：墓室中央稍前方左右各有白瓷长颈瓶1件；中央右方白定瓷盖罐，左方白瓷鸡冠壶2件。尸床前面中部一带散布的青白瓷莲式碗残片最多，可能是原来位置附近的一种证明。墓室正中央微左方出水晶雕刻的小鱼佩，琥珀钱各1件，琥珀串珠2粒；这些显然是佩带的服饰品，应当伴同尸骨出在尸床上，现出于墓室中央，就很难指定是原来位置了（图三；图版三：2）。

（四）出土遗物

本墓随葬遗物不多，除了残缺的墓志铭以外，其他的瓷器虽多残破，但尚可恢复原形。总计有墓志铭及盖一合，瓷器9件，佩饰品4件、铁钉7根。

1. 佐移离毕萧相公墓志铭一合

石质是淡绿砂岩，较为脆弱。志盖完整无缺，志文已破碎缺失，今存有字的大小11块。志盖正方每边长90厘米，上面中央为55厘米见方的平面，刻"佐移离毕萧相公墓志铭"两行10字篆文，四边磨成斜坡，阴线雕成缠枝牡丹花纹。墓志文字较多的7块，移录于后：

（第一块）"三惑，尚乃五音，人之所能，心罔不达，闻诗"行"嘉公之行，特授御史中丞，日严霜宪"行"勋高众署，果叠升于华贯，固用"行"参于枢府，改授两任枢密副使"行"须择巨寮，俾清奥壤，改"行"最，改授上京留守临"行"知诸行宫都部"行"扶已正"行。（第二、三、四、五块连读）"两京，理同一府"行"同政事门下平章事，眷重……驻永慈之部，常趋象魏之班，无……宜州北闾山西，袝先令公之茔，封启……不逾，孝奉舅姑，礼裡祖袮，齐体馨如宾之……封□水郡夫人，用承渥泽，忽淹泉台，遗烈余芳，洪傅当代，贞魂幽……咸登仕路盖宏麻而是假，展余力以可图，蕃蛊之称，匪日而俟，长曰慎微如京使……留守相公女横帐耶律氏为妇，次曰慎微，崇德宫副部署，银青崇禄大夫，检校句当……衙内□步军都指挥使，娶……小字逷烈，次……"（第六块）"射，娶横帐裊姑相公重……积庆宫都部署耶律……毕，家女并幼……唐朝之瑀瑁，……奉上……"（第七块）"嗣庆门……骑"。

志文缺失了墓主名号和年月，仅知其"次曰慎微"当是重熙十二年、十六年两次出使高丽的萧慎微（见《高丽史·世家》卷六、卷七）（图版四：1、2）。

2. 白瓷长颈瓶2件

两件形式完全相同，都经修接复原。高56.8厘米，口径10.8厘米，腹径22.3厘米，底径11.8厘米，腹壁厚1厘米，底厚1.9厘米。是仿定窑的烧法，胎粗硬，黄白色，外挂白粉，很坚致。釉层较厚，为牙白色，光泽较强，有极细碎开片。全体形态整饬雄健，具契丹高体瓷器的特点（图四：3；图版五：1）。

3. 白瓷鸡冠壶2件

两件形态一样，技术造型上一肥一瘦，微有不同。全高29.5厘米，口径3.8厘米，腹径15~16.6厘米，底径9.5厘米。与上项长颈瓶同窑出品，胎釉挂粉都完全一致。全体作两大面整页，前后加条缝合的皮袋形式。上有半环式圆体提梁，梁前为管状瓶口，口基部突起缝合纹一周，由此下起缝合纹三道，后结于环状把手尾基部。下为挖底圈足，挖底很浅，做工较为草略（图五：1；图版五：2）。

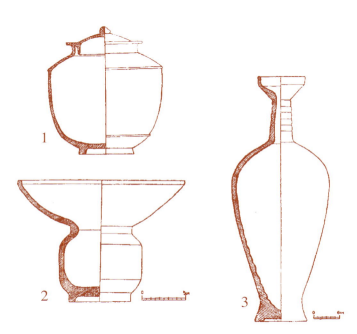

1.定窑白瓷盖罐　2.白瓷唾壶　3.白瓷长颈瓶

图四

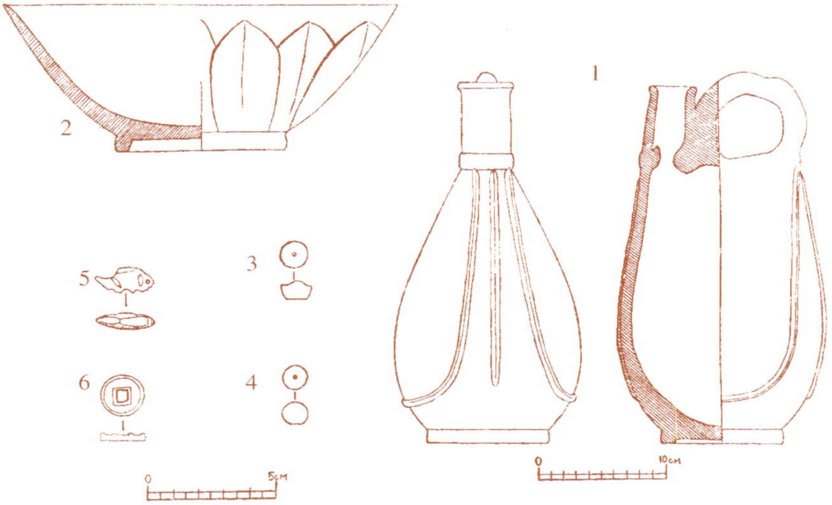

336

1.白瓷鸡冠壶　2.青白瓷莲式碗　3、4.琥珀珠　5.白水晶小鱼　6.琥珀钱

图五

4. 白瓷唾壶1件

胎釉技工和上二项瓷品同，上作漏斗形大口，下作小罐形。口径18.8厘米，全高约14厘米上下，腹径8.5厘米上下（图4：2；图版五：3）。

5. 定窑白瓷盖罐1件

全高15厘米，口径7.7厘米，腹径12.8厘米，底径6.2厘米。胎质较薄，细腻纯白，露胎处也像罩了一层淡淡釉水，微有光泽，器内尤为显著。釉色乳白，表面作极细的棕眼痕。所谓"竹丝刷纹"的拉坯遗痕也很明显。轳辘右行遗痕明显，为研究定窑很好的材料（图四：1；图版五：4）。

6. 景德镇青白瓷莲式碗4件

形式大小，完全一致，高6厘米，口径15.5厘米，底径6.6厘米。胎土稍粗，破口粒状显著，作干白色，富于透亮性。釉色青白，但雕刻沟线釉汁厚处都现深青色。釉面平细，偶有开片作较密的直条纹。制作不很规矩，口底大小厚薄也微有出入。碗外雕成12瓣花形。碗内底部釉面有研磨痕，似曾经使用。这种青白瓷器胎釉技工具备宋景德镇瓷特征，江西浮梁县湘胡、湖田两地古窑，出土过这样瓷片，可能是宋景德镇的出品（图五：2；图版六：1、2）。

7. 白水晶小鱼1件

白色水晶碾磨为鲤鱼形，头小身宽。鱼眼透孔，大概是系绳用的。全长2.2厘米，宽1.1厘米，厚0.6厘米（图五：5；图版六：3-1）。

8. 琥珀圆珠2件

两颗大小相同，正圆，中央有很细穿孔，表面被土侵蚀失光。圆径1厘米强，一颗微有缺损（图五：3、4；图版六：3-3、3-4）。

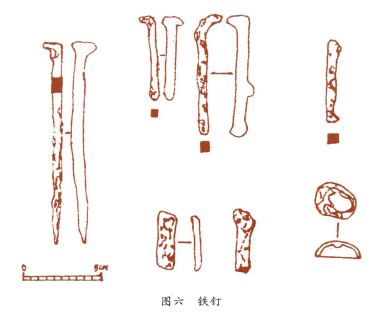

5CM

图六　铁钉

9. 琥珀钱1件

深黄色，圆形方孔，两面边孔都有浮起轮廓线。圆径1.6厘米，方孔每边0.5厘米强，厚0.3厘米（图五：6；图版六：3-2）。

7、8、9三项遗物系出土于同一地点，又都是佩饰品，若根据我国中世纪的风俗习惯说，很可能是一组腰佩上的零件。"鱼钱"从来是用来表示"常有余钱"的吉祥语，这是契丹人已受汉俗的熏染的证明。它的复原形式可能是上为一琥珀串珠，下为琥珀钱，再下为琥珀珠，最下是水晶小鱼。

10. 铁钉6件

铁钉分两种，一种圆笠顶方锥形直钉，长10厘米。另一种歪顶方锥形直钉，存长8厘米，都锈粘有部分木质（图六）。

三、第二号墓（壁画墓）

（一）位置及外形

在1号墓左后方41.5米，前距4号墓35米，右距3号墓22.6米，地面较1号、4号两墓高很多。依墓群方向和地势说，它是四墓中后二墓左方的一座。地面平坦，没有封土和石块，土色草色都没有什么异样，很难从地表上判定下面是古墓。我们由于先掘的第4号和这次挖掘的第2号两墓位置，与全墓地形大小位置来推测，觉得1号和4号墓后面，还应该有一座辈行更高的古墓。从1号墓所发现的墓志上有"祔先令公之茔"的话来看，更证实了我们这种推测的可能性。于是我们就在1、4两墓的后方，以两墓作中心画弧的交点上，做了长约15米，宽1米，深1.8米的探沟二道，结果没有发现什么。在5月18日上午，根据一小沟坎土层中露出三块上下垒砌颜色不同的石块，加以试掘，果然就发现了这座墓。它是我们开掘的第二座，就定名为第2号墓。墓内有

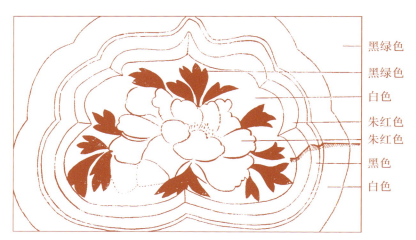

340

黑绿色
黑绿色
白色
朱红色
朱红色
黑色
白色

图七　第2号墓尸床前壁彩画砖

墨笔淡彩壁画，所以又称壁画墓。这座墓出土随葬品如契丹文墓志铭等都残破缺少，人骨零乱，有的瓷片抛置墓门前方很远。主室顶部已坍塌，由此可知也是经过破坏的。

（二）坟墓构造

墓室分两部分，前室包括左右二小室，系青砖石灰建筑，主室系石块胶泥建筑，内镶木板，地铺青砖。主室上盖和部分围墙虽久已坍塌，但构造形式还能看得很清楚。

墓门方向是东偏南5.5度。塌陷在主室内部，有每边80余厘米的三块大石，都经过人工錾凿，极为方正，另一块馒头形大石底径92厘米，厚52厘米，錾凿得更精致。这四块具有特殊形式和精细加工的大石块，绝不是自然石块建筑的墓壁向墓顶中所应有，可能是墓上封土坟头的石顶。这个推测如果不错，那么本墓地上当时也是有封土坟头的。前室部分有拱门式券顶，左右各连一小长方室。墓门前有横墙，由墓门斜升地面的隧道两侧有石灰面墙壁。隧道长约6米，宽约1.8米，斜坡约为18度。两壁涂有黏土和石灰面，右壁石灰面全部脱落，仅左壁后部存较为完整的一片，上画墨笔淡彩骑马武士像，马头向墓门，但已漫漶不清。墓门为圆拱式，门洞宽1.35米，高2.3米，门前面横宽2.7米。圆拱外面有雕砖花纹装饰带，正当门洞最高点的中央为一怪兽面，由此向左右伸展着波状的花枝，花头花叶和兽面都是浮雕，再上为横枋。门外两侧墙面各有模仿木构建筑的木柱一根，上架门拱上的横枋。横枋上起木构式斗拱三铺，一铺正当门洞中央，左右两铺正当柱头上。斗拱的构造简洁，以正中一铺说，在头道横枋上为鹰嘴驼峰，中加坐斗，再起双重漫拱，上置三升托檐。可惜下昂已残缺不全，不知原样了。两边的两铺除不用驼峰，接柱置斗以外，做法是相同的。斗拱上是横枋椽头，用砖代瓦，很像屋檐。这个磨砖建筑的门面上原是满涂白色，配合斗拱、枋、柱等各部形状画有黑红色彩，可惜多随土剥落，形象已经不清。檐上累石成墙，高约80厘米，再上30厘米就是地表了。前室长方形，有拱门式的上盖，室高和墓门高同为2.3米，宽1.35米，由墓门到主室门长2.3米。左右壁各通一个宽75厘米，高150厘米的小门，进小门是长1.6米，宽1米弱的两间小室，我们称作左右小室。这个附有两小室的前室壁面上，全部涂有白石灰层，在墓门口和两小室门口都存有很深很明确的木门框沟痕。墓门框高1.78米，厚8厘米，门上框宽19厘米，厚14厘米。两小室门框沟痕厚7厘米。前室两壁较高部分和上盖，画有墨笔淡彩的牡丹花和流云纹。小室里画有同样材料的秃顶披发的契丹人像，可惜石灰壁面上结了一层很难去掉的黄色土皮，画面已不清楚。墓门用很自然石块封闭着，但我们掘到墓门底下，又发现了两层封闭墓门的砖墙底。由此可知这墓门原来也是用砖封闭的，至于石块恐怕是再一次重封的了。主室全部石筑，做不等边八角形，每边由1.4～2.5米不等。全室纵长4米，横宽略同。室中后半部与后壁一边直线平等，做出横宽2.5米，纵长1.75米，高40厘米的尸床。床的左右前三面立壁，镶有朱、黑、绿彩画牡丹花的壶门雕砖装饰，很像镶有宝瓶束腰的须弥座（图七）。石壁上部倒塌，下部保存较多。石块多方正，不打剥，又不用石灰，垒砌得很不整齐。墙面用横直木板装镶，因倒塌腐朽，不能推测出原来的尺寸形状（图八）。

（三）遗物分布状态

本墓遗物比第1号、第3号墓更为凌乱，能确定为在原来位置的几乎没有几件。有的东西缺失一部分，有的一器残片分出于墓室中和隧道地下，甚者本墓器片又扔到3号墓道里。现在把出土层位、位置加以简略说明，可以了解破坏情况。

人骨两架，一男一女，都分散在砖地和墓门一带，尸床上下不存一块人骨，可见破坏搅乱程度的严重。男性头骨出于尸床左端前墙下，女性头骨还在墓门内左面第一直边壁脚下。一根股骨纵放在尸床左壁左方，另一根在墓室左面直壁的壁脚下。其他各部人骨都散布在墓室左前方，以至墓室门外和两小室中，戴铜丝手套的手骨就是出于此处。

遗物种类数量都不少，但也都破碎残缺凌乱。契丹文墓志铭已被打碎，

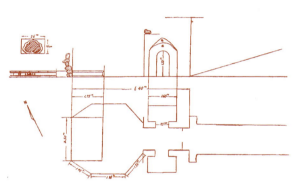
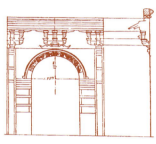

图八　第2号墓实测图

仅存六块，前室中出土两块，墓室中央距门约70厘米的地面上出土一块。左右墓壁下有几块较小的，但层位都较地面高些。墓志盖一块较大的出于主室左直壁下，其余的小块也都很分散。根据这些情形看，墓志铭原来位置可能在墓门内不远的中央一带。40件上下的陶瓷器残片，总计将近千片，分布在墓室中深约1米以内的土层里。每器残片真正在砖地面上集聚着的情形并不多。墓室门内右方壁下为绿釉凤首瓶底部及一部残片，另一件的底部则在右壁后端附近，但距地面稍高些。在二瓶之间有定窑白瓷小罐盖和一些零碎瓷片。尸床左角附近有绿釉鸡冠壶底部及较多残片。墓门内稍左方有一堆另一绿釉鸡冠壶残片，它的底部单个的又在右方将近中央部分。尸床前墙下中央稍左有青白瓷碗底部三个和很多碎片。碗的位置是两行横排，前二后一，右方就是当尸床的正中心有铜筷一支。筷子的右方没有遗物，但稍前方有完整的青白瓷酒盏、盖碗、残碎的青白瓷碗，定窑白瓷片等。尸床右端前墙下，在距砖地面不高的土层中有一个残破的青白瓷碗。由这些瓷器底部和碎片的分布来看，大体可得这样一个清晰的概念：这个墓室的右前方有两件绿釉凤首瓶，白瓷小盖罐等一群瓷器。左方绿釉鸡冠壶两件，和一些别的陶瓷器，尸床前中央部摆有青白瓷大碗、酒盏、白瓷碗、铜筷子等一大群较小的饮食器。此外在尸床右前方较远处有镶铜环的雕漆杯残片。左直壁中部附近有银板錾花环状器口，它的前方有一件较大破碎散开的镀金银板錾花器。墓室中央有小水晶串珠两个。尸床上有类似大田鼠的小兽骨两架，这就是主室内部的遗物情况。包括左右两小室的前室中，出土的多是碎陶瓷片，而且多是主室中器物的一部分。确在此室地面的，右小室有定州窑白瓷花式大碗，左小室有朱漆花式盘的大部分，但也不敢说原来就放在那里的。其他铜带銙，有布的钱圈、铁钉、镶铜叶的木器残片，子安贝等都出于前室高于砖地面的土层中，很难推测原来位置了（图九）。

（四）出土遗物

本墓出土遗物最多，破坏得也最厉害。瓷器绝大多数能恢复原形，其他

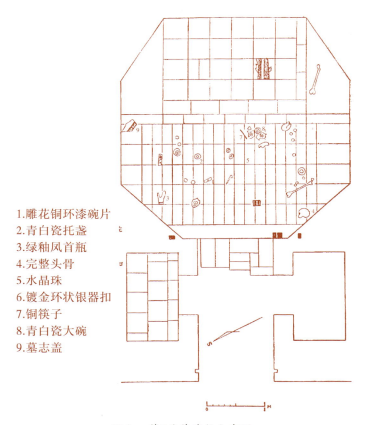

1.雕花铜环漆碗片
2.青白瓷托盏
3.绿釉凤首瓶
4.完整头骨
5.水晶珠
6.镀金环状银器扣
7.铜筷子
8.青白瓷大碗
9.墓志盖

图九　第2号墓遗物分布图

遗物朽烂过甚，不易恢复原形。

1. 契丹文墓志铭残石

石为绿色砂岩，质地粗松。志盖残存少半部分，上面四周有斜棱，中央方平的面上没刻题盖文字。志文存有一半，碎为六块，横长96厘米，纵长虽不全，可依惯例推测应为正方，也可能是96厘米上下。四边近边有一道浅沟为缘，此外别无装饰。上面分刻契丹文字32行。字体和热河辽永庆陵出土的契丹国书哀册各石相同，试用辽永庆陵哀册汉辽文对译已明确的词句来移译：第一行末二字为"铭辞"，第四行另起行书为"太口天口皇帝"，第五、七、九行各有"兴宗皇帝"字样。第十七行有"重熙"，第二十五行有"清宁三年二月二十七"，再隔一行后就是铭文。按惯例说，清宁三年当是坟墓主人夫妇最后死葬的年月（图版九）。

2. 绿釉鸡冠壶2件

两器造型胎釉全同，胎土细软，淡赤色外挂白粉。釉色淡绿不匀，釉层薄脆易脱，挂釉不到底。造型是圆体较高，上有指捏纹环梁，下为圈足。高47.6厘米，口径3.5厘米，腹径18.4～17.2厘米，底径11.2厘米（图十：3；图版十：3）。

3. 绿釉凤首瓶2件

两器同窑出品，形式胎釉也都相同。胎土稍粗硬，黄白色外挂白粉。釉较厚，色也较浓，表面光泽稍弱。与辽代一般长颈瓶形式相同，但颈上塑一凤头，上顶一杯为瓶口，颇有西域造型工艺品的情调。全高50.8厘米，口径11.4厘米，腹径25.8厘米，底径10.4厘米（图十：4；图版十：2）。

4. 绿釉小罐3件

两器形式相同。胎土、釉色、做法、火度都和鸡冠壶一样。全高9.7厘

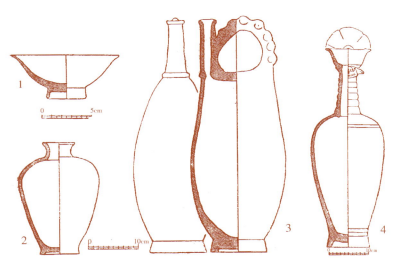

1.景德镇青白瓷小矮碗　　2.定窑粉白瓷瓶
3.绿釉鸡冠壶　　4.绿釉凤首瓶

图十

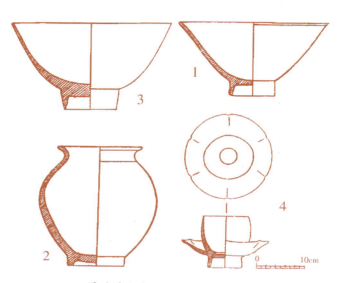

1.景德镇白瓷小碗　　2.绿釉小罐
3.景德镇青白瓷大碗　　4.景德镇青白瓷托盏

图十一

米，口径6.6厘米，腹径9.1厘米，底径4.4厘米。另一件尺寸稍小，釉色极淡（图十一：2；图版十一：3）。

5. 绿釉圆器盖

器已不见，仅余此盖。胎土、釉色、技工、火度完全和绿釉凤首瓶相同。全高5.3厘米，直径10.8厘米，子口径5.8厘米。由此盖证明本墓釉陶器已有全个缺失的事实（图十二：1）。

6. 定窑粉白花式大碗

胎细腻莹白，极为坚致，釉色纯白滋润，里外底下满挂釉，釉面均匀密致光泽。上口花瓣六片，口不过侈，圈足厚重。高13.8厘米，口径17.8厘米，底径9.8厘米（图十二：3；图版十二：9）。

7.定窑粉白瓷瓶

胎 质釉色和花式大碗略同，不过胎土稍粗，釉色浆白不很润泽。在作胎上右行轳辘痕极显明，挂釉法似乎是里外通挂一次淡淡白釉，然后再挂一层较厚的亮釉。这些技术上的特点，都是以往不知道的。口部全缺，根据同时同形器复原。存高19.8厘米，腹径16厘米，底径7.6厘米（图十：2）。

8. 定窑白瓷小盖罐

胎质细白而闪黄，釉如敷脂，色如新象牙。全体正圆，上下有大小略同的罐口和圈足，肩部有弦纹两道为饰，上有简素的小盖。全高7.4厘米，口径3.7厘米，腹径7.6厘米，底径3.5厘米（图十三；图版十一：2）。

9. 银白色瓷注壶

胎质淘练精细，色白而闪灰，器体很薄。釉层薄而均匀，透明度较弱，做闪青的银白色，刻线中釉汁较厚处做乳浊的淡青色。表面滋润而少光泽，

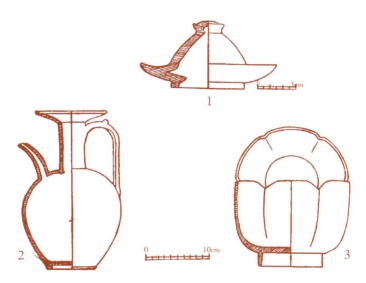

1.绿釉圆器盖　2.银白色瓷注壶　3.定窑粉白花式大碗

图十二

近器足处有流釉如蜡泪痕。这种淡青白瓷既不是定窑火法偶然还原所造成，又和景德镇透亮的青白瓷不同，它的烧造窑场现还很难确定。全高25.4厘米，口径11.5厘米，腹径15.3厘米，底径7.3厘米（图十二：2；图版十：1）。

10. 白瓷残器3种

这三种白瓷器因遗片过少，不能恢复正确原形。第一种是银白色瓷注壶：仅存上口、底足、执把三大片，原器胎釉做工大小约和9项注壶相同。第二种是定窑粉白印花方碟：仅存碟壁和碟底一部分，胎釉与花式大碗相近。它的四方形式是辽三彩碟常取的形状，但白瓷精品如此的则系初见。第三种是定窑牙白雕花瓶：仅存肩部两片，胎质细腻，色白而闪微黄（图十四：4、5；图版十二：2—12）。

11. 白瓷划花盆

胎土淡黄色，粗硬不纯，先挂白粉。后挂无色透明釉。釉色白而闪灰，光泽很强。形式素朴，当系实用品，里面底上划四出花头一朵，周壁划莲瓣荷叶为饰。内底上有垫烧他器的渣饼疤痕四个，是当时窑艺上的特点之一。高10.6厘米，口径36.8厘米，底径17厘米（图十五：1；图版十：5）。

12. 景德镇青白瓷大碗8件

八器形式一致，尺寸虽略有出入，但相差极小。胎纯白富透影性，器体很薄。釉薄而闪微青，细润光泽；釉汁厚处作碧青色，内含极密的小气泡。挖底比足稍浅，用一种含有针质的渣饼，垫于圈足里面烧成，所以全体光滑无任何疤痕，唯底足内有一小片熏烟状的黄褐斑痕而已。高约9厘米，口径16.5厘米，底径5.3厘米（图十三：3；图版十二：8）。

13. 景德镇青白瓷盖碗2件

两器同式。胎釉烧法与上项大碗相同，唯釉色较深，制作更精。全高

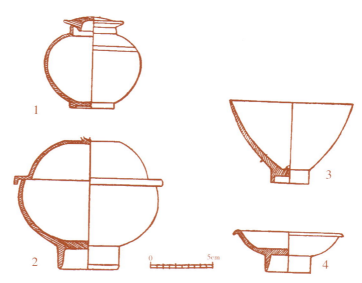

352

0   5cm

1.定窑小盖罐　　2.景德镇青白瓷盖碗

3.景德镇青白瓷斗笠状杯　　4.景德镇青白壶卷唇小碟

图十三

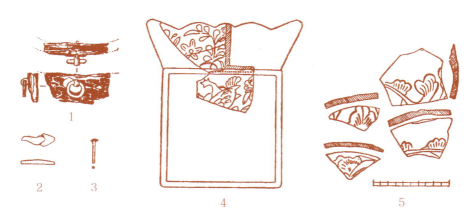

1.木胎雕花铜环漆碗残片　　2.贝雕品　　3.铜钉

4.定窑粉白印花方碟片　　5.定窑牙白雕花瓶片

图十四

10.8厘米，口径10.6厘米，腹径11厘米，底径4.9厘米，足高1.9厘米（图十三：2；图版十二：1）。

14. 景德镇青白瓷托盏2件

两器同式。胎釉火法完全和上两项瓷器相同，釉色更为光艳。全高5.3厘米，盏口径4.7厘米，托口径8.8厘米，足径9厘米（图十一：4；图版十一：1）。

15. 景德镇青白瓷斗笠状杯4件

四器同式。全高6.7厘米，口径10.2厘米，底径3厘米（图十三：3；图版十一：6）。

16. 景德镇青白瓷卷唇小碟5件

五器形式全同。能复原形的有四件。高3.3厘米，口径8.5厘米，底径3.5厘米。底足高1.4厘米（图十三：4；图版十一：4）。

17. 景德镇青白瓷小碗3件

三器同式，全高5.8厘米，口径11.7厘米，底径3.8厘米（图十一：1；图版十一：8、9）。

18. 景德镇青白瓷矮碗

器高4.6厘米，口径10.4厘米，底径3.8厘米（图十：1；图版十一：7）。

19. 景德镇青白瓷花式小碟2件

两器同式，高3.5厘米，口径8.6厘米，底径3厘米（图版十一：5）。

以上12—19项，共27件，都是青白瓷器，虽器物大小不同，精粗有别，但在胎釉技术烧法上都是一致的。它们和江西浮梁湖田、湘湖宋窑古址出土

1.白瓷划花盆　　2.镀金透雕飞凤铜带

图十五

的瓷片相同，可能是北宋景德镇窑的出品。

20. 琉璃小碗残片

此器碎为30余片，碎片都酸化成白粉状，断口处及器面现虹彩，保有半透明乳白琉璃质的仅有大小7片。器物原形，依碎片弧度推测，大致是一小碗。底部圈足直径为3.1厘米，圈足宽0.6厘米，足高0.5厘米。

21. 滑石小杯残片

石质松软，黄白色，旋纹显著。杯壁稍陡，口唇外起半圆棱。依残片弧度推测，口径约6厘米，高约4厘米强，壁中部厚约0.2厘米，上部稍薄，下部近底处则较厚。

22. 木胎朱漆莲花式大盘残片

出土都是碎片，不能恢复原形。木胎挂灰上刷一层素漆，面涂朱漆。盘作多瓣花头式，把所有的器口边拼成圆形，它的直径约在26厘米上下，厚约0.3厘米。

23. 木胎雕花铜环漆碗残片

仅存口边镶有铜环的一片，面积长4.3厘米，宽2.2厘米，口边厚0.9厘米，有显著的弧度，可知是个圆器。口径可能在12厘米以上。木胎外面精雕扁蜂巢纹，刻纹匀整，界线很细，镂刻很深。器面涂有素漆。近口边镶一小铜环，带环的铜钉贯四花形铜片座。器内钉头原有鱼眼形铜片已失，仅存铜锈痕迹（图十四：1）。

24. 镀金錾花环状银器扣2件

两物都是镶于其他器物口部上面的，银板镀金錾花，虽都是圆形，但大小花纹和镶法各不相同。第一种形状较小，银板很薄，是平面里外立壁的环状物，下留一面活口，可镶于器物口边上。上面錾凿成波状草花纹，两侧为连珠纹的界线，外侧壁有与上面略同的花纹，内侧壁则光素。圆扣直径8厘米，扣体宽1厘米，扣侧壁高0.5厘米。扣内并无任何物质残遗。第二种形状较大，上面錾凿成复杂的番草花纹，空隙处满布小圆圈纹，里外有线栏为边。镶法与第一种不同，仅外侧向下作圆形折屈，里面平直不屈。扣直径13.6厘米，扣面宽1.9厘米，外侧折屈部高0.5厘米（图十六：4、5；图版十四：4、8）。

25. 铜筷子

仅存一支，圆柱形，下半稍细。下端平齐，上端尖顶，和现在的圆筷子一样。长24厘米，最粗径0.4厘米（图十七：9；图版十四：13）。

26. 镀金透雕飞凤铜带2件

铜质镀金，花纹相对，形式大小相同，可能是一带上的装饰品。三连方环形的复线外廓，中间透雕凸起飞凤，空隙处间杂番草，刀工很细。背面有钉皮的四个钉足，两枚花纹相对，当是革带左右各钉一枚，但缺铰具铊尾。因为只有两方带铐，就不能恢复原带的形式了。长5.7厘米，宽3厘米，边厚0.6厘米（图十五：2；图版十四：1、2）。

27. 镀金有孔铜带具2件

两件形式大小相同，轮廓作如意头式。铜板平素无花饰，下部横宽的一面中，透穿一横方孔，孔两上角和上部尖端各一钉孔，钉已不存。这两个铜具当是契丹人腰带上穿挂蹀躞用的。高3.5厘米，宽3.9厘米，厚0.2厘米。以上两种带饰虽然都非完具，但都是镀金的，可以看出墓主的官阶身份来（图十七：1、2；图版十四：9、10）。

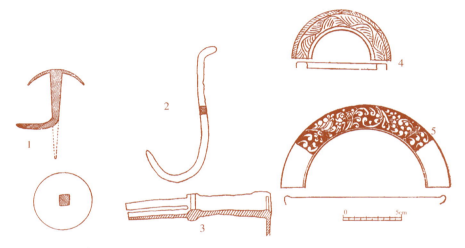

1.墓门铁钉　2.铁钩　3.铁锁残片　4.5.镀金錾花环状银器扣

图十六

28. 镀金錾花铜戒指残片

薄铜片錾凿鳞羽状花纹，边缘高起一道连珠纹。仅存戒指的一足，戒面宽大部分已缺失，花纹形式和第3号墓发现的相同。存长2.7厘米，宽1.8厘米。上面镀金，里面存有织物遗痕（图十八：9；图版十四：11）。

29. 镀金錾花铜饰残片

铜板錾有凸起花纹，空地满凿小圆点纹，留有宽边向下微折，残存2厘米大小一块，当是一种装饰品（图版十四：12）。

30. 铜丝手套

仅存四指，套中部保存各节指骨。铜丝很细，绞织成方孔的手套，这是契丹人处理尸体和埋葬上特殊礼俗的遗品（图版十四：3）。

31. 铜鞭穗

生铜铸造，形如测量器上使用的垂球。下为尖端向下的圆锥体，上为圆球体横穿大孔，孔两面的上缘磨得很圆很深，当是久经使用。可能是武器或猎具的一部分。长6.6厘米，锥体直径2.1厘米（图十八：6；图版十三：7）。

32. 白水晶串珠2件

两件同式，大小一致。无色透明水晶，长圆球体，由长轴对穿一孔，当是装饰品。球身直径0.9～0.7厘米（图版十四：6）。

33. 子安贝饰3件（附贝雕品）

3件大小相仿佛，为海产的小形贝，背面上下端各穿一孔，以便穿绳。长1.9厘米，宽1.4厘米，厚1厘米。贝壳雕成火焰形品一片，当是钿嵌或缝缀

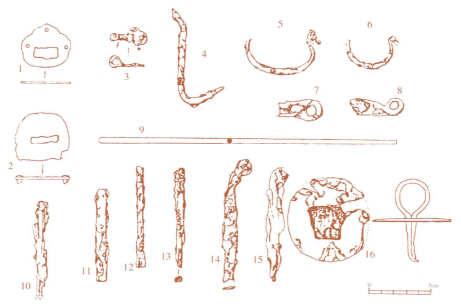

1、2.镀金有孔铜带具　4.铁钩　5、6.铁拉手　7、8.环鼻铁器

9.铜筷子　3、10、11、12、13、14、15.铁器残片　16.铁门环

图十七

用的装饰零件，长2.1厘米（图十八：10；图版十四：5）。

34. 铁器残片

铁器残缺过甚，保存原形的较少。其较重要的有下述八项：

甲. 布面环状器——环体内面稍平，外面漫圆。中空外包织物，织物因铁锈保存得极好。环体宽3厘米，厚1厘米，环的直径约为15厘米。

乙. 铁锁——锁横式方柱体，内簧已残断，不能复原（图十六：3；图版十三：1）。

丙. 铁门环——环孔很宽，下带铁铺首，是墓室板门外面加锁用的（图十七：16；图版十三：8）。

丁. 铁拉手——三件形式相同，一件稍大，作剑环式，两端贯在环鼻上，和近代的抽屉活拉环相同，当是木器上的零件（图十七：5、6；图版十三：9—11）。

戊. 铁钩——两件形式一致，大小不同，大的长12厘米，小的长8.8厘米。上端无环鼻，当是钉在木壁或木柱上悬挂物品的（图十六：2；图十七：4；图版十三：12、13）。

己. 环鼻铁器——一种二件如马含镳形。一端有圆环鼻，一端残缺。一种为三孔云形板，下端连有起脊小鼻。一种为长方板状物，仅存的一端有大圆孔，如近世板状铁了吊（图十七；7、8；图版十三：2—4）。

庚. 墓门铁钉——32件同形，大小一致，是墓门扉面上成横排的圆笠形铁钉。由钉身折曲，可知门扉厚是3.2厘米，帽径5厘米（图十六：1；图版十三：6）。

辛. 各式铁钉——钉身粗细大小不同，分方柱形和厚板状两式，多残断不全（图十七：3、10—15）。

35. 木器残片

木器残片四段，最大的，原宽4厘米，存长约12厘米，宽度不详。木枋

362

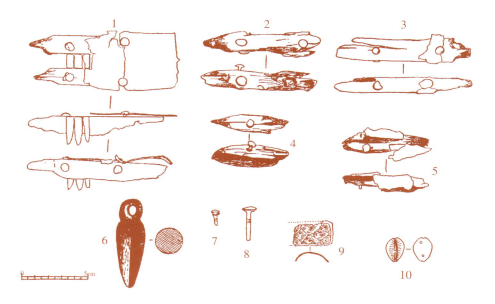

1、2、3、4、5.木器残片　6.铜鞭穗　7、8.铜钉
9.镀金錾花铜戒指残片　10.子安贝饰

图十八

中有1.2厘米的长方孔，中含有一部分接榫和木楔，表面涂有黑色油漆。枋面上包有与枋同宽、长约9厘米的铜片，四角各钉一铜钉；铜片又延长包到枋的一个侧面，宽约1.5厘米，两头各一铜钉。另外三小块，可拼凑为一大块，铜片铜钉也都相同。器物的全形不可能知道（图十八：1—5；图版十三：5）。

四、第三号墓（白玉冠饰墓）

（一）位置及外形

我们发现第2号墓以后，认为它位置在4号墓的后方，在全墓地的位置上是很不匀称的，于是就在右方的空地上探寻。但这片空地和2号墓差不多，没有显著的坑洼和鼓棱，找不出什么痕迹。后来在本墓西侧山水冲刷的浅沟坎中，发现了三块一摞颜色不同的石块，探掘结果，确定了它就是这号墓门前横墙右端上面的垒石。这号墓是墓群后二座右方的一座，左距2号墓27米，前距一号墓31米。原来地上有封土石块，墓室旋顶虽然塌陷，但确是有坟头的。现在这号墓的左右两侧各有浅水沟，也是当时墓上有较高封土的明证。墓室旋顶塌陷，因此内部遗骨和随葬品的位置都遭搅乱。又在墓门前隧道中深1米以下出土了一些本墓室中没有的绿釉陶片，2米深出了铜片和碎骨，都表明经过人为的破坏。

（二）坟墓构造

此墓建筑材料分两种：墓门部分及墓室地面，用长方青砖胶泥筑造；墓室部分用自然石块胶泥筑造，内镶柏木板。砖筑拱门，高1.53米，宽1.05米，长1.75米。门前横墙上没有装饰，全宽3.1米，高2.1米。门脸上垒石部分高50厘米，由墓门地面至地表面为2.53米。墓室为石筑不等边六方形，最后一边长2.1米，其余各边约为1.2～1.5米，室前后全长2.6米，宽2.5米。地面满铺长方砖，排列不很规矩。五面墙壁全用自然石块垒砌，石块大小很均匀，平均都在长30~40厘米、宽30厘米、厚20厘米上下。形状多近长方，打剥得较好，垒砌的技术也较好。每面壁上原有的镶板全部倒塌于室内乱石中，详细的构造不很清楚，但每面都是直板横镶，现存厚度约在3厘米上下，当时必更厚些。墓中无尸床（图十九）。

（三）遗物分布状态

墓内人骨和遗物不仅大部混乱，并且都有残缺，因而无法确定原来的形状和位置。墓室没有专放尸体的砖台。

人骨两架，散乱在墓室中部成左右横长的一条。墓门内地面上，没有人骨和遗品。靠后面横壁一带也是这样。在散乱人骨的后边，存有一块朽残的宽约30厘米，长达1.5米柏木板，可能是放尸体床板的残存部分。第一架较小的人骨；头骨在右方，虽然颜面骨向下，枕骨大孔向上已经翻了个转身。在这左右对称相距30厘米余的地方，出土一对很像耳饰的倭瓜形蓝绿色小琉璃珠，这表明着位置没有大移动。右壁下有肩骨和膊骨。头骨向左，依次为颈椎骨、膊骨、锁骨、股骨，稍南为骨盆骨片，近左壁不远是足骨。各部骨殖虽不完全，但大致是头右足左横放在墓室中后部的。第二架较大人骨不仅不完全，搅乱得也非常厉害，头骨单个滚在第一头骨前方1.7米，下腭又在它的右方1.3米的壁脚下。两根股骨一在左壁下和墙壁平行，前后横放着；另一根在远离2.6米的后壁中前部，恰和头骨成相反的方向，左右横放着。这号人骨除了头在右方略与第一骨一致而外，再不能更多地知道原来的位置和埋葬的形状了。

随葬遗物很少，且都是服饰品，没有其他明器。1号头骨左下附近出倭瓜形琉璃耳饰2件，手指骨附近出土带花纹的镀金戒指残片。中央右前方，即2号头骨的左后方出一较宽的有花镀金戒指残片和另一个镀金品残片。左骨盆左方约30厘米地点出竹节状白玉饰，白色似玉的小石环，铁钉两根。它的前左方24厘米地点出透雕牡丹白玉冠饰。似玉小石环的后左方50厘米处出带有布纹的铁器残片。墓室门槛右端出有铁钉3个，是墓门板扉上的原有物。在墓门外隧道中出有薄板透雕铜具及残片，绿釉陶器残片，灰陶器片等。都不是原位置上原有的随葬物（图十九；图版十六：1）。

（四）出土遗物

墓内出土物仅有几种服饰品残件。墓门外隧道中出土的铜具、釉陶、灰陶片、兽骨块等，都不能证明它们确是本墓散出的遗物。

1. 沙蓝色瓜棱琉璃珠2件

两件大小形状相同，外表氧化，呈不透明的白皮，白皮脱落处才露出原来的沙蓝色。珠体稍短，外作八棱南瓜形，中有一较大圆孔，可能是耳饰或发饰品的零件。高0.7厘米，珠径0.9厘米，孔径0.5厘米。琉璃质地不佳，气泡极多，造型也很不规矩（图二十：7；图版十六：3）。

2. 黄白色似玉石质小环

石质较软，深象牙色。环体正圆，制作精整。似腰佩零件。环径1.2厘米，环体0.3厘米，孔径0.6厘米（图二十：6；图版十六：4）。

3. 竹节状白玉杠

白玉碾成两节竹节状，两节间有较深沟道，似为系绳或缝缀处。全长1.3厘米，体径0.5厘米（图二十：5；图版十六：5）。

4. 牡丹花形白玉冠饰

玉质纯白滋润，雕工精细。一花两叶，透雕三孔，花叶上都有精致纹脉。背面板平，分钻可以缝穿的三鼻，似乎是缝缀在帽上的装饰品。体宽2.4厘米，高2厘米，厚0.6厘米（图二十：8；图版十六：2）。

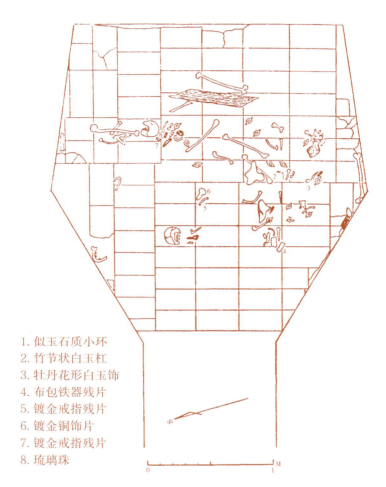

1. 似玉石质小环
2. 竹节状白玉杠
3. 牡丹花形白玉饰
4. 布包铁器残片
5. 镀金戒指残片
6. 镀金铜饰片
7. 镀金戒指残片
8. 琉璃珠

0   1 M

图十九　第三号墓遗物分布图

5. 镀金錾花铜戒指残片2件

两件都是极薄铜片，由正面打錾出凸起花纹，表面镀金，做成活口相交的戒指，相交叠的部分，锈迹宛然。戒指里面似胶垫一层较厚织品，铜锈犹存经纬线残迹。一宽一窄；宽的仅存小半，上面较圆大的戒指面做凸起花朵，现存一小部分。围绕指肚的部分，錾鳞羽状细花。存长3.2厘米，宽1.5厘米。窄的也仅存一半，戒指面錾小花两朵。围绕指肚部分没有花纹。戒指面宽1.7厘米，足长2.2厘米，宽1厘米，里面有衬布和前品相同。这种薄劣的戒指，与墓主人的身份不相称，恐是专为送死用的随葬品（图版十六：7—9）。

6. 镀金铜饰残片

薄铜片錾凸花，表面镀金。器体方形，仅存一角，周边折起，骤看仿佛很厚。花纹全由打錾而成，主纹为凸起花朵，地纹为稍低的密布小点。似为衣帽上的装饰零件。所存长约3厘米，宽约2厘米（图二十：9；图版十六：8）。

7. 布包铁器残片

类似很扁的薄铁管，仅存2厘米多的一段，外包有缂线织品。

8. 铁钉4件

四件虽然大小长短不同，但都是方锥形的歪头钉，最长的存9厘米，体宽1.4厘米。一个锈存有很大木块。可能是墓室板门上的铁钉（图二十：1—4）。

9. 铜具3种

出于隧道中，都是厚铜板状。一完整铸造品，外廓作铜钟形，中有两个

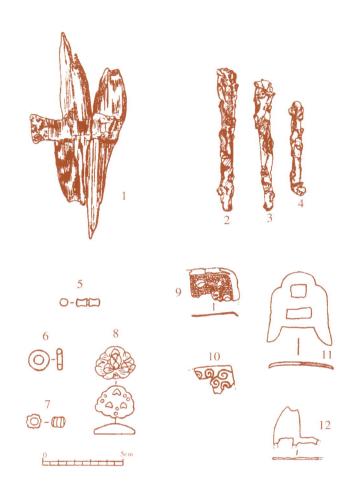

1、2、3、4.铁钉 5.竹节状白玉杠 6.黄白色似玉石质小杯
7.沙蓝色瓜棱琉璃珠 8.牡丹花形白玉冠饰 9.镀金铜饰残片 10—12.铜具

图二十

横方孔，别无花纹；长约4.6厘米，宽约3.5厘米。一残器，也是铸造品，作鲤鱼形，仅存头部，腰部有横方孔，旁出一枝，似与另一鱼或他物相连；长存2.2厘米。两种形象类似，铸工也相同。另一种为熟铜方板，上有小圆圈和蔓状花纹，表面镀金，高处都已磨灭，唯小圆圈中金色还很明显。可能是装饰零件。仅存方形一角，长存2.3厘米，宽存1.7厘米（图二十：10—12；图版十六：6、10、11）。

五、第四号墓（嵩德宫铜铫墓）

（一）位置及外形

此墓是墓群中前二墓左方的一座。在方向和地势上说与第2号墓前后相值，地势较低；与第1号墓左右相邻，地势高低略等。现在平坦没有什么痕迹，前右方新近为山水浸蚀成深沟，直到墓门横墙右端，所以才被村人发现，加以挖掘（详见序说）。我们对此墓构造加以测绘、记录了内部形状，搜集了分散的遗物，就把它编为第4号墓，因出有铭款的铜铫，故又称"嵩德宫铜铫墓"。

（二）坟墓构造

墓室是长方青砖石灰筑造，在墓群中是营造最好的一座。分主室和前室两部分，门前有仿木式建筑起檐的横墙。横墙长约5米，高约4.3米，大部分被拆毁，仅存左端一段，形式与第2号墓同：下为立柱，上有一斗三升式的斗拱一铺，再上横枋起檐。这一横墙都是磨砖细砌，表面涂有色彩。据村人说，墓门洞也是砖灰封砌，和墙一样，很难拆开。

前室长方洞式，接近墓门处已被拆毁一小段，墓门的建筑细节已不能详知。前后长3米，左右宽2.4米，高2.8米。两壁平直，上为拱洞，都是很厚的砖层，极力坚固。再进是一较小门洞，纵深1.2米，横宽1.5米，高2.4米，里边就是主室木门所在，据说村人挖掘时木门扇已倒向室内。

主室正圆形，直径5.25米，立壁高1.8米，上为递次收缩的砖筑旋顶，共计卧砖59层。结顶压以白色大石，由顶下到砖地面高5.25米。砖壁内围有辋状柏木板壁一层，辋状木板长1.2米，宽13厘米，厚10厘米上下不等。每块两端有阴阳接榫，互相衔接，上下面各有长方孔3个，以便用木钉连固。另有长1.33米，宽12厘米，厚3厘米的薄板多块，不知用在何处。地下方砖铺地，上有柏木横床两铺。柏木床每块大枋长2.5米，宽19厘米，厚12厘米。柏枋正中央和近两端各有长13厘米，宽5厘米的穿带方孔，以便穿连八块柏枋成一宽约80厘米的床面。这些木质构造部分虽然倒塌，有的被村人改作家具，但我们也都看到并做了实测，因腐朽程度轻微，有的斧凿痕迹还很清楚，所以这种复原的推测是比较正确的（图二十一）。

（三）遗物分布状态

墓室中满积泉水，致有的遗物漂离原位，村人发掘时，未曾注意遗物陈列的配置，所以他们口述的遗物分布情形，仅有参考的价值。据他们说墓中的情况是：

墓室门两层都有木门扇，已向室内倒朽了，每扇上有一大铁环。墓室围墙的柏木枋像车辋子形，都倒塌墓室中，取出来装运了四大车，大家分了。地当中横放着八块长大的柏木枋，每块都有三个穿带的长方孔，放在前后两处，下有垫的砖块，很像两个大木床。墓室门口右边有一个银片做的女人脸，在水上漂动着。门左方是一个白釉鸡冠壶。一直向里走不远就是一个大木床，离地面不很高（约有两层砖）。在床前后的地面上乱堆着玛瑙杯、碗和瓷碗、碟、壶、罐的破片。再向里不远又是一个大横木床，高低和前一个相仿，上面没有什么东西。在东头地上有人脑瓜骨一个。床的周围有大腿骨一段、下腭骨、骨盆片等不少，零碎的小骨头满屋都有。两床的左边近墙壁不远有两个大黑瓶子，靠后墙偏左方一个白釉鸡冠壶。相反的右面后方有一个大白长颈瓶，前方也有同样的一个。又有铜马镫一副和大小铜铃10个，

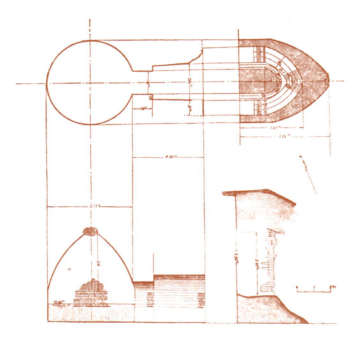

图二十一　第4号墓实测图

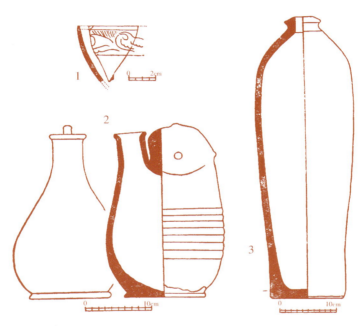

1.淡青瓷划花小碗残片　2.白釉鸡冠壶　3.茶末绿釉鸡腿坛
图二十二

此外金镯子、金耳钳、铜勺（铫）、铜盆、琥珀鱼、石头珠等小东西更是哪里都有，记不清楚地方了。

（四）出土遗物

本墓出土遗物较为丰富，也比较完整。但有一部分经村人卖掉，已无法追回。余下的经原辽西省人民政府收集一次，我们到现地工作又发动群众彻底搜集了一下，全数遗物可得十之八九。这群遗物有陶、瓷、铜、石类的容器；有金、银、铜、玉、琥珀、宝石类的服饰品；有铜、玉类的梳妆具；有铜质马具；也有契丹贵族埋葬风俗上专有的银面具等等。兹分别说明于后：

1. 白釉鸡冠壶2件

淡赤色陶胎，质细而软。外挂白粉，后挂浊白的软火度釉，作闪红的正白色，光泽很强。满布细碎开片纹如鱼子状，釉层脆弱，很易脱落。造型方面，两件相同。全高29.5厘米，口径5.2厘米，腹径29厘米，底径12.2厘米（图二十二：2；图版十八：1）。

2. 白釉长颈瓶2件

两件形式大小相同，胎釉作风和上项器物一致，当是同窑出品。全高48.5厘米，口径11.8厘米，腹径21厘米，底径9.7厘米（图二十三：2；图版二十二：4）。

3. 黑釉弦纹瓶2件

瓶胎纯细，露胎处做赤黄色，破碎面做淡灰色而有细小黑点。硬度很高，没有吸水性。外挂铁晶系釉，上部微绿而黑，绿色有较细的结晶，深浅不同。下部黑中带褐。肩部一圈无釉，当是累坐他器入窑烧燔之用，不是用作装饰的。全高40.4厘米，口径7.4厘米，腹径24.6厘米，底径12.8厘米（图二十三：5；图版二十二：6）。

4. 茶末绿釉鸡腿坛1件

缸胎稍粗硬，作黄赤色，破口处色稍暗褐。釉色黄绿如淡茶末，结晶点子稍粗，釉面光泽较弱。全高53.8厘米，口径约6.6厘米，腹径16.4厘米，底径13.5厘米（图二十二：3；图版二十二：5）。

以上四种陶瓷的造型，都属契丹特有的样式。在契丹境内遗址中，也常有发现。

5. 景德镇青白瓷莲花式把壶1件

胎质纯白坚致，有透影性，釉青碧如冰，满身细开片做蟹爪纹，纹中微黄。高约18厘米，腹径约13.5厘米（图二十三：7；图版十八：2）。

6. 景德镇青白瓷莲式大碗1件

胎釉纹片技工都和上项把壶相同，唯部分釉面因火力和冷却的不适当，存有灰白色沫层，减低了瓷面光彩。此碗和把壶在形态、大小、样式、花纹、釉调及火法上都显然是一窑出品，也可能是把壶的盛器。高11.2厘米，口径17.8厘米，底径10.6厘米（图二十三：4；图版十九：2）。

7. 景德镇青白瓷碗6件

形式大小胎釉做法全同。胎纯白坚致，器体很薄。釉层较薄，白而闪青，瓷色较当时一般景德镇出品稍白。高4.3厘米，口径18.7厘米，底径6.2厘米（图二十三：3；图版二十二：3）。

8. 定窑白瓷雕花盖罐2件

两件形式大小、胎釉做工都相同。胎质腻白，露胎处现闪灰黄的白色。釉层较薄，作淡牙白色，釉厚处微现闪绿的淡黄色。釉面光滑，没有裂纹。底足下和器里面都满挂釉汁。罐身精雕平起的缠枝牡丹三朵，配以

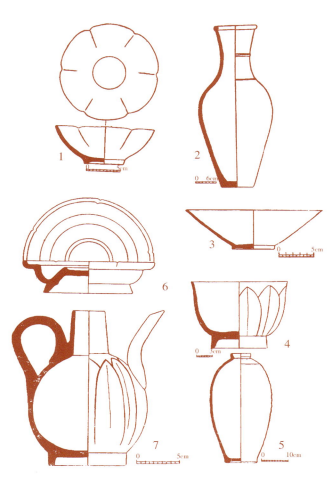

1.玛瑙花式碗　　　　2.白釉长颈瓶

3.景德镇青白瓷碗　　4.景德镇青白瓷莲式大碗

5.黑釉弦纹瓶　　　　6.汝窑粉青花式盏托

7.青白瓷莲花式把壶

图二十三

枝叶花蕊。肩部画以简单图案花纹。盖上雕刻俯莲一朵，很工整。通盖高17厘米，口径10.2厘米，腹径12.9厘米，底径9.8厘米（图二十四：2；图版十九：1）。

9. 汝窑粉青花式盏托1件

胎质细腻，露胎处做暗黄色，破口处做灰白色。釉层稍厚，粉青色，混浊没有透影性。釉面现无数极细的稠密白点，釉厚处多有所谓蚯蚓走泥纹，釉色性质和后世均窑釉法稍为接近。底下满釉，做泥污的粉青色。高4厘米，口径15.2厘米，底径9.8厘米。盏已散失不存（图二十三：6；图版二十二：2）。

10. 汝窑青瓷划花碟1件

胎釉作风与盏托相同，唯釉面（尤其是器口边上下面）密集了很多极细的黑点。器胎很薄，做圆荷叶形，线画叶脉，中心画一伏龟，背有花纹，头足宛然。圈足薄而外卷，为它窑少见的特点。底下满釉，有五个长条形垫烧的渣饼痕，高2.8厘米，口径15.3厘米，底径8.1厘米（图二十四：3；图版十七：3）。

11. 青瓷划花花式大碗1件

胎质细而坚致，露胎处如黄土，破口处正灰色。釉色绿青，釉面光滑透澈，遍体细碎开片纹作闪白色。直立圈足，足底满釉。足底边有细白砂粒一道，当是不用支底渣饼，而用铺砂垫烧的遗痕，这是本品窑法的一个特点。碗里面平底上划正面转轮菊花一朵，壁内划番草花纹，下加一线，上加二线为装饰。高9.6厘米，口径11.2厘米，底径9.8厘米（图二十四：1；图版十七：1、2）。

12. 淡青瓷划花小碗残片1件

仅存口缘一片，依曲度推测口径当在10厘米上下。器壁薄而微曲，底足

1.青瓷划花花式大碗及装饰花纹
2.定窑白瓷雕花盖罐
3.汝窑青瓷划花碟
图二十四

377

形式不详。器胎纯细坚致而腻白，透明性较弱。破口面不现颗粒状，破裂纹路不作直行线。釉层很薄，做闪绿的淡青色，釉中气泡细小而又均匀。这一残片精致不减于景德镇器，而釉调温润含蓄，旋雕工细，又胜一筹，当出北宋名窑（图二十二：1；图版二十二：1）。

13. 玛瑙花式碗1件

白色玛瑙有部分的闪黄丝纹，很透明。雕碾为六花形，别无花饰。底座和碗口都因材施工，不很规整。高5.4厘米，口径14.4厘米，底径5.8厘米（图二十三：1；图版二十：1）。

14. 玛瑙小杯1件

质料与上器同，高3.4厘米，口径6.2厘米，底径5.8厘米（图二十五：8；图版十：2）。

15. 嵩德宫铜铫1件

黄铜铸造，内加旋磨，铜质冶炼较粗，中有沙眼。一侧外面近底边刻有"嵩德宫造重一斤□□□三日"铭款。高7.8厘米，口径16.2厘米，底径16.8厘米，把长10.5厘米，厚0.3厘米。重今1公斤。此器是嵩德宫所造，按《辽史》卷三十一宫卫志有"崇德宫"而无"嵩德宫"，"崇""嵩"二字在当时或是契丹文意译汉文的不同。又第1号墓，墓志铭说："次曰慎微崇德宫副部署"，也可能与此器有关（图二十六：5；图版二十一：1）。

16. 花式大铜盆1件

红色熟铜胎打展制成。铜质稍粗，但打制的很匀薄。口边作五出花瓣式，有内向厚边一道。高6.6厘米，口径39厘米，底径34厘米，厚0.1厘米强。当是洗器（图二十六：7；图版二十四：6）。

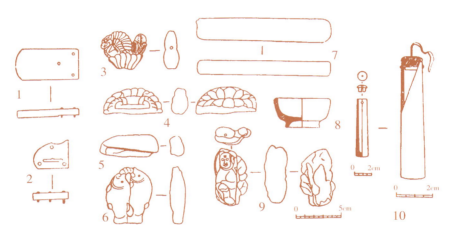

1、2.玛瑙带饰　　3.琥珀凤鸟佩

4、5.琥珀制品残片　　6.琥珀双鱼佩

7.琥珀刀柄　　8.玛瑙小杯

9.琥珀人物佩　　10.青玉管状有盖小盒

图二十五

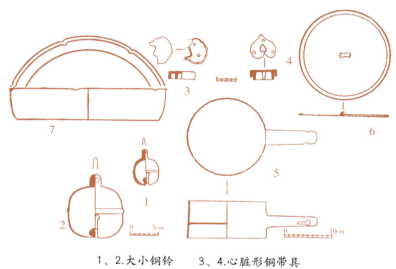

380

1、2.大小铜铃　　3、4.心脏形铜带具

5.嵩德宫铜铫　　6.铜素镜　　7.花式大铜盆

图二十六

17. 铜素镜1件

黄铜铸造，错磨粗糙，镜背无花纹，镜面很平。直径22.3厘米，厚0.3厘米（图二十六：6；图版二十四：2）。

18. 含绶花鸟八菱花镜1件

白铜铸造，平面式镜。铜质冶炼很精纯，表面没有一点错磨痕迹，可见久经使用。镜背铸高浮雕式的含绶花鸟，两两相对，正是所谓西域对称样式的一种。鸟为野凫仙鹤，花是缠枝番莲，稍厚的外圈连八个菱形成一花边，每个菱形中又配以草蝶花鸟，外为现起宽边。由铜质、技工和图纹意匠上看，可推测此镜为唐代中原制品，不是辽土的产物。面径27.5厘米，体厚0.2厘米强，边厚0.8厘米弱（图版二十四：1）。

19. 铜马镫1副

红铜铸造，错磨细致。镫体环孔较小。全高6.5厘米，环孔径12.5厘米，踏板宽6.2厘米，环鼻高4.6厘米，皮孔宽2厘米（图二十七；图版二十一：2）。

20. 大小铜铃10件

同质同式，都是黄铜铸造。内含铜丸，上有系绳环鼻。大的全高6.7厘米，铃体直径5.8厘米。小的全高3.7厘米，铃体直径2.7厘米。伴同马镫出土，当是马铃（图二十六：1、2；图版二十四：3、4）。

21. 各种璎珞串珠39件

大小形式多不相同，在质料上看可分为六种：

甲. 瑟瑟珠9颗——形状全就自然石子及石块略加打磨，扁圆而长，沿长轴对穿细孔以便串绳。通体洞澈如水晶，光线较强而有虹彩，硬度很高，

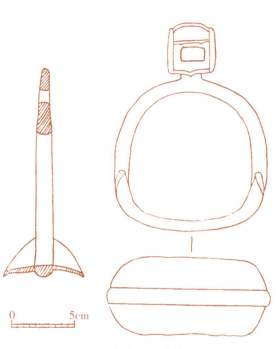

0   5cm

图二十七　铜马镫

可以把水晶划出很深沟道。色彩常因视线变移位置而浓淡不同，这种光色变化很像流水波纹上反映的天蓝色，有淡青色，有水绿色，有闪紫的蓝色，有的像无色，细看又有色。这种光色很难描状，完全与蓝绿宝石不同。最长的长2.3厘米，短的长1.1厘米，宽1.4厘米，厚1厘米（图二十八；图版二十三：12）。

乙. 琥珀珠3颗——两颗一大一小，形式相同，大的色深黄，小的色暗红，都不透明，也都是长扁圆形。一长3.3厘米，一长2.5厘米。另一件因材施工，作扁菱形，一面板平，一面磨成棱面。透明，老红色，满身有细碎纹，如鲨鱼皮状。长4.3厘米，宽2.6厘米，厚1厘米（图二八；图版二十三：13）。

丙. 黑石珠5颗——四颗形式大小相同，石质较细，色暗黑，光线稍弱，有暗银色点子，与所谓试金石的相同。全体形状正如桔梗花蕾形。沿长轴有一圆孔，长2.2厘米，体径1.7厘米。另一颗石质颜色相同，但珠身正圆，径1.6厘米（图二十八；图版二十三：15）。

丁. 白水晶珠20颗——17颗形式相同，微有大小。质不很纯，磨制不工，大小不一，对穿小孔也不直。最长的1.1厘米，体径0.7厘米，3颗正圆形，在一处有两孔穿透的缝鼻，当是缝缀在衣帽上的饰物。珠身直径0.9厘米（图二十八；图版二十三：8）。

戊. 绿松石珠1颗——石质细腻，绿色纯净，扁圆柱形，中有小圆孔。长1.1厘米，宽1厘米，厚0.4厘米（图二十八；图版二十三：13）。

己. 黑玛瑙珠1颗——亮黑中有一部深灰色缠丝花纹。珠身稍长，沿长轴穿一孔。长1.8厘米，珠体直径1.5厘米。

这些串珠的用途，除了3颗白水晶圆珠可能是缝缀装饰用的以外，全是直孔串珠，有的珠身扁平，可能是颈腕各处的璎珞串珠。

22. 玛瑙带饰5件

灰白色玛瑙，无花纹，不很透明。带铐4个，1个近椭圆形，3个为二边

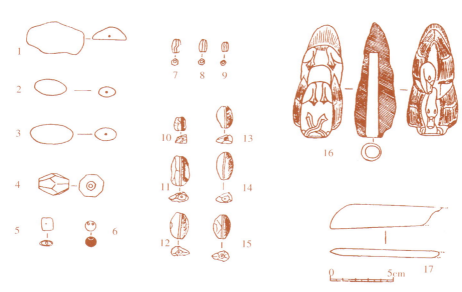

384

1—15.各种璎珞串珠　16.青玉双鹅带盖小盒　17.青玉分发簪

图二十八

近直角，二边近云曲形，没有花纹；下部有窄长横孔，当是穿蹀躞皮带用的。每銙有3个镀金铜钉，以便钉于腰带上。另一个圭形，近底边处有三钉，当是带尾上的"铊尾"。这种腰带是隋唐的旧制，与宋代的不同；可惜带銙不全，缺失了铰具，无法复原。铊尾长6.6厘米，宽3.4厘米，厚0.8厘米，銙长3.7厘米，高3.1厘米（各件全同），铜钉露出长（即带皮厚）0.5厘米弱（图二十五：1、2；图版二十三：9—11）。

23. 琥珀佩3件

3件都是老黄色，不大透明。每件都有系绳的穿孔，可能全是佩饰品。分述于下：

甲．人物佩——正黄色，佩面糟朽失亮，形体完整。立体雕一舞蹈胡伎。全高6.3厘米，宽3.6厘米（图二十五：9；图版二十三：3）。

乙．双鱼佩——黄色深浅不同，淡黄的成斑片纹。雕立体双鱼，口、眼、鳃、鳍都刻得很精细，沿头尾长轴穿一孔，以便系绳佩带。全长6.5厘米，宽5.1厘米，厚1.6厘米（图二十五：6；图版二十三：1）。

丙．凤鸟佩——黄色稍深，不大透明，雕立体展翅凤鸟，下为菊花形座。刻工精致，意匠新奇，这种手法在辽代三彩瓷器中曾不少见。凤鸟前后有横孔，花形座下有不透小孔，小孔两侧各有一小透孔，依凤鸟姿态推测，不像是佩饰物。高4.1厘米，横宽4.9厘米，体厚1.7厘米（图二十五：3；图版二十三：2）。

24. 琥珀制品2件

都是老黄色，器面糟朽失光。分述于下：

甲．莲座形品——全体作半月状，一面刻莲花，另一面刻如意云形花纹，上方残缺，不知如何使用。长6.6厘米，宽3厘米，厚1.9厘米（图二十五：4；图版二十三：4）。

乙．琥珀制品残件——外部糟朽，不存花纹，一侧有穿孔的遗痕，不知用途。存长6.2厘米，存宽2.5厘米，存厚1.6厘米（图二十五：5）。

25. 琥珀刀柄1件

琥珀作闪黄的暗紫色，有水纹状的直条纹。通体扁圆柱状，近刀背的一面稍圆厚。铁刀身已不存，仅有5.2厘米的刀茎仍锈存于柄中。柄长15厘米，宽2.8厘米，厚1.6厘米（图二十五：7）。

26. 青玉带盖小盒2件

两件都是青灰色玉雕制。盒盖的盖法相同，盒身的外形不同，都有绳孔，可能是悬挂或佩带装香药用的。分述于下：

甲. 管状有盖小盒——盒体长管状，下粗口细，口两侧各有一孔，上有漫圆小盖，中有绳孔，用绳系盖，贯于两侧小孔，提起时，盖就严密不开。通高6.8厘米，盒体直径1.3厘米，盒内直径0.8厘米（图二十五：10；图版二十三：7）。

乙. 双鹅带盖小盒——盖已散失，盒体外作立体双鹅蹲伏状；雕刻很精。内为管状盒腔，口较盒腔稍缩小，两侧面各有一穿绳小孔，盖法当和上项小盒相同。高9.3厘米，宽3.8厘米，盒腔深6.5厘米，内腔直径1.2厘米（图二十八：16；图版二十三：5）。

27. 青玉分发簪1件

玉质细润纯净，没有花纹。尖端已残缺，仅存宽头一端。存长8.7厘米，最宽处2厘米，厚0.6厘米（图二十八：17；图版二十三：6）。

28. 心脏形铜带具2件

两件形式相仿，大小不同，都有残缺。制度如带銙。作心脏形，中心有透孔，背面有三个装铆用的直钉足。一个下面锈有织物纹，似乎是用在丝织的带子上。大的宽2.7厘米，小的宽2.6厘米（图二十六：3、4）。

29. 铜器残片2件

两片都不大，很难推测原器全形。一件很像铜勺把部，存长6.6厘米，最宽处1.6厘米，厚0.3厘米。另一件为镀银铜片裹铁条的残片，器形不详，一面有很细的织物铜锈纹。存长2.5厘米。

30. 铁门环2件

两件同形，大小一致，确属一副，发现于墓室门地下，铁铺环钉都已不存。环体径1.2厘米，环孔径11.2厘米（图版二十四：5）。

这号墓除搜集到上述的遗物以外，散失的计有：银片打制女人面具1件、纯金手镯1副，金钳子1副，琥珀制品若干件，山羊角器1件。铜器数种。据说金镯体圆没有花纹，钳子头作银锭子形，后面有穿戴的活口环。其余的形状不详。

六、结语

本墓群的起讫年代，即由最初到最后埋葬的年代，虽没有十分明确的记载或直接可据的材料可供推测，但根据汉文和契丹文墓志铭以及其他有关材料来作一番估计，其年代是可以大致推定而且是比较可靠的。

四座古墓的行辈，没有明确指出互相间血缘关系的资料。我们知道中后期的契丹民族，在一切文物制度礼俗上都汉化得很深；依汉人的墓葬惯例，后两座左右平列的墓——第2号、第3号墓，可能是行辈老的；前两墓——即第1号第4号墓，应当是晚辈的。从地域和地势上说，后两墓的后面和左右方都逼近山岗，墓群初葬当是从这两座墓开始，地势又较前两墓高得很多。一般墓葬习惯，都是先由高位埋起，渐至低位，也是与此相合的。决定这种关系的资料唯有第1号墓志"葬宜州北间山西，祔先令公之茔"，可知第1号墓"佐移离毕萧相公"是祔葬在他父亲（先令公）之茔地的。但后两墓中哪座是他父亲的，我们就没有绝对资料来决定。试以墓葬的规模和出土遗物作一估计，则第2号墓随葬品丰富，且有契丹文墓志铭和壁画，有可能是他父亲的墓；在右面第3号墓遗物很少，墓制规模很小，或是他的叔伯行的墓。第4号墓与第1号墓的关系也不能定，并且第4号墓只有一个女人骨殖和一些随葬品，更难于推测；但墓中出了嵩德宫工匠制造的铜铫，根据萧相公墓志"次曰慎微，崇德宫副部署"一事看来，可能与萧慎微有关，或是他的妻的墓葬，也未可知。以上只是一种推测。

第1号墓萧相公死葬当在公元1044年（宋庆历四年、辽重熙十三年）以前，理由如次。第一，墓志铭记死葬时次（子）慎微官仅银青级，实职仅为一州的衙内马步军都指挥使，职位很低；到了重熙十二年（1043）他就以左监门卫上将军，十六年（1047）以忠顺军节度使的官衔两次出使高丽，这两次官级都很高，似乎是他父亲死后，才能有的事。第二，墓志铭萧相公最后官"同政事门下平章事"，按辽制"政事省"是公元950年（辽天禄四年）才设立的，到公元1044年（辽重熙十三年）改名"中书省"（据《辽史》卷四十七百官志三），那么萧相公死时似乎也不能在重熙十三年以后。第2号墓墓志是契丹文，不能全部译出，根据辽陵出土契丹文和汉文帝后哀册对照明白的语词试译，志文中三见"兴宗皇帝"，一见"重熙"年号，末后有"清宁三年二月二十七"字句，可知死者居官多在重熙的一朝，但此墓志可能是1057年（辽清宁三年）刻制的，因为墓志铭的刻制年代，往往可能比墓室营造晚些，因墓志多是夫妇合葬时刻的。这样清宁三年虽晚于重熙，实际上也是可能的。此外第3号墓也许较早，第四墓也许较晚些，但相差不会过远。大约在纪元后11世纪。

这群墓葬的主人因墓志残缺和契丹字不能全认识，就不能知道姓名，仅萧相公次子慎微两见《高丽史》。但据汉文墓志说，萧相公本人从阶职位已经很高，他父亲又是入省为令的高官，那么这个萧氏就可能是"世选宰相"的特殊贵族。墓群中又出土金银器物，依当时制度"世选宰相节度使族属，及身为节度使之家，许葬用银器"看，也与墓志所记内容相符。但他究竟是否辽史中所记的人物，现尚无法知道。

契丹人埋葬时有作"木乃伊"的习惯，头戴银面具，铜丝络其手足，这次都发现了更为明确的材料。第2号墓出土田鼠类骨架两个，看情形不像鼠穴中自死的遗骨，很可能是如宋人所记契丹贵族最喜吃的"貔狸"。所出带具，可以考明蹀躞带的原来形制。第4号墓出土马镫环孔较小，推测为女人专用的马具。至于一些化妆器，大批佩饰品，这些资料，都描画了一部分契丹贵族的生活形象。

各墓所出的陶瓷器，包括了当时北宋的名窑——定、汝、景德镇及三种不能确定窑场的青瓷器；这些不仅是研究北宋窑器的明确材料，也是研究宋辽间经济关系的珍贵资料。

契丹国书留传后世的极少，这次第2号墓墓志铭虽已残缺，究竟多少也增加了一些研究的材料。

墓室的构造纯仿中原木式建筑，涂有彩色，绘有壁画，借此可知辽代营造技术的一斑。

可供研究契丹人体质的材料，出土现尚不多，这次出土的人骨虽不完整，但在这方面的研究上将有些补益。

（原载《考古学报》第8册，1954年）

图版一

1.墓群望西山村

2.墓群

1.第1号墓残存的封石和墓室轮廓

2.第1号墓主室壁残存的柏木板

1.第1号墓主室及前室

2.第1号墓由墓道看遗物分布状态

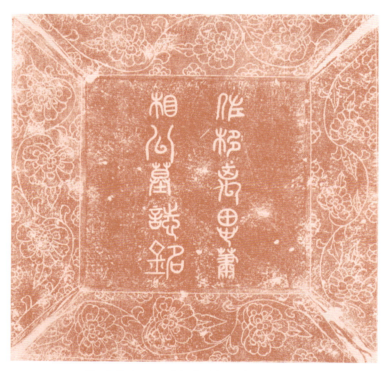

1.第1号墓出土佐移离毕萧相公墓志铭盖拓片

2.第1号墓出土佐移离毕萧相公墓志残石拓片

图版五：第1号墓出土文物

1.白瓷长颈瓶　　2.白瓷鸡冠壶
3.白瓷唾壶　　4.定窑白瓷盖罐

1、2.景德镇青白瓷莲式碗

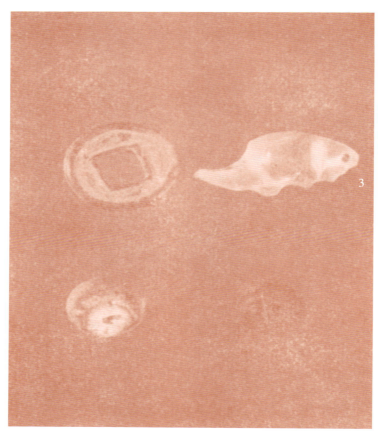

400

3.白水晶小鱼、琥珀钱、琥珀圆珠

1.第2号墓墓门浮雕装饰

2.第2号墓墓门内右侧壁壁画契丹像（摹本）

1.第2号墓墓门内左上部壁画牡丹流云图摹本

2.第2号墓墓门内左上部壁画牡丹流云图摹本

第2号墓出土契丹国书墓志铭残石拓片

图版十：第2号墓出土器物

3　　　　　　　2　　　　　　　1

4　　　　　　　5

1.银白色瓷注壶　　　2.绿釉凤首瓶
3.绿釉鸡冠壶　　　4.定窑粉白瓷瓶　　　5.白瓷划花盆

图版十一：第2号墓出土器物

1.景德镇青白瓷托盏　　　2.定窑白瓷小盖瓶
3.绿釉小罐　　　　　　　4.景德镇青白瓷卷唇小碟
5.景德镇青白瓷花式小碟　6.景德镇青白瓷斗笠状杯
7.景德镇青白瓷矮碗　　　8、9.景德镇青白瓷小碗

图版十二：第2号墓出土器物

1.景德镇青白瓷盖碗　　　　　　2—7.白瓷残器
8.景德镇青白瓷大碗　　　　　　9.定窑粉白花式大碗
10—12.白瓷残器

图版十三：第2号墓出土器物

1.铁锁　　　　　2—4.环盘铁器　　　5.木器残片
6.墓门铁钉　　　7.铜鞭穗　　　　　8.布面环状铁器
9—11.铁拉手　　12、13.铁钩

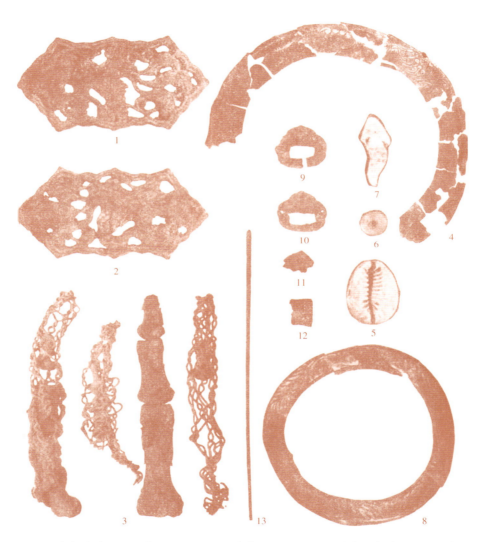

410

1、2.镀金透雕飞凤铜带　　　3.铜丝手套　　　4、8.镀金 錾花环状银器扣
5.子安贝饰　　　　　　　　6.白水晶串珠　　　7.贝雕品
9—12.镀金有孔铜带具、镀金錾花铜饰残片　　　13.铜筷子

1.第3号墓墓门前堆石

2.第3号墓墓门及隧道

图版十六：第3号墓出土器物

1.第3号墓遗物分布

2.牡丹花形白玉冠饰　　　　3.沙蓝色瓜棱琉璃珠

4.黄白色似玉石质小环　　　5.竹节式白玉杯

6、10、11.铜具　　　　　　7—9.镀金錾花铜戒指残片

8.镀金铜饰残片

图版十七：第4号墓出土器物

1.青瓷划花花式大碗（正面）
2.青瓷划花花式大碗（侧面）
3.汝窑青瓷划花碟

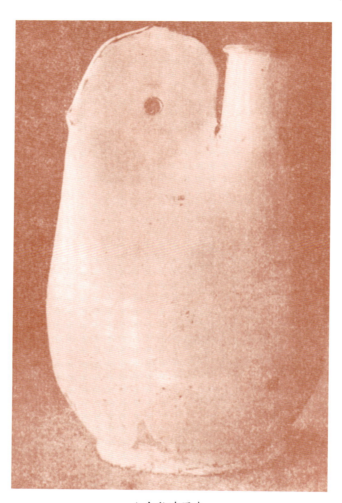

1.白釉鸡冠壶

2.景德镇青白瓷莲花式把壶

418

1.定窑白瓷雕花盖罐

2

2.景德镇青白瓷莲式大碗

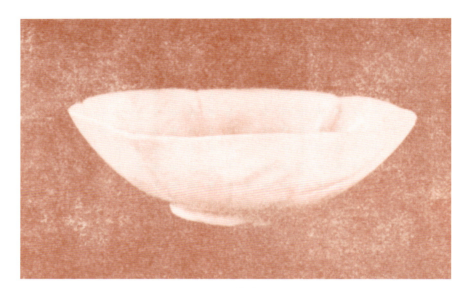

1.玛瑙花式碗

2.玛瑙小碗

1.嵩德宫铜铫

2.铜马镫

1.淡青瓷划花小碗残片　　　　2.汝窑粉青花式盏托

3.景德镇青白瓷碗　　　　　　4.白釉长颈瓶

5.茶末绿釉鸡腿坛　　　　　　6.黑釉弦纹瓶

1.琥珀双鱼佩　　　　　　2.琥珀凤鸟佩　　　　　　3.琥珀人物佩

4.琥珀制品　　　　　　　5.青玉双鹅带盖小盒　　　6.青玉分发簪

7.青玉管状有盖小盒　　　8.白水晶珠　　　　　　　9—11.玛瑙带饰

12.瑟瑟珠　　　　　　　　13.琥珀珠　　　　　　　　15.黑石珠

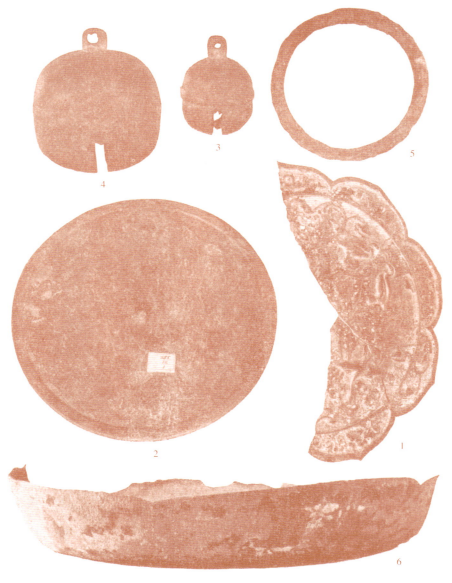

426

1.含绶花鸟八菱花镜   2.铜素镜
3、4.小铜镜   5.铁门环
6.花式大铜盆

辽阳三道壕西汉村落遗址

遗址在辽阳市北郊3里的三道壕村，占地约4平方里，是太子河西岸的冲积平原地带。发掘工作从1955年5月开始，至9月结束。发掘面积约一万多平方米，是全村址的一小部分。发现有农民居住址6处、水井11眼、砖窑址7座、铺石道路2段（图一）、儿童瓮棺墓368座（另文发表）。出土资料包括陶、瓦片（图二）在内，共有19万多件。

这个村址大约是公元前200年到公元25年之间的遗存，似乎是经过一次较大的社会不安之后而逐渐废弃的。文化堆积是连续的，性质是一致的。各建筑址虽多分为上下两层或三层，但这仅是在同一范围上，几次房屋建筑的残迹和居住者遗留的废弃物混合形成的层积，是同一种文化的早期和晚期的遗存，因此发掘作业也就采用了以遗迹单位分层揭开的方法。

这次发掘虽仅仅是全村址保存较好的一部分，但对文化层积的广度和先后、遗址结构配置性质和遗物的分布情况，都掌握了比较确实的材料。

428

图一　辽阳三道壕西汉村落遗址全图

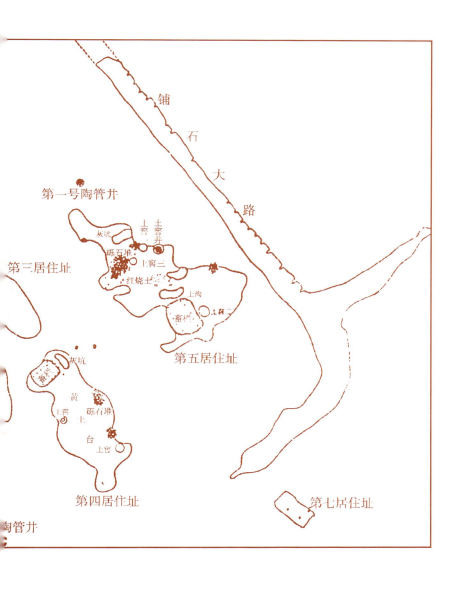

铺石大路

第一号陶管井

第三居住址

灰坑
上窑 土窑井
砾石堆
上窑三
红烧土
上沟
畜栏

第五居住址

灰坑
畜栏
黄土
砾石堆
上窑
上台
上窑

第四居住址

陶管井

第七居住址

一、农民居住址

发现农民居住址6处，虽都受过损坏，但还保存着当时以农家为生产和生活所安排的成为一个完整系统的必要设备。初期的建筑物以土木为主，后期有的增加了砾石材料。各住宅都向南或稍偏东、西开门，互不连接，排列得也无次序。各宅院间的距离，近的15米，远的约30多米或更远些。宅院大都具备有：房屋、炉灶、土窑、水井、厕所土沟、木栏畜圈、垃圾堆等。在这些分散的宅院遗址中间和附近，分布着砖窑址和卵石器。

（一）第一居住址

遗址的范围，东西宽约20米，南北长约13米上下，它的前方压在一个早期的灰坑上。遗址中保存有黄土房基一处，分布着大量石块、瓦片和陶片。房基的东端有圆形建筑址（图版一：2），保存有不少使用过的砖块。在居住址内发现炉灶址三座：东面的一座较大作瓢状（图版二：1），黄土基址烧得很红硬；稍西有小灶址一座，仅存一部分；再向西又一座小灶址，圆肚小口，保存较完整，灶膛内尚存有灰炭。小灶址南边有小土窑一座，深60多厘米，出有铁器、砖块和陶片。房基西面约十二三米处有陶管井（第二号陶管井）一眼（图版二：5），用陶管18节，全深4.5米。建筑方法是在地内穿一圆井筒，相对两方土壁上有踏足孔，在土井筒内接装上有绳、席纹灰陶管，管外填以砾石和砂土。陶管井内出有小"半两"钱、铁器、陶片、砖窑渣等，这证明它有一段时间是和砖窑同时共存的。此外在房址和下部灰层中发现了许多遗物，铜器有：铜剑镡、带钩、铜镞、刀钱、小半两、五铢、大布黄千等。铁器有：铁镬4、锄4、镰4、残车辖（图版六：20、21）、锸、铁刀、铁锥、铁锅片、残碎铁器片等。陶器有：罐、盆、甑、豆、壶等残片及纺轮、"千秋万岁"和卷云纹瓦当（图三）。并有被烧而炭化了的高粱一小堆（图版五：10）。

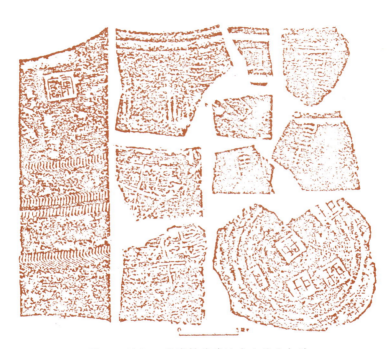

图二　辽阳三道壕村落遗址出土陶文拓片

431

（二）第二居住址

东西宽38米上下，南北约15米，在这个遗址中可以看出前后三次建筑遗存叠压的情形。早期的遗址稍偏西，在最下层，距现地表约1.7米上下，仅存有包含瓦片、陶片的灰土层一大段；西端有土窖井（三）一眼；东端有小型灶址一座，小灶址正被压在中期居住址的畜栏粪坑的下面，出土货币有"一刀"小圆钱，大"半两"钱、小"半两"；井中上部填土内出"五铢"钱。陶器以弦纹圆底罐和陶豆为最多，土窖井（三）出有大陶瓮一（图版五：1）。中期居住址位置稍偏东，在早期遗址上层。保存有房址的黄土台一段，分布大量瓦片、陶片等遗物；此房址想是一种土墙、木柱、昌瓦盖顶的小房舍。房址西端有畜栏一座，是在一洼坑中用六根方柱围成，现只遗有六个柱孔，有的孔中尚存朽木灰，坑中堆满畜类粪便和草芥朽灰。畜栏后方存椭圆柱孔三个，东二、西一，原来可能有四个，想是围杖篱笆之类的角柱遗孔。西面有土窖井（二）一眼，做法是先掘成圆表竖穴土窖，然后在窖底再向下筑一方形木壁水井。这个井内满填灰土，在井上部发现支石的灶址，稍下部出有完整的马骨一具（图版二：3）。晚期建筑在中部，是最上层，压在中期遗址的西北角上。保存有柱础石六个，可看出房间不很大，上面存有大量瓦片、石块和陶片。这个建筑物与第一、二号砖窑很接近，可能与砖窑有关。在建筑物后有土窖井（一）一眼（图版三：3），做法与土窖井（二）相同。但井壁上部用长方砖构筑，下接陶井管。长方砖规格形式与第一、二号砖窑产品同。井筒中又填满了烧坏的碎砖头，可知此井确与砖窑有关。东面稍远处有灰坑一，多残碎的砖瓦、乱石、灰土，中出王莽钱"大泉五十"，建筑年代约在西汉末年。总计出土遗物铜器有：铜镞、带钩、铜扣、指环；铁器有：铁铧、镬、锄、锸、铲、镰（图版六：6—8）、镞、带钩、剑、刀（图版六：1—3）、锥（图版六：9、10）、锛等；陶器有：陶磨、陶锅（图版五：2）、榨圈、陶璧、纺轮、钵、罐、盆（图版五：6）、甑、壶、豆残片等；货币有："一刀"小圆钱、"大半两"、"小半两"、

图三　辽阳三道壕村落遗址出土瓦当

433

"五铢"、"大泉五十"等（图四）；装饰品有琉璃珠（图版六：22—24）、耳珰。

（三）第三居住址

东西宽34米，南北长约18米，是一个保存比较完整的居住址。上层晚期的建筑物仅存几个大小不同的砾石堆、乱了位置的础石和瓦、陶片。下层发现黄土房址一处，上有密布的瓦片、陶片和其他遗物，房址西端洼坑中有方形畜圈（图版三：1），用12根方木柱围成，今只存有柱孔，深而整齐，一面宽有4米多，圈中多牲畜粪便和朽烂草芥，这种洼坑畜圈当是农民积肥的特殊设备。畜圈后不远有土沟一道（图版三：1）沟窄而深，中存灰黑朽土，当是厕所便坑。这种厕所与畜圈相接以便于积肥的情况，不但今天东北农村可以看到，在汉代墓葬明器中也有这种情景。畜圈右前方不远有土窖两个：较大的（土窖一）有二层台，底有几个卵石（图版二：2）；较小的（土窖二）只有灰土，深度不大，房址西方不远有土窖井两口：土窖井一（图版三：4），井口上土层中有晚期建筑物的砾石堆，可见它是中期（或更早）的遗存。井的做法和第二居住址第二井同；东面的土窖井（二），是在一个土窖中筑两眼方木壁井（图版三：5），这有力地说明，除饮食生活用水以外，一定还有生产上大量用水的地方，否则不会有这种情况。出土物铜器有：铜镞（图版六：17—19）、铜器残片，铁器有：铁镬、锄、镰、铲、残车辖、锛、凿、钻头、刀、锥等；装饰品有：琉璃耳珰（图版六：25—27）、琉璃珠；陶器有：陶磨、榨圈、陶璧、纺轮、甑及豆等容器残片，陶璧的辖一件，背面刻有六博局花纹和类似文字的纹饰；货币有："一刀"小圆钱、小"半两"钱、"五铢"（图四）。

（四）第四居住址

东西宽约30米，南北长约16米。上层晚期建筑物仅存方形砾石堆一处，有几块础石和瓦片、陶片、碎石等。下层建筑物存黄土平台的房址1处，台

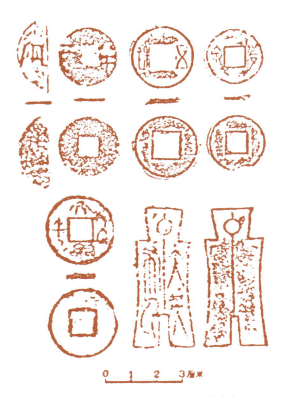

图四　辽阳三道壕村落遗址出土货币拓片

上分布着大量瓦片、陶片和丰富的遗物。房址西端洼坑中有长6米上下的方形大畜圈，系用14根方形木柱构筑而成，南留圈门，中存很厚的牲畜粪便和灰土。畜圈后有一小灰坑，中有几块大平石，可能作过厕所。房址前右方（当是院中）有小土窖一座，立壁平底，其中仅出有烧土、黑土和少数陶片。房址后左方有大土窖一座，深2米多，规模和一般土窖井的土窖相同，底下遇到了易于颓崩的细沙层，窑口旁存有大型河卵石一大堆，估计当是筑井遇沙而停止了的。居住址左前方约20多米处有陶管井一眼（第三号陶管井），其建筑方法和陶管大小纹饰与第一居住址陶管井相同。在井口下1米多处发现叠压着的人骨两架（图版二：6），女上男下，女指骨上戴有铜指环二枚。死的原因不详，但这必须是在村落荒废后、古井半湮的情况下才能有的；此死者的年代当晚于这个居住址。出土铜器有：铜镞、铜竿、带钩（图版六：15、16）、镜片、铜器片；铁器有：铁镢、锄、锸、铲、镰（图版六：4、5）、车辖片、凿、钻头、刀、锥、锅片；装饰品有：琉璃、石、玛瑙、珠饰等；陶器有：甑、罐、壶、盆、豆等容器残片；货币有："刀钱"残片、小"半两"钱、"五铢"钱。在此居住址并采集有石磨器（图版五：8）。

（五）第五居住址

东西宽约30米，南北长约18米，是一所保存较好、居住期间较长、遗物较多的遗址（图版一：1）。文化堆积层最厚处约1.05米，保存着一层建筑遗址。遗址东北方五六米处的上层，有魏晋时期小石椁墓葬一座。遗址东端的上层，有渤海国建筑物铺石和筒瓦、板瓦、瓦当。遗址存黄土平台的房基一处，上有大量瓦、陶片和碎石。房内东端地面有分布很宽的红烧土面，旁有方、圆小穴各一，可能是崩坏了的炉灶址。近西边有小土窖（土窖三）一座，小而浅，与房屋外深大的不同。房址东面不远的低洼处有大畜栏（图版三：2），系用11根方木柱围成，宽约6米，圈中也有杇坏。圈后有大土窖（土窖二）一座。圈西侧有深土沟一道，想是厕所遗址。房址西面有大垃圾堆两处，系就洼坑倾倒堆积而成的，出陶片、兽骨等。房址后方西部有土窖（土窖一）一座，深1米多，内满填灰炭、烧土、陶片等。东部有土窖井一眼（图版三：6），修筑法和上述土窖方木井同，在木井壁外填满了河卵石。在居住址的西面约15米处，有陶管井（第一号陶管井）一眼，井深6米，用20个绳、席纹灰陶管筑成，构造和第一居住址中陶管井同。井内所出的铁器、陶罐、陶磨残片、瓦片等也和这个遗址出土的相同，可能与这个遗址有关。总计出土的遗物，铜器有：铜镞、镜片、盖弓帽、铜簪、指环、铜扣等；铁器有：铁镬、锄、铲、镰、残车辖、车铜、锛（图版六：11）、带钩、刀、铁器残片；装饰品有：骨觿、琉璃耳珰、琉璃珠、琉璃饰品等；陶制品有：陶磨、陶钵（图版五：4）、陶瓮、器座（图版五：5）、纺轮、陶璧及甑、罐、盆、豆等残片，印有半两钱纹瓦片；货币有："刀钱"、大"半两"、小"半两"、"五铢"钱，王莽"货泉"（出土于畜栏柱孔朽灰中，可能是晚期混入的）。

（六）第六居住址

东西宽约22米，南北全长约30米，它可能是属于三个不同的建筑物的残址（图版一：3）。层位较深，上部受了严重破坏，所以各居住址保存得不完全，出土遗物也较少。北面的居住址约在地表下1.40米上下，存有黄土台的房基一段，台面上分布着瓦片、陶片和柱础石。房基后稍低处西部有圆形土窖一座，直径1.07米，深0.7米上下，立壁平底，填满了灰土。出土有陶管井（第四号陶管井）一眼，深4米多，建筑与上述各陶井同（图版二：4）。出土有铁锥、陶片等。中部居住址层位相同，仅存黄土平台一片，台上散乱着很多石块和瓦片，也出土了一些铁农具。南部居住址层位较高，存黄土房基一处，约为三间，西面土壁基和后墙线上的两个柱础石还保存得很好。房基上有不少瓦片、陶片和石块。房址西端洼坑中有方形小畜栏一座，系用4根方木柱围成，存有深大的柱孔，一孔中保存着朽木。每面宽约2.05米，堆积的粪便中有糠秕，估计它是养猪栏。栏后有窄而深的土沟一道，前部与猪圈相连。与第五居住址畜圈和土沟相连的情况相同，可以看出是作为厕所便坑之用。出土铁器有：小铁铧、锹（图版六：13）、锄、铲（图版六：14）、镰、残车辖、刀、锥、匕首、锅片；陶器有：甑、盆、罐、壶、豆等残片；还有琉璃珠；货币有："一刀"小圆钱、小"半两"钱、"五铢"。

二、铺石大路

铺石大路位于居住址的北面，路面上距现地表约1.3米，较各居住址地面稍高。在大路东端路面上约0.4米的土层中，发现两段渤海国时期的文化堆积层，此外在大路的上面没有发现任何遗迹。发掘出的大路可分本线和支线两段：本线由西向东转而微南（图版四：5），长122米，加西端未掘的44米，共长166米。支线由转折处向北伸展（图版四：6），掘出24米。路面宽约7米，全用河卵石铺筑三层或四层，厚约0.35米。路心稍高，两边整齐，北侧有距离约略相等的缺口多处，不知原来作用。道两旁没有水沟、壕棱、副道等建筑痕迹。路上出土主要遗物有：铜镞、带钩、铁铧、铁锸、残车辖、刀、琉璃耳珰、琉璃珠、小"半两"、"五铢"以及陶片、瓦片等。这些遗物完全和各宅院址、窖址、水井中出土的一致，表明是同一时代的遗存。路面上留有明显的辙迹，一般都有两排并列的大车辙，可以想象当时大车往来各走一辙，畅行无阻的情况。

三、砖窑址

共发掘了7座砖窑址。根据各窑建筑、产品和出土遗物来看，除了第五号窑址无遗砖、遗物，第六号窑址所烧砖大都无绳纹可能稍晚以外，所余第一、二、三、四、七各窑的年代，大致是和农村居住址中期到末期的年代相同。窑址的建筑都是在地下穿一长方形直筒窑室，上口和窑门、窑床等重要部分用长方砖和黏泥筑造，全部壁面都涂有多层混有麦秸的黏土层，想是烧过一个时期后就重抹一层。各窑的构造和形式相同，都具有窑门、火膛（图版四：2）、窑床、烟道、烟囱各部。窑门（图版四：3、4）前有置柴场，并发现有大量瓦片和柱础石，想是上有窑棚建筑的，一般窑室高约3米，根据出土砖块体积估计，每次可烧砖坯1800块上下，生产能力是不大的。所烧都是长方形灰色绳纹砖（图版五：7），它和村址中以及辽阳一般汉墓上常见的灰色绳纹砖大致相同，这几座窑址的主要出土物有：铜镞、铜铺首、铁镢、铁锄（图版六：12）、铁刀、铁凿、灰陶盆（图版五：3）、骨觿、琉璃耳珰、"刀钱"、"一刀"小圆钱、小"半两"、"五铢"等。此外，第一、二号窑址紧靠在一起（图版四：1），两窑有共同的生产设备，为一眼土窑方木井、一个露天炉灶、六个土窑，围绕在两窑址的前方。由这两座窑室和三种共有的附属建筑所组成的整个的窑业生产体系，只有出现了一组有计划有组织的烧窑专业劳动力，利用两窑轮烧的情况下才能有的。可以看出这种窑业已经由农民副业生产的情况渐渐转向专业化了。

这次发掘所得的资料，使我们有可能在研究当时社会生活状况方面获得了若干实证，包括农业、手工业、交通运输业等生产发展在内。对当时农民生活的了解、社会性质的研究，可能会提出一些有益的参考。

遗址中农民宅院都很分散孤立，规模简陋，但又都具备着在自然经济的条件下，每家都能独立进行生产和生活的必要资料。农业生产工具体形薄小、效力不大，有很小的铁铧，这表明了当时分散的个体小农经济的生产状况。

窑业手工业生产，仍为农业的副业生产，与小农业相结合，但已经开始向较大规模的专业商品生产上发展了。

宽阔的铺石大路，对开大车往来无阻，各居住址出土不少车器和牛马骨，农户绝大多数都有牲畜栏，这些情况都说明了当时交通比较发达。

此外，如家家积粪肥田，粮壳加工不用杵臼而用旋转式的陶磨，筑井技术的发达，都证明农业生产技术是很高的。

（原载《考古学报》1957年第1期）

图版一：辽阳三道壕西汉村落遗址

1.第五居住址全景（北──→南）

2.第一居住址的圆形建筑址

3.第六居住址全景

图版二：辽阳三道壕西汉村落遗址

1.第一居住址灶址

2.第三居住址土窖一

3.第二居住址土窖井二中部所出马骨

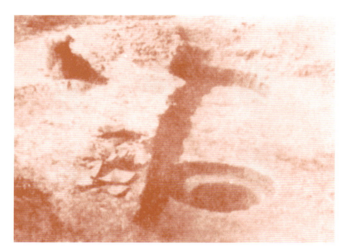

4.第六居住址陶管井与土窖

5.第二号陶管井外观

6.第三号陶管井中的人骨

448

1.第三居住址畜栏柱孔及土沟

2.第五居住址畜栏柱孔

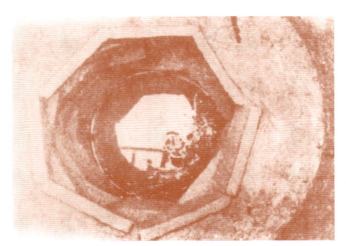

3.第二居住址土窖井一

4.第三居住址土窖井

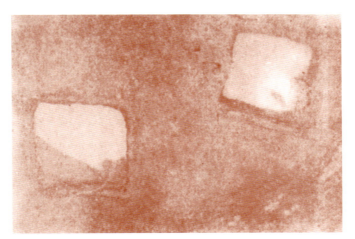

5.第三居住址土窖井二

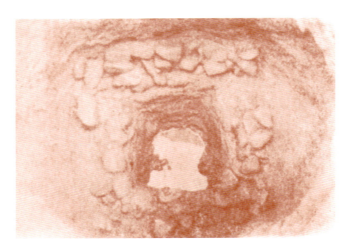

6.第五居住址土窖井

图版四：辽阳三道壕西汉村落遗址

1.第一、二号窑址

2.第二号窑址火膛四壁砖券

3.第三号窑址全景（南——➤北）

4.第七号窑址全景（东———➤西）

5.铺石大路（西——→东）

6.石路支线（北—→南）

图版五：辽阳三道壕西汉村落遗址出土遗物

1.第二居住址土窖井出土大陶瓮　　　2.第二居住址出土陶锅
3.第一居住址出土灰陶盆　　　　　　4.第五居住址出土陶钵
5.第五居住址出土器座、陶瓮　　　　6.第二居住址出土陶钵、罐、盆
7.第六居住址出土灰色绳纹长方砖　　8.第四居住址出土石磨盘、棒
9.第一居住址出土筒瓦　　　　　　　10.第一居住址出土火烧高粱

图版六：辽阳三道壕西汉村落遗址出土遗物

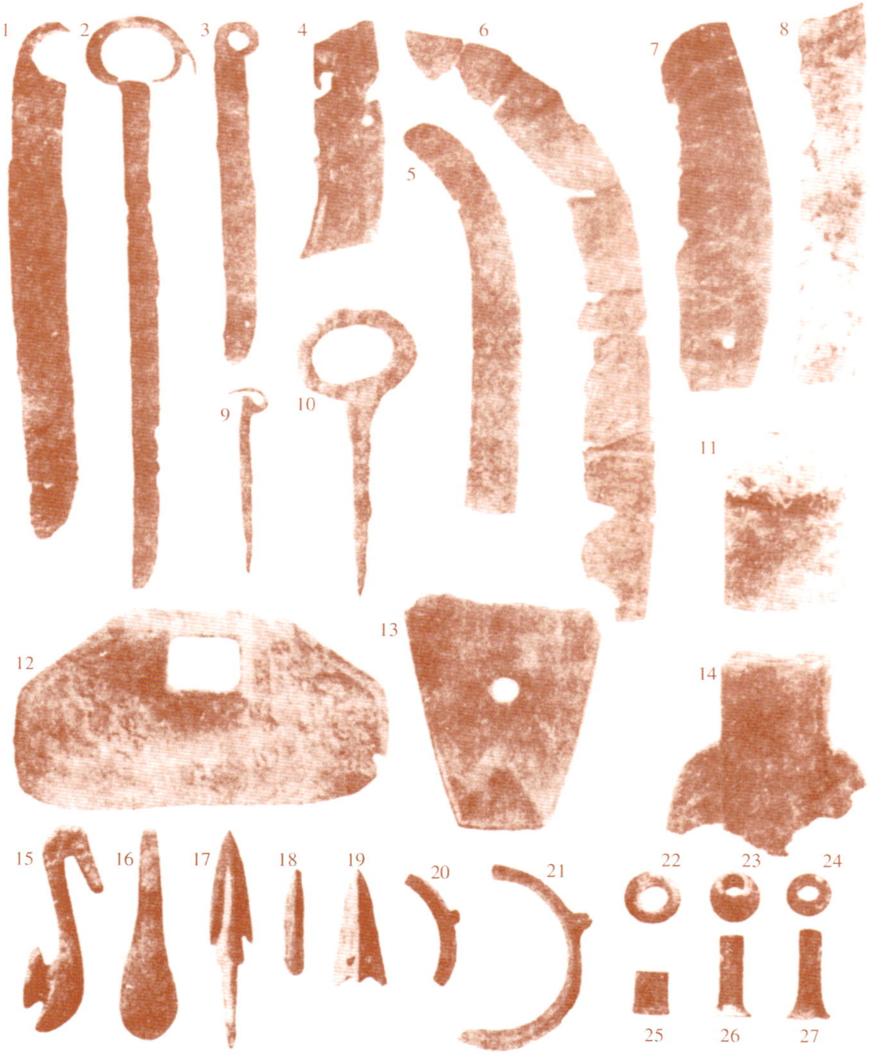

1-3.环首铁刀（二居住址）　　　　　　　4、5.铁镰刀（四居住址）

6-8.铁镰刀（二居住址）　　9、10.铁锥（二居住址）　　11.铁锛（五居住址）

12.铁锄（二号窖）　　　　13.铁锹（六居住址）　　　　14.铁铲（六居住址）

15、16.铜带钩正侧面（四居住址）　　　　17-19.铜镞（三居住址）

20、21.铁车辖（一居住址）　　　　　　　22-24.琉璃珠（二居住址）

25-27.琉璃耳珰（三居住址）